CW00409973

Président du Conseil constitutionnel, Jean-Louis Debré a été président de l'Assemblée nationale et ministre de l'Intérieur. Il est l'auteur de nombreux romans policiers et de livres sur l'histoire de la République.

Jean-Louis Debré

TU LE RACONTERAS
PLUS TARD

Robert Laffont

TEXTE INTÉGRAL

ISBN 978-2-7578-7244-4
(ISBN 978-2-221-19877-3, 1ʳᵉ publication)

© Éditions Robert Laffont, S.A., Paris, 2017

« Quand on ne regarde la vérité que de profil ou de trois quarts, on la voit toujours mal. Il y a peu de gens qui savent la contempler de face. »

Gustave Flaubert

« Il n'est pas une vérité qui ne porte avec elle son amertume. »

Albert Camus

Peu avant de quitter la présidence de l'Assemblée nationale pour celle du Conseil constitutionnel, j'ai transmis à Jacques Chirac une partie de ce livre pour lui demander s'il voyait un inconvénient à sa publication. Dans la mesure où je citais certains de ses propos, cette démarche m'apparaissait naturelle. Deux jours plus tard, il me répondit que tout allait « très bien » et qu'il n'avait rien à modifier.

Connaissant sa bienveillance à mon égard et persuadé qu'il n'avait pas vraiment lu ce que je soumettais à son approbation, je tins à m'assurer qu'il avait conscience des mots que je lui attribuais. Certes ils étaient exacts et reprenaient ce qu'il m'avait dit, mais je les avais recueillis au cours de conversations privées.

Je passai donc le voir un dimanche après-midi à l'Élysée, afin de lui montrer les principaux passages surlignés en jaune.

– C'est très bien, mais tu le raconteras plus tard…, me recommanda-t-il alors.

Plus de dix ans ont passé. Jacques Chirac a quitté l'Élysée depuis le 16 mai 2007, il ne siège plus au Conseil constitutionnel, dont j'ai laissé la présidence, il y a plus d'un an. Le temps est arrivé où je peux rendre public tout ce que Jacques Chirac m'avait demandé de révéler plus tardivement.

Notre première rencontre date de l'été 1967. C'était à la fin du mois de juillet, au pavillon d'honneur de l'aérogare d'Orly. J'accompagnais mon père, venu, avec l'ensemble du gouvernement, accueillir le général de Gaulle, de retour de Montréal où, sur le balcon de l'hôtel de ville, il avait prononcé son célèbre « Vive le Québec libre ». Jacques Chirac était alors secrétaire d'État à l'Emploi. Mon père me l'a présenté. Il m'a parlé de lui en me disant que son avenir serait brillant.

L'avion présidentiel avait du retard et pour patienter nous sortions à l'extérieur pour fumer et bavarder. J'ai pu observer Jacques Chirac de près dès ce moment-là. En politique, il y a beaucoup de copies et peu d'originaux. On sentait d'emblée chez lui un personnage qui sortait de l'ordinaire.

Depuis lors, je n'ai cessé de l'accompagner tout au long de son parcours politique et de son ascension vers l'Élysée.

Mais si je l'ai probablement approché plus que d'autres, je reste convaincu de n'avoir pas réussi à percer tout ce que sa personnalité complexe dissimule.

Son histoire politique est celle d'un conquérant, toujours en mouvement, inépuisable, instinctif. Cette volonté inflexible d'avancer, ce refus du renoncement ou simplement de s'arrêter sont l'expression du solide optimisme dont il fait preuve en toutes circonstances.

Je ne parle pas ici de l'enthousiasme béat du satisfait ou du prétentieux, mais de cette énergie dont Saint-John Perse a donné la plus parfaite définition : « Des raisons d'optimisme ? Elles sont avant tout d'ordre vital… la vie est toute action ; l'inertie est la mort… Ainsi, pour les sociétés comme pour les individus, le goût de l'énergie, source première d'optimisme, est un instinct foncier de rectitude organique. Le pessimisme n'est pas seulement une faute contre nature, c'est le "péché" de l'esprit, le seul irrémissible. »

Je n'ai pas toujours approuvé pour autant ses prises de position politiques.

Ainsi le 17 janvier 1991, à l'Assemblée nationale, avec Jean de Gaulle, Georges Gorse et Éric Raoult, j'ai voté contre l'entrée en guerre de la France en Irak, suite à l'invasion du Koweït par Saddam Hussein. Orateur du groupe RPR, Jacques Chirac avait approuvé la déclaration gouvernementale à ce sujet, ainsi que les cent vingt députés du groupe RPR présents dans l'hémicycle.

Autre sujet de divergence : le 5 mai 1992, Henri Cuq et moi décidons de voter l'exception d'irrecevabilité soutenue par Philippe Séguin contre le projet de loi portant ratification du traité de Maastricht, Jacques Chirac, peu avant le scrutin public, nous a pris à part, pour nous inciter à modifier nos intentions de vote et ne pas approuver la motion de procédure de Séguin.

Je revois la scène qui suivit. La séance débute, Philippe Séguin monte à la tribune devant un hémicycle bien rempli. Sur les travées du groupe gaulliste la tension est à son comble. Les différences de fond sur la conception de l'Europe sont exacerbées par les conflits de personnes et les perspectives de la prochaine présidentielle après les deux échecs de Jacques Chirac, en 1981 et 1988.

Pour une fois, Chirac ne sort aucun papier de sa serviette, il est attentif à ce qui se dit à la tribune, anxieux des résultats du vote des députés gaullistes sur la motion de Philippe Séguin. Il craint, à tort, d'être mis en minorité par les siens.

Après la proclamation des résultats, fait rarissime, Jacques Chirac reste devant l'hémicycle, salle des Conférences, une dizaine de minutes, à attendre le tableau nominatif des votes.

Il nous aperçoit, Henri Cuq et moi. Il sait qu'il n'a pas réussi à nous convaincre de le suivre contre Séguin. Très agacé, il s'approche, nous traite de « petits cons ». Nous ne nous en formalisons pas. Quand il ne supporte pas quelqu'un, il utilise plutôt le mot « connard ». Nous bénéficions donc d'un régime particulier !

Mais j'ai surtout et souvent partagé avec Jacques Chirac d'inoubliables moments de complicité.

Alors qu'il était maire de Paris, ses venues-surprises (à la fin, ce n'en était plus) à mes anniversaires, où en compagnie d'Anne-Marie, de Charles-Emmanuel, de Guillaume et de Marie-Victoire nous passions une soirée en famille au restaurant le Benkay à l'hôtel Nikko de Paris, constituaient pour nous une émouvante marque d'affection.

En janvier 1974, Chirac préside, comme ministre de l'Agriculture, un déjeuner de l'assemblée des présidents des chambres d'agriculture, avenue George-V à Paris. Je suis assis près de lui en tant que membre de son cabinet. Le repas vient juste de débuter quand il se lève et me fait signe de le suivre. Les convives sont un peu surpris de ce départ précipité. Je le retrouve dans sa voiture, il indique à son chauffeur la direction du haut des Champs-Élysées.

Et nous voici attablés au restaurant du Drugstore, partageant une superbe entrecôte. Je lui fais alors part de mon étonnement et l'interroge sur les motifs de ce brusque changement de programme.

– C'était très emmerdant, me dit-il, j'avais envie de déjeuner avec toi, tranquillement, et de bien bouffer.

Après le repas, nous descendons ensemble une partie de l'avenue des Champs-Élysées en bavardant comme deux étudiants heureux d'avoir pu faire l'école buissonnière.

Deux mois plus tard, en mars 1974, nouveau ministre de l'Intérieur, il accompagne le chef du gouvernement, Pierre Messmer, en Corse. Il me demande de rester près de lui pendant toute cette visite et de prendre place dans sa voiture. Il me confie un téléphone portable que je dois lui passer dès qu'il sonnera. Georges Pompidou est alors dans son ultime combat contre la maladie. Jacques Chirac, anxieux, sait que sa fin de vie est proche. Tout au long de cette journée, Chirac ne me perd pas des yeux et ne cesse de m'interroger du regard pour savoir si la sonnerie a retenti.

Ses marques de confiance ont été nombreuses et quasi incessantes au cours des années suivantes.

Entre 1988 et 1995, à l'époque où nous sommes tous deux députés et que je siège à ses côtés, il lui arrive, pendant la séance des questions au gouvernement, le mardi et le mercredi, de sortir de sa serviette des documents qu'il me commente, tandis que nos collègues interrogent les ministres. Il s'efforce de m'initier aux arts premiers : « Est-ce que tu connais quelque chose à cela ? » m'a-t-il lancé la première fois.

13

J'ai dû lui avouer que non. « Il faut que je fasse ta formation », a-t-il ajouté. Bonheur, privilège de pouvoir partager sa passion que bien peu soupçonnent chez lui à ce moment-là.

En juin 1994, Hélène Carrère d'Encausse, qui a accepté, à sa demande, d'être candidate à l'élection européenne en deuxième position derrière Dominique Baudis, décide d'aller porter la bonne parole en Corrèze aux maquignons du marché aux bestiaux de Meymac, pas tous convaincus des bienfaits de l'Europe.

Pressentant que notre académicienne y serait moins à l'aise que sous la Coupole, Jacques Chirac insiste pour que je sois présent, avec mission de la soutenir si la réunion dérape, et de faire patienter l'assistance pour gagner du temps, jusqu'à ce qu'il nous rejoigne. Il avait vu juste. Le public réserve à Hélène Carrère d'Encausse un accueil mouvementé, d'autant moins chaleureux qu'elle est arrivée en retard. Pressentant le désastre annoncé, je l'appelle et lui suggère de venir rapidement porter secours à notre candidate. Ce qu'il fait. Et il retourne la situation en quelques minutes : « Tu pourras dire que tu as sauvé une académicienne. Tu auras une place, plus tard, sous la Coupole », plaisante-t-il en m'embrassant, avant de repartir.

Cette proximité s'exprimera à de multiples moments durant la campagne électorale présidentielle de 1995. Chirac est alors abandonné par nombre de ces députés qui ont pourtant été élus en 1993 grâce à lui, mais qui, persuadés de la victoire de Balladur, sont en train de le trahir, pas toujours avec élégance.

Je n'oublierai jamais notre passage à l'île de la Réunion en décembre 1994. Il est à ce moment-là au plus bas dans les sondages et rares sont ceux qui oseraient miser sur sa victoire.

En compagnie de sa fille Claude, nous descendons la rue de Paris pour aller dîner dans un restaurant chinois de l'avenue du Maréchal-Leclerc. La journée a été difficile et l'ambiance politique vis-à-vis de lui loin d'être euphorique. Je me risque alors à lui demander :

— Comment voyez-vous les choses ?

– Ça va être compliqué… Que feras-tu après ? m'interroge-t-il.

– Avec tout ce que j'ai balancé sur Balladur, j'ai intérêt à me faire tout petit. Je me planquerai dans mon tribunal… ou j'irais me cacher dans le maquis en Corse.

– Non, j'ai un projet pour toi, me dit-il.

– Lequel ?

– Nous ouvrirons ensemble une agence de voyages, tu la tiendras et moi je voyagerai…

Fin janvier 1995, Alain Juppé, à la fois ministre des Affaires étrangères et secrétaire général du RPR, me convoque au Quai d'Orsay. Il m'indique que le Premier ministre Édouard Balladur exige ma démission de secrétaire général adjoint après mes déclarations réitérées contre lui, qu'il n'est pas possible de faire autrement. Je lui réponds que seul Jacques Chirac peut me l'imposer. Je passe voir celui-ci en fin d'après-midi et lui raconte ma conversation avec Juppé.

— Surtout ne fais rien de ce qu'il te demande et attends que je t'en reparle, se borne-t-il à me dire.

Il m'embrasse avant que je quitte son bureau de l'Hôtel de ville.

Peu après, il m'appelle chez moi et me donne rendez-vous pour le surlendemain, un dimanche matin, toujours dans son bureau à 11 heures. Sa consigne est claire : « Tu continues, tu ne démissionnes pas… »

Ce matin-là, peu après mon arrivée, Alain Juppé entre à son tour dans le bureau.

– Personne ne touchera à un cheveu de Jean-Louis, qui restera à son poste, lui lance Chirac.

Puis il se lève, ouvre le tiroir de son bureau, en extrait une feuille de papier écrite de sa main et la tend à Juppé :

– Tout ce que Jean-Louis a dit, c'est moi qui le lui ai demandé ! Alors il n'y a rien à lui reprocher… il restera à son poste.

L'entretien est terminé, nous sortons.

Comment oublier encore ce jour de mars 1995 ? Dans un sondage TNS Sofres réalisé les 8 et 9, Jacques Chirac obtient 24 % des intentions de vote, Jospin 21 % et Balladur 20 %. À quarante jours du premier tour, les courbes viennent de se croiser entre les deux candidats de la majorité.

Avant que ce sondage ne soit publié, et donc connu, Chirac, au quartier général de sa campagne, avenue d'Iéna, ouvre la porte qui sépare nos deux bureaux. Il me demande de venir le voir. Il est debout face à moi.

– Les sondages sont bons, m'annonce-t-il, je passe devant Balladur… Mais il ne faut encore rien dire. Ils sont secrets… Il ne faudra pas se réjouir publiquement, mais c'est bien.

Je perçois sa satisfaction et lui suis reconnaissant de me la faire partager.

Le 7 mai 1995, il me fait venir en fin d'après-midi, avec quelques proches, pour attendre avec lui les résultats du second tour. Et dans la soirée, après l'annonce officielle de son élection, lorsque, avenue d'Iéna, il salue la foule du balcon, il me demande encore une fois d'être auprès de lui, alors que tant de ralliés de la dernière heure se poussent pour être à ses côtés. Il n'est pas dupe des manœuvres de ces convertis tout récents.

D'autres moments ont scellé cette connivence singulière avec Jacques Chirac.

Ainsi, à l'occasion de son voyage en Tunisie les 5 et 6 octobre 1995. Nous déjeunons au palais présidentiel à l'invitation du président Ben Ali et en présence du ministre des Affaires étrangères et de mon homologue tunisien de l'Intérieur. Le repas vient de débuter. Je vois Chirac griffonner un mot sur le menu et me le faire porter par le maître d'hôtel. Je le lis : « Ne bois pas ce qui est dans ton verre… ça donne la "tourista". Tu me trouves une bière. » Je me penche vers mon collègue Mohamed Jegham, et lui fais part à l'oreille du vœu de Jacques Chirac :

– Mon président veut une bière…

— Ce n'est pas possible, on ne sert pas d'alcool, me répond-il tout aussi discrètement.

– Ma carrière ministérielle est foutue, lui dis-je, s'il n'a pas ce qu'il demande…

Il a l'air surpris et contrarié. J'insiste. Il finit par s'adresser à un maître d'hôtel à mi-voix. Au bout d'un moment, celui-ci revient avec un verre entouré d'une serviette blanche qu'il pose devant le président français. Et ce dernier, sans attendre, le siffle pratiquement d'un trait et lance : « Ça fait du bien ! » Il me regarde en me faisant un grand sourire. Je remercie mon collègue : « Je ne vais pas être débarqué du gouvernement. »

Après le déjeuner, j'avoue à Chirac qu'il m'a placé dans une situation délicate. Ce qui le fait bien rire.

Les 6 et 7 juillet 1996, nous sommes en déplacement en Arabie saoudite. Le premier jour, à la suite du dîner officiel, alors que je viens de regagner le palais contigu au sien où la délégation française est logée, il m'appelle au téléphone et me demande de le rejoindre immédiatement. J'imagine qu'une information grave lui est parvenue, pour me convoquer brusquement à une heure aussi tardive.

Dès mon arrivée, il me fait asseoir, attrape une petite mallette d'où il extrait deux canettes de bière.

– Nous allons boire à la santé du roi, gardien des lieux saints. Toute la journée nous n'avons eu droit qu'à de l'eau. J'ai attendu ce moment avec impatience, je veux le partager avec toi…

Et voici le président de la République française et son ministre de l'Intérieur en train de siphonner deux bouteilles de bière dans le palais d'un pays où la consommation d'alcool est officiellement interdite. Cela nous amuse à tel point qu'il en débouche deux autres.

Dans ma circonscription de l'Eure et ma ville d'Évreux, il est venu à plusieurs reprises me soutenir.

Je me rappelle une réunion publique à Nonancourt où je me présentais aux élections cantonales en mars 1992. À la fin, il me demande ce que nous allons faire maintenant. Je lui réponds : « C'est fini, on rentre. » Il me réplique : « Mais avant, on va boire un coup et trinquer à nos chevaux, à nos femmes et à ceux qui les montent. »

Les micros étant restés ouverts, l'assistance, d'abord surprise, éclate de rire.

Parmi tant de souvenirs communs, l'un des plus mémorables pour moi reste ce 30 septembre 2006 où venu à l'hôtel de Lassay fêter mon anniversaire, il m'annonce : « Je vais te nommer président du Conseil constitutionnel. » Je décline sa proposition, refusant de quitter la présidence de l'Assemblée nationale, et le lui dis.

Début 2007, au cours d'une des nombreuses rencontres que j'ai avec lui le dimanche après-midi à l'Élysée, il revient sur le sujet :

– Je vais bientôt quitter l'Élysée, je souhaite que ma dernière nomination importante te concerne. Je veux que tu deviennes président du Conseil constitutionnel, tu veilleras sur les institutions voulues et rédigées par ton père…

J'ai finalement accepté tout en regrettant de devoir abandonner l'Assemblée nationale, quitter mes amis de l'Eure et mes concitoyens d'Évreux dont j'étais le maire et qui m'avaient depuis longtemps témoigné leur confiance.

Parmi les raisons de ma nomination, il y avait aussi, chez Jacques Chirac, j'en suis persuadé, le souci de me protéger de son futur successeur, Nicolas Sarkozy. Il connaissait nos très médiocres rapports.

Signe du profond respect que je porte à Jacques Chirac, je l'ai toujours vouvoyé et appelé « monsieur ». Marque de l'amitié qu'il m'accorde, il me tutoie alors qu'il vouvoie ses collaborateurs, et m'appelle par mon prénom.

Toutes ces années passées dans son sillage politique et personnel ont façonné l'affection que je lui voue.

I
Vu de l'Intérieur
(1995-1997)

(D'après des notes et réflexions rédigées en 1997 avant de quitter le ministère de l'Intérieur en juin 1997.)

Le 8 mai 1995, au lendemain de son élection à la présidence de la République, Jacques Chirac rend visite en fin d'après-midi à mon père, à son domicile rue Jacob. C'est à lui qu'il confie en premier son intention de me nommer ministre de l'Intérieur. Peu après, Chirac me téléphone pour me demander si je souhaite entrer au gouvernement. Je lui réponds que je suis à sa disposition. Et sans me laisser terminer ma phrase, il m'informe : « Tu seras ministre de l'Intérieur, mais tu ne dis rien à personne… » Je ne suis pas vraiment surpris : il avait déjà évoqué devant moi, juste avant le second tour, une telle éventualité.

Je le remercie, mais demeure prudent, sachant que, surtout en politique, les promesses n'engagent que ceux qui les reçoivent. Il m'avait déjà fait en 1993 une telle proposition. Mais le soir du deuxième tour des législatives, alors que, juste revenu d'Évreux, je passe le voir rue de Lille au siège du RPR, il m'annonce : « J'ai besoin de toi pour tenir le RPR, Juppé va devenir ministre des Affaires étrangères. Il me faut quelqu'un de sûr, j'ai une totale confiance en toi. Tu vas prendre la direction du RPR… Tu seras ministre plus tard. Tenir le RPR, c'est plus important que d'être ministre… »

J'accepte. Pouvais-je faire autrement ?

Lorsque je passe embrasser mon père, ce 8 mai 1995, avant le dîner, celui-ci, pourtant miné par la maladie, me semble heureux. Il me serre longuement dans ses bras et, sachant que Chirac est venu le voir dans l'après-midi, je comprends qu'il lui a dit quel était son projet me concernant. Nous sommes aussi émus l'un que l'autre.

Chaque jour qui suit, et avant que Chirac entre en fonction et que Juppé soit nommé Premier ministre, la presse annonce les noms des probables occupants de la Place Beauvau… Jamais le mien n'est cité.

Plusieurs fois au cours de cette période, Chirac m'appelle au téléphone pour me rassurer : « Ne t'en fais pas, laisse dire, cela n'a aucune importance… tu seras ministre de l'Intérieur… »

Trois jours avant que Juppé ne devienne officiellement chef du gouvernement, nouvel appel de l'Élysée : « Tu vas recevoir un coup de téléphone de Juppé, pour te demander de passer le voir à l'Hôtel de ville. Naturellement tu iras. Il te demandera si tu veux intégrer le gouvernement, tu lui répondras que tu es à sa disposition. Il t'interrogera sur le poste que tu souhaites, n'en exige aucun, mais redis-lui que tu es à sa disposition. Il te proposera le ministère de l'Intérieur, prends alors un air surpris et accepte… »

Ce scénario se déroule comme prévu. Et j'apprends ma nomination officielle lorsque le secrétaire général de la présidence dévoile sur le perron de l'Élysée la composition du gouvernement.

Le 18 mai 1995, me voici donc ministre de l'Intérieur dans l'équipe d'Alain Juppé. Cette responsabilité qui m'est confiée, je sais que je la dois à Jacques Chirac, à la confiance qu'il m'accorde.

1

Les attentats terroristes

Dès le lendemain de mon installation Place Beauvau, le 19 mai 1995, je suis prévenu de risques d'attentats par le directeur de la Surveillance du territoire. Il m'alerte sur l'acuité de la menace islamiste algérienne. La DST est persuadée de la radicalisation de l'attitude du GIA (Groupe islamique armé) envers la France. C'est la conséquence de plusieurs faits : l'épilogue du détournement de l'Airbus d'Air France en décembre 1994 ; les coups portés par l'armée algérienne aux maquis islamistes, entre autres.

Les islamistes fondamentalistes se doivent de frapper fort chez nous afin de compenser leurs revers de l'autre côté de la Méditerranée et d'utiliser l'impact médiatique d'actes criminels en France pour montrer leur puissance.

Quatre jours plus tard, le directeur de la police judiciaire me transmet une note faisant le point sur les « affaires marquantes relatives à l'activisme islamiste », avant mon arrivée au ministère de l'Intérieur.

J'y apprends notamment que le 6 mai 1994 a été arrêté à Beaumont, en Meurthe-et-Moselle, un individu de nationalité algérienne, demeurant en Seine-et-Marne. Il transportait dans son véhicule des armes, munitions, détonateurs, explosifs et des médicaments antidépresseurs et antalgiques à destination des maquis islamiques algériens, via l'Espagne et le Maroc. À la suite de cette interpellation, quatre personnes ont été écrouées.

Le 24 juillet suivant à Perpignan ont été appréhendés six fondamentalistes islamistes. Ils transportaient un important stock d'armes, de munitions et de médicaments. L'exploitation des renseignements recueillis à cette occasion a abouti à l'arrestation de vingt personnes dont neuf écrouées. L'enquête s'est poursuivie en collaboration avec la police allemande pour identifier le commanditaire, qui serait basé outre-Rhin.

Le 1er septembre a été mis au jour dans la région parisienne et en province (Orléans, Avignon, Besançon) un réseau de militants fondamentalistes islamistes marocains. Ce groupe, qui s'autofinançait grâce au produit de vols à main armée commis sur le territoire national, avait pris part à l'introduction d'un stock d'armes et de munitions au Maroc et à l'envoi de quatre commandos chargés de commettre en août 1994 une série d'attentats sur le territoire chérifien, dont l'un devait coûter la vie à deux touristes espagnols à Marrakech.

Le démantèlement de cette organisation a conduit à l'arrestation de cinquante-quatre personnes dont dix-neuf ont été placées en détention. Des investigations sont en cours afin de rechercher d'autres membres de ce réseau.

Le 8 novembre 1994, les services de police ont démantelé un réseau du Groupe islamique armé, implanté surtout en région parisienne. Cent une personnes ont été appréhendées dont soixante-dix-sept incarcérées. Les investigations se poursuivent là encore pour anéantir plus complètement ce réseau de fournitures d'armes et de munitions aux maquis algériens.

Le 26 décembre, les quatre terroristes du commando de fondamentalistes islamistes algériens qui avait pris en otage, à Marseille, les passagers et l'équipage de l'avion d'Air France assurant la liaison Alger-Paris ont été abattus par les militaires de la gendarmerie nationale.

Le 14 mars 1995 enfin, l'exploitation d'un renseignement communiqué par la DST a permis d'arrêter quatorze membres d'un réseau de soutien au GIA, et de saisir des armes et munitions.

Ce récapitulatif des agissements, sur notre sol, des fondamentalistes islamistes est plus que préoccupant. Il suffit à me convaincre qu'il faut poursuivre le plus énergiquement possible l'action des forces de police et de gendarmerie.

Le 24 mai, je réunis le Comité interministériel de lutte antiterroriste (CILAT). Autour de moi : Michel Besse, mon directeur de cabinet, et Alain Gehin, mon directeur adjoint, le directeur général de la police, le chef de l'unité de coordination de la lutte antiterroriste, le directeur central de la police judiciaire, celui de la DST, des Renseignements généraux, le préfet de police de Paris…

Ensemble, pendant plusieurs heures, nous cherchons à évaluer le plus précisément possible les risques engendrés par la montée d'un islamisme radical, notamment d'origine algérienne. Il est manifeste que la France est devenue une cible et ne sera pas épargnée par des attentats. Le patron de la DST répète ce qu'il m'avait indiqué lors de notre entretien du 19 mai. La France, traditionnellement considérée comme une alliée du pouvoir algérien, demeure une cible prioritaire des organisations islamiques armées et en particulier du GIA.

Y a-t-il un risque imminent d'action terroriste en France ? Les services spécialisés sur le terrain ont-ils des informations à ce sujet ? Il m'est répondu que, pour l'heure, la France reste un lieu de transit à partir duquel s'organise un trafic d'armes, de munitions et de matériel à destination de divers groupes extrémistes armés algériens.

Certes, pour l'importante communauté algérienne, la France est encore perçue comme une terre d'asile permettant d'échapper à la répression policière qui sévit en Algérie, mais notre pays peut devenir le théâtre de violences terroristes. Jusqu'à présent les services ont seulement détecté chez quelques individus et groupes inorganisés un désir plus ou moins confus d'« en découdre avec la France ». Mais de l'avis de ces spécialistes policiers et du renseignement, cet attentisme ne durera pas. Comme le prouve la découverte par la police belge, en mars 1995, d'un logo représentant un revolver pointé sur une carte de France, surmontée du terme « Al-Jihad ». Par ailleurs, les services ont été alertés de la présence active dans la région lyonnaise d'un islamiste considéré comme dangereux, un certain Boubekeur.

Dans ce contexte alarmant, il nous faut donc agir, entreprendre de démanteler ces réseaux, traquer ces fondamentalistes islamistes et accroître pour cela nos moyens « techniques ».

Nous décidons de donner un premier coup de pied dans la fourmilière en interpellant des islamistes qui pourraient être suspectés de fomenter des actes terroristes. C'est l'objet de l'opération « Salim » qui se déroule au mois de juin 1995.

Cette opération policière préventive, pas plus que la mise en alerte des services, n'empêche l'assassinat, le 11 juillet, du cheikh Sahraoui, cofondateur du Front islamique du salut (FIS), figure de l'islam en France, tué dans sa mosquée de la rue Myrha à Paris. Le cheikh est atteint au visage par une décharge de plomb alors qu'il se trouve dans une pièce attenante à la salle de prière. Un fidèle est également abattu.

Près du corps, des indices : un sac de voyage contenant une cagoule, du cordage, du ruban adhésif, une pièce de monnaie belge, une bombe de peinture spray et soixante-neuf cartouches. Devant l'entrée de la mosquée, un étui de cartouches de chasse de marque Royal Club PS. Et puis, très vite, nous parviennent des témoignages qui mettent en cause deux individus de type maghrébin, l'un en possession d'un fusil à pompe, l'autre d'un pistolet automatique.

Le cheikh Sahraoui était opposé à l'exportation du djihad algérien en France.

Deux semaines plus tard, le 25 juillet, je suis à Bordeaux, en compagnie d'Alain Juppé, pour l'installation du nouveau préfet de police. Au début de la cérémonie, on m'informe qu'un attentat vient d'être perpétré à la station du RER Saint-Michel. Je rentre aussitôt à Paris, pour me rendre sur les lieux. Flaques de sang sur le quai, odeur de poudre, spécialistes de la police technique qui s'affairent dans un silence saisissant d'émotion.

En début de soirée, je convoque une réunion, Place Beauvau, en présence du directeur général de la police nationale, de Claude Guéant, le préfet de police, de Philippe Massoni, des patrons des Renseignements généraux et de la Direction de la Surveillance du territoire Yves Bertrand et Philippe Parant ; de Bernard Gravet, le directeur de la police judiciaire, ainsi que du préfet Michel Besse, directeur de mon cabinet. Nous faisons le point, essayons de comprendre les raisons de cette barbarie. En fait, nous sommes dans la plus totale ignorance de l'origine et des motifs de cet acte.

La DST avait déjà signalé à mon prédécesseur en mars 1995, comme à moi-même, le projet des groupes islamiques armés d'envoyer un commando pour perpétrer des attentats en France. Selon certaines informations en provenance des services algériens, une faction de ces groupes, dirigée par Djamel Zitouni, se préparait à agir. Mais, naturellement, personne ne savait à quelle date ni sous quelle forme notre pays serait pris pour cible. Les services de renseignement indiquaient toutefois l'arrivée, via la Tunisie et la Turquie, de plusieurs « terroristes ». Le premier identifié était Yahia Rihane, alias Abdallah Kronfel, le deuxième répondait au surnom d'Omar l'Émigré, le troisième, originaire de Blida, s'appellerait Saïd Tazrouni. L'action de leur commando semblait avoir été retardée momentanément par l'interception d'un des leurs : Omar dit l'Émigré.

Rien ne permet de relier, a priori, l'attentat du RER et l'assassinat du cheikh Sahraoui.

Un climat, des hypothèses ne constituent pas des preuves. Bien sûr, nous disposons de quelques éléments.

Le préfet Parant me fait part d'une réunion qu'auraient tenue, début juin à Sartrouville, plusieurs chefs du GIA rassemblés autour d'Abdessabour, plus connu sous le nom d'Abdelkrim Deneche. Cette rencontre aurait débouché sur la désignation de cibles potentielles d'actions violentes.

Par ailleurs, le quotidien algérien *La Tribune* mentionnait, à deux reprises au mois de juillet, l'existence d'un commando venu de Bosnie pour assassiner des personnalités et commettre des attentats à la bombe.

Quel que soit leur intérêt, ces informations restent parcellaires et insuffisantes. Les investigations s'annoncent longues et délicates. C'est la conclusion que je tire du CILAT réuni le 25 juillet dans la nuit au ministère.

Dans l'immédiat, tout est fait pour rassurer l'opinion publique. Mobilisation de la police, multiplication des patrouilles, renforcement des contrôles d'identité, rétablissement de la surveillance aux frontières. Le lendemain, je reçois les responsables de la SNCF et de la RATP, ainsi que les patrons des compagnies aériennes et des aéroports, les dirigeants des salles de spectacle et des grands magasins. Je les appelle à la vigilance et les incite à prendre des mesures de protection. Le même jour, je rencontre les représentants de la communauté juive, pour étudier avec eux les moyens de renforcer la sécurité aux abords des lieux de culte. Nous décidons d'étendre les périmètres de sécurité autour des synagogues.

Reste l'enquête elle-même, qui polarise mon attention. Au cours des multiples réunions que je tiens dans mon bureau, mon leitmotiv est simple : n'exclure aucune piste, n'écarter aucune hypothèse, couvrir le spectre de tous les possibles. Je sais à quel point il est facile d'être manipulé par des services spéciaux étrangers, ou influencé par de prétendus spécialistes de la lutte antiterroriste. J'ai la hantise de l'erreur judiciaire, héritage, sans doute, de mon passé de magistrat. La piste algérienne est un chemin parmi d'autres qu'il faut explorer, mais certainement pas privilégier sans motif.

Devant une situation inconnue et à bien des égards mystérieuse, tel le chat qui resserre l'étau sur sa proie, je fais confiance à la supériorité du travail bien fait et de l'investigation patiente. La discrétion et l'impassibilité sont, pour le juge d'instruction, des cartes maîtresses. Elles le demeurent pour le ministre de l'Intérieur.

La recherche de la vérité et la découverte des coupables nécessitent souvent de donner l'illusion du détachement et de l'indifférence. Elles impliquent également une somme de vérifications et de recoupements d'informations dont le citoyen n'a probablement pas idée. En la circonstance, nous utilisons les matériels dont nous disposons.

Après l'assassinat du cheikh Sahraoui, les services de police ont recherché l'origine des munitions auprès de tous les armuriers distribuant le type d'arme employé. Nous avons découvert que la bombe aérosol retrouvée devant la mosquée avait été vendue, quelques semaines auparavant, au Bricorama de la porte d'Italie, à Paris. Des investigations y sont naturellement diligentées.

Ce travail de police scientifique et technique ne peut réussir que dans la durée. Or, devant l'émotion suscitée par le retour du terrorisme, je redoute l'activisme de quelques commentateurs, qui confondent agitation et enquête, fausses pistes et vrais indices. On ne rassure pas l'opinion en l'égarant sur des chemins de traverse ou sur des voies sans issue. En revanche, on peut en le faisant stériliser l'enquête, détruire la crédibilité des enquêteurs, réduire la police à l'impuissance.

J'envisage plusieurs stratégies.

La plus simple serait de désigner publiquement un coupable, de montrer du doigt un pays, d'incriminer un réseau. On laisse entendre que l'on sait. On insinue sans prouver. C'est la technique de l'apparence ou la stratégie de l'illusion. Sans doute peut-on ainsi éloigner temporairement les inquiétudes et exorciser les angoisses qui frappent les populations soumises au risque quotidien des bombes.

Communiquer à tout prix pour dissiper le doute et l'angoisse des Français est un moyen habile de rassurer et de démontrer qu'on a la maîtrise de l'événement. Cette façon de faire a permis à nombre de responsables politiques, dans le passé, d'acquérir une réputation d'efficacité et de fermeté, quand bien même il est apparu, in fine, qu'ils s'étaient lourdement trompés.

J'exclus délibérément cette manière d'agir. Elle ne correspond ni à ma conception de la responsabilité politique ni à mon itinéraire personnel. Je sais combien je cours de risques à ne pas travestir la vérité, surtout si nous n'obtenons pas rapidement des résultats tangibles. Mais défilent dans mon esprit nombre d'affaires restées sans réponse faute d'investigations sereines. Je pense à l'attentat de la rue Copernic en 1980, à celui de la galerie des Champs-Élysées en 1986.

Le souvenir de lectures anciennes me ramène à celui de l'attentat de la rue Saint-Nicaise. Bonaparte désigna, sans tarder, les jacobins coupables, alors que Cadoudal, les chouans et les royalistes étaient en réalité les auteurs du forfait. Il fallut l'obstination de Fouché pour établir la vérité. Mais entre-temps, que de venin destructeur distillé dans les salons du pouvoir par des petits marquis ignorants ! Que de confiance imprudemment accordée à la version officielle du premier consul ! L'enquête minutieuse, coûteuse mais efficace de Fouché lui permit de confondre les véritables acteurs de l'attentat de la rue Saint-Nicaise et de ridiculiser ses accusateurs.

Loin de moi l'idée de me livrer à une apologie de Fouché, homme à bien des égards déplaisant. Mais cet exemple me permet de prendre avec philosophie les conclusions hâtives ou les certitudes préfabriquées de pseudo-experts de la lutte antiterroriste. À travers les époques, les mêmes constantes sont à l'œuvre. Elles ont pour nom la prétention, la courtisanerie et pour mobile les luttes de pouvoir.

Le monde moderne y ajoute la pression médiatique. Au fur et à mesure que les attentats se multiplient, des « fuites » se propagent et la presse s'en fait largement l'écho. Cela fait vendre des journaux ou monter les audimats des radios et des télévisions.

Il me faut rappeler aux services que les enquêtes de police ne se calquent pas sur le rythme des journaux télévisés. Je peux compter sur de grands professionnels de la police : Claude Guéant et Philippe Massoni, Yves Bertrand, Philippe Parant et Bernard Gravet, sur les fonctionnaires de la 6e division de la Direction centrale de la police judiciaire, placés sous les ordres du commissaire Marion, et ceux de la brigade criminelle de la préfecture de police.

Je serai impressionné, pendant ces longs mois d'enquête, par leur sérieux, leur refus de la démagogie, de la facilité. Je lirai dans leurs yeux une volonté farouche d'aboutir, teintée d'une indignation de moins en moins dissimulée face aux critiques dont nous sommes collectivement l'objet.

Heureusement, le juge d'instruction Jean-Louis Bruguière et sa collègue Laurence Le Vert travaillent en confiance avec la police. Nous nous rencontrons à plusieurs reprises pour faire le point des investigations.

J'obtiens rapidement d'Alain Juppé des moyens supplémentaires afin de rémunérer des informateurs, recruter des interprètes, procéder à plus d'écoutes téléphoniques… Bref, tout ce qui est nécessaire à l'efficacité d'une enquête de cette envergure.

Le 17 août, une bombe placée dans une poubelle de l'avenue de Friedland fait dix-sept blessés. Cet attentat sème le doute et encourage nos détracteurs à donner de la voix dans les médias. D'autant qu'en cette période estivale, les informations sont plus rares.

Le 26 août, la découverte d'un engin destiné à exploser au passage d'un TGV sur la ligne Paris-Lyon alimente un peu plus la verve des traditionnels donneurs de leçons. «Mais que fait la police?» Refrain connu et à nouveau fredonné.

Peu importe, car le travail de celle-ci commence à porter ses fruits. Nous avons depuis quelque temps la conviction que les islamistes sont bien à l'origine de cette vague d'attentats. Aucune organisation autonomiste à caractère régional n'apparaît susceptible de commettre une série d'actions de cette ampleur. Quant à la piste serbe, maintes fois évoquée, elle est à son tour écartée. L'absence de réseaux organisés et la perspective d'un règlement négocié en ex-Yougoslavie laissent à penser que ce conflit sur le point de s'éteindre n'aurait aucune raison de se poursuivre sur notre territoire... Et il serait pour le moins inconséquent, comme certains journalistes l'ont hâtivement supposé, d'attribuer à la reprise des essais nucléaires cette recrudescence de la violence sur notre sol.

Parallèlement aux recherches des services spécialisés de la police, je multiplie les contacts internationaux pour tenter de rassembler les informations utiles, notamment auprès de mon homologue espagnol.

Jacques Chirac m'a informé, juste après l'attentat de Saint-Michel, d'une de ses conversations avec le Premier ministre espagnol. Felipe González lui a appris que ses services auraient prévenu les nôtres des risques d'un attentat dans les transports en commun. Renseignements pris, la DST a bien reçu une information en ce sens, mais bien trop vague pour être utilement exploitée.

Nous demandons aux Espagnols de « réactiver » leur « source ». Hélas, sans résultat. La coopération européenne joue à plein. Le ministre allemand de l'Intérieur et son secrétaire d'État à la Sécurité m'apportent spontanément leur concours.

J'ai surtout l'occasion de dire à mon homologue britannique notre inquiétude sur l'activité de structures islamistes installées en Grande-Bretagne. Notamment deux institutions qui, grâce au soutien de l'Arabie saoudite, contrôlent un réseau influent de mosquées : la Mission islamique du Royaume-Uni récolte des fonds pour différentes causes humanitaires ; la Fondation islamique de Leicester concentre ses activités sur l'édition de textes.

Ces deux organisations entretiennent, semble-t-il, des liens étroits avec les Frères musulmans égyptiens et le Jamaat-e-Islami au Pakistan. Les relations entre le Jamaat et les partis islamistes afghans ont été à plusieurs reprises mises en évidence.

Engagé dans les conflits du Cachemire, de l'Afghanistan ou du Tadjikistan, le Jamaat ne se désintéresse pas de la cause intégriste dans le reste du monde. Il entretient des contacts avec le Front islamique du salut algérien. Il accueille des combattants bosniaques à l'université islamique d'Islamabad. Il organise des entraînements militaires pour les militants du Hamas qui sèment la terreur au Proche-Orient. On ne peut exclure que le Jamaat bénéficie de ressources provenant de trafics d'armes ou de drogue.

Dans le même temps, je mets en garde mon homologue belge sur un fait inquiétant. Selon nos services de police, se constituerait dans certains quartiers de Bruxelles des foyers d'extrémistes islamistes qui pourraient devenir une base arrière pour des terroristes projetant de frapper la France.

J'évoque aussi ces sujets avec la Première ministre du Pakistan, Benazir Bhutto, en visite à Paris. Je lui communique certaines informations dont nous disposons sur la présence d'une mouvance islamiste radicale dans son pays. Lors de nos investigations, nous avons trouvé sur l'un des suspects un numéro de fax au Pakistan. J'ai demandé à Jacques Chirac de pouvoir la raccompagner à Orly. Je voulais avoir avec elle un échange informel et discret, à l'écart de son entourage, afin de la prévenir que des éléments de l'enquête nous dirigent vers le Pakistan via la Grande-Bretagne. Nous avons besoin de sa coopération pour approfondir notre connaissance des réseaux terroristes et de leurs filières européennes et françaises.

Il nous faut obtenir la liste des ressortissants algériens, marocains, tunisiens et français ayant bénéficié de visas ou permis de séjour au Pakistan, ces dernières années. Disposer d'une identification précise des numéros de téléphone pakistanais appelés par les intégristes résidant en France, mais aussi des islamistes vivant au Pakistan et bénéficiant de correspondants téléphoniques en Europe.

Je suggère à Benazir Bhutto de nous faire parvenir une note individuelle et, si possible, une photographie de chaque personne concernée. Je lui signale aussi les agissements d'organisations qui, sous couvert de causes humanitaires, servent de relais aux intégristes. À titre d'exemple, je lui parle du Secours islamiste qui se livre à des collectes de fonds en France au profit d'une filiale de l'International Islamic Relief Organization.

Cette ONG saoudienne aurait financé ce qu'on appelle le « bureau des services », installé à Peshawar et destiné à soutenir le GIA. Le gendre du créateur de cet organisme, Abdallah Azzam, n'est autre que Boudjemaa Bounoua, membre de l'instance exécutive du FIS à l'étranger et responsable de la filière algérienne. L'homme est connu de nos services. Il a tenté, en 1982, d'organiser depuis la France un réseau de soutien aux maquis islamistes. De surcroît, il a bénéficié de l'accueil du cheikh Sahraoui.

Benazir Bhutto m'écoute très attentivement. Elle griffonne quelques mots sur un papier. Je la sais, par notre agent de liaison, préoccupée par la montée de l'islamisme dans son pays. La présence au Pakistan de nombreux intégristes de toutes nationalités n'est pas une découverte. Pendant la guerre d'Afghanistan, les agences de sécurité américaines, aidées par certains pays arabes, ont recruté, dans les milieux les plus militants du monde musulman, des espions. Les camps d'entraînement installés au Pakistan ont permis la formation militaire de ces extrémistes aux côtés des moudjahidine afghans, avec l'aide d'officiers pakistanais.

Obsédés par le combat idéologique et militaire contre l'URSS, les Occidentaux ont créé une bombe à retardement qui explose aujourd'hui. Le retrait soviétique d'Afghanistan, puis l'effondrement du régime communiste n'ont pas débouché sur le démantèlement de ces groupes. C'est leur cible qui a changé. Les militants armés du djihad ont désormais d'autres buts de guerre.

Un temps, le gouvernement pakistanais a toléré, notamment à Peshawar, ces camps d'entraînement. Puis, après la guerre du Golfe, les groupes islamistes ont été invités à quitter le Pakistan. Bon nombre ont choisi d'y rester en maquillant leurs activités sous diverses vitrines légales. C'est à la demande pressante des gouvernements arabes confrontés au terrorisme que le Pakistan, sous l'impulsion du gouvernement de Benazir Bhutto, a réorienté son attitude et décidé d'une plus grande fermeté à l'égard des réseaux islamistes.

La Première ministre du Pakistan m'assure que nous pouvons compter sur son entière coopération. Nous convenons que les renseignements utiles nous seront transmis par un canal précis.

Au cours de ces longs mois, à aucun moment les services spécialisés de notre police nationale ne relâchent leurs efforts. À compter de l'attentat manqué du TGV Paris-Lyon, l'enquête prend un virage décisif.

L'analyse minutieuse des empreintes, des éléments recueillis sur les engins explosifs, l'exploitation des archives, les innombrables filatures, écoutes, auditions et témoignages, la découverte de « planques » permettent aux enquêteurs de progresser vers l'identification de suspects.

Le 3 septembre, on découvre un engin sous l'étal d'un marchand de fruits et légumes du marché dominical du boulevard Richard-Lenoir. Je me rends sur place et imagine avec effroi le carnage qu'il aurait provoqué s'il avait explosé. Le lendemain, une bombe est trouvée à l'intérieur d'une sanisette, place Charles-Vallin, dans le XVe arrondissement. Heureusement, le système de mise à feu n'a pas fonctionné.

L'inquiétude est à son comble et les critiques se font plus ouvertes. L'impatience gagne les milieux politiques et les antichambres ministérielles. Une course de vitesse s'engage avec l'opinion publique. Le doute s'installe sur ma capacité à mener à bien cette lutte antiterroriste. J'ai beau répliquer en soulignant la difficulté et la longueur d'une enquête de cette ampleur, je sens que je convaincs de moins en moins. D'autant que le contexte se prête aux manipulations politiques.

Quelques dirigeants syndicaux cherchent à accréditer l'idée que la police ne fonctionnerait pas bien. Des élections professionnelles auront lieu mi-décembre. Cette attitude est irresponsable. Les Français sont à juste titre angoissés. Les poseurs de bombes et leurs commanditaires ont manifestement pour objectif de déstabiliser la communauté nationale. Tout ce qui apporte de l'eau à leur moulin est intolérable. Le plan Vigipirate, quels que soient ses mérites, ne peut rassurer totalement un peuple qui a subi en trois mois sept attentats.

Je suis choqué par le comportement de certains responsables de la FASP (Fédération autonome des syndicats de police) qui, loin de défendre l'institution policière, ont participé à une entreprise à caractère politique, en liaison avec une agence de communication qui ne dissimule pas son engagement. Les deux principaux organisateurs de cette campagne dirigée contre le pouvoir ont en la matière des antécédents peu glorieux.

Le premier fut l'une des chevilles ouvrières de la candidature, soutenue par la Ligue communiste révolutionnaire, de Pierre Juquin à l'élection présidentielle de 1988. Quatre ans plus tôt, il avait été arrêté pour port d'engins explosifs à la suite d'incidents opposant la Ligue communiste révolutionnaire au Front national. Le second personnage, membre influent du Grand Orient de France, revendique sur le terrain de l'agitation sociale une opposition sans compromis aux institutions de la Ve République.

Le 5 septembre, les fonctionnaires du laboratoire de la police technique et scientifique me montrent les empreintes trouvées sur la bombe qui n'a pas explosé sur le trajet du TGV Paris-Lyon. L'espoir revient d'autant plus qu'ils sont arrivés à les « lire ». Les premières investigations, qu'il convient de confirmer, nous indiquent que ces empreintes pourraient être celles d'un certain Kelkal.

C'est un Algérien, originaire de Mostaganem, installé en 1973, avec ses parents à Vaulx-en-Velin, dans la banlieue lyonnaise. Au collège, Kelkal bénéficiait d'un bon niveau scolaire qui lui a permis d'être admis en seconde au lycée d'enseignement scientifique et technologique La Martinière, situé à Lyon dans le quartier Monplaisir. En 1989, il est entré en 1re F6 chimie. Malgré ces réussites scolaires, son parcours est devenu celui d'un délinquant. Connu des services de police, il a déjà été interpellé pour avoir participé à trois reprises à des casses à la voiture-bélier. Il a été inculpé puis incarcéré pendant six mois à la prison Saint-Paul de Lyon. Remis en liberté sous contrôle judiciaire en novembre 1990, il a été condamné le 19 avril 1991 à trois ans de prison dont six mois avec sursis pour complicité de vols à la voiture-bélier. Deux mois plus tard, en appel, sa peine est portée à quatre ans de prison ferme.

Au cours de sa détention, il a côtoyé un autre détenu surnommé Khelif. Un islamiste qui avait quitté la France pour échapper à son incarcération, mais qui a été condamné à sept ans de détention après y être revenu. En prison, Khelif tente de recruter des Algériens en perdition pour commettre des actes terroristes en Algérie.

Contre l'avis du parquet, un juge a autorisé le placement de Khaled Kelkal dans une entreprise de bureautique, ce qui lui a permis d'obtenir sa liberté conditionnelle. Il retourne à Vaulx-en-Velin et entreprend en janvier 1993 une formation de conducteur d'appareils dans l'industrie chimique. Il fréquente, semble-t-il, la mosquée Bilel, dans le quartier de la Grappinière, où il se lie aux milieux islamistes. Il fait la connaissance d'Ali Touchent, dit Tarek, personnage mystérieux, soupçonné d'être un agent recruteur des services secrets algériens. En 1993, celui-ci lui aurait confié plusieurs missions en Algérie pour livrer des armes, de l'argent et des documents.

Toutes ces informations doivent absolument demeurer secrètes pour que l'auteur présumé des attentats ne se méfie pas et ne sache pas que désormais nous sommes sur ses traces.

Le 7 septembre, j'arrive à Amboise pour inaugurer une place qui porte le nom de mon père, lorsqu'une charge explose à proximité d'un collège privé israélite de Villeurbanne. L'engin, dissimulé dans le coffre arrière d'une voiture volée, était programmé pour exploser à l'heure de la sortie de l'école. Il provoque une déflagration quelques minutes avant l'heure prévue, ce qui a permis d'épargner de nombreux enfants. La communauté juive réagit avec une très grande dignité. Elle s'était préparée à être prise pour cible, à partir du moment où la piste islamiste avait été confirmée. Nous y sommes !

Le président m'appelle à plusieurs reprises pour me renouveler sa confiance et son soutien. Le Premier ministre est dans le même état d'esprit, mais il laisse percevoir des signes d'impatience. Alain Juppé voudrait des interpellations rapides pour rassurer l'opinion et calmer les commentateurs. Je tente de lui expliquer que cela ne servirait à rien, bien au contraire, de procéder à des interpellations précipitées, et de devoir relâcher des suspects faute de preuves précises. La justice a besoin de faits matériels, d'indices concordants et probants pour incarcérer un individu, non de rumeurs. On n'emprisonne pas ou plus pour satisfaire l'opinion publique.

Je réunis le soir même de l'attentat de Villeurbanne, Place Beauvau, le CILAT, institution utile mais inopérante devant une telle menace. Trop de monde autour de la table pour évoquer dans le détail l'état des investigations et la teneur des renseignements recueillis ou attendus. Cette réunion permet au moins d'occuper le terrain et de répondre par des images aux bavards professionnels. On donne à la presse un communiqué en pâture.

Alain Juppé vient annoncer Place Beauvau la mise en application de la phase 2 de Vigipirate. Personne ne sait alors en quoi elle consiste vraiment, mais peu importe. L'essentiel réside dans le renfort de l'armée auprès de la police. La mobilisation du pays est désormais totale. Grâce à l'action diligente de Charles Millon, ministre de la Défense nationale, les militaires prennent possession de certains sites surveillés par la police, descendent dans le métro, patrouillent, mitraillettes plaquées contre le ventre et munitions dans la poche, dans les halls de gare et les aéroports.

Plusieurs soirs de suite, avec le préfet de police, accompagné par une meute de photographes, je parcours les couloirs du métro, déambule dans le hall de nos gares parisiennes et inspecte nos policiers et militaires qui surveillent les lieux symboliques de la capitale, ou nos frontières du Nord. Les Français perçoivent notre détermination et l'apprécient. Mais cela ne fait pas pour autant progresser l'enquête.

Dans cette période troublée, certains s'agitent en coulisses et se préparent à prendre ma place, en spéculant sur ma succession. Ils sautent d'un plateau de journal télévisé à l'autre pour dénoncer mon inexpérience et mon incompétence. *Le Canard enchaîné* ira même jusqu'à publier, en première page, plusieurs lignes bourrées de fautes d'orthographe et supposées écrites de ma main. C'est un faux, mais peu importe. Le but de la manœuvre est ailleurs. Déstabiliser le pouvoir politique, faire tomber le ministre de l'Intérieur, fidèle soutien de Jacques Chirac pendant la campagne présidentielle, est un objectif autrement plus exaltant pour eux que la recherche de la vérité et l'interpellation des terroristes.

Derrière la cohorte de ces prétendants se profilent ceux qui aimeraient profiter de nos difficultés pour atteindre le Premier ministre et le président de la République. Ceux qui ne pardonnent pas à Jacques Chirac d'avoir remporté l'élection présidentielle, alors qu'ils avaient prévu, prédit et proclamé son échec. Ceux qui croient tenir leur revanche et satisfaire leur ego blessé par une victoire inattendue, en se répandant contre moi dans les médias. L'agitation confine au burlesque. On m'interpelle ouvertement et directement avec des affirmations du genre : « Comment se fait-il que les services spécialisés, les Renseignements généraux ne puissent pas vous donner d'informations précises sur l'éventualité d'autres attentats ? Comment n'avez-vous pas encore pu arrêter les poseurs des bombes ? Les services de police passent plus de temps à se faire la guerre qu'à chercher les coupables… »

Le ministère de l'Intérieur engendre bien des fantasmes. Il est stupéfiant que des hauts fonctionnaires s'y laissent prendre. Bon nombre de jeunes qui fourmillent dans les cabinets ministériels n'ont aucune expérience de la police, et méconnaissent la pratique des enquêtes judiciaires, mais donnent volontiers des leçons. Il me faut toutefois rester serein, continuer à soutenir la police, en dépit des rumeurs et des attaques. Je suis sûr que nous saurons démontrer à nos détracteurs notre capacité à identifier l'auteur ou les auteurs de ces attentats.

Le 9 septembre, la comparaison des traces laissées sur la bombe et des informations recueillies dans le fichier informatisé des empreintes digitales nous amène, avec certitude désormais, à Khaled Kelkal. Nous sommes enfin convaincus que l'enquête part, cette fois, dans la bonne direction. Si Kelkal est encore en France, la mobilisation de l'ensemble des moyens à la disposition de l'État doit conduire à sa localisation, puis à son interpellation. C'est affaire de volonté et de temps.

Mon optimisme est tempéré, toutefois, par la crainte de fuites qui, dans une société médiatique, sont toujours possibles. Il est impératif que le secret le plus absolu soit pour l'instant gardé sur nos soupçons et nos investigations, que le nom du suspect demeure le plus longtemps possible inconnu. Je scrute chaque jour avec angoisse les dépêches des agences de presse. Au fur et à mesure que nos recherches se concentrent sur la région lyonnaise, je n'exclus pas que des journalistes bien informés aient vent de la tournure que prend l'enquête. Heureusement, il n'en sera rien. Les fonctionnaires mobilisés font preuve de disponibilité, d'imagination et de discrétion.

Rien n'est laissé au hasard dans cette traque d'un réseau terroriste qui s'apparente à une course-poursuite. Aucun renseignement n'est négligé. Tous les moyens sont mis en œuvre : filatures, planques devant les immeubles suspectés, mises sur écoute, utilisation d'informateurs... Place Beauvau je préside à plusieurs reprises la réunion quotidienne de l'Unité de coordination de lutte antiterroriste. Je recommande l'échange total d'informations entre les services et un silence absolu.

Le laboratoire central de la police technique et scientifique de la préfecture de police continue ses examens. Ses techniciens ont scrupuleusement analysé les explosifs utilisés dans les différents attentats. Les similitudes qu'ils constatent renforcent notre certitude que Kelkal est bien un élément essentiel du dispositif terroriste depuis l'attentat du RER Saint-Michel.

Long entretien avec le président de la République, le 10 septembre. Le secrétaire général de l'Élysée, Dominique de Villepin, souhaite me rencontrer avant mon entrevue avec le chef de l'État. Sans lui dire non, je fais en sorte d'arriver pile à l'heure fixée par Jacques Chirac. Je ne veux livrer mes informations qu'à lui et lui seul.

Je le sens préoccupé et tendu. Je ne lui cache pas la vérité. Si nous avons, depuis le 26 août et la découverte d'un engin explosif en bordure de la voie du TGV, des éléments permettant d'orienter le travail des enquêteurs, et notamment des empreintes trouvées sur la bombe, nous sommes loin de maîtriser la situation. Nous redoutons une action meurtrière à la voiture piégée.

Je ne lui apporte aucune indication précise sur la possibilité rapide d'une interpellation du ou des auteurs de ces attentats. Les perquisitions opérées dans les milieux islamistes ont permis de saisir une documentation intéressante, de toucher des relais, des complices éventuels, mais non d'atteindre le noyau central. Je laisse à Jacques Chirac peu d'espoir d'une issue imminente.

Je lui confie que la police est sur une piste sérieuse, car elle est arrivée à faire « parler » une empreinte. Mais que la traque peut être encore longue. Je ne lui divulgue pas le nom du suspect. D'ailleurs, il ne me le demande pas. J'insiste sur ma conviction que si nous interpellons un responsable des attentats, cela ne voudra pas dire que ceux-ci seront terminés pour autant. Il me semble improbable d'en finir rapidement avec une situation liée à un conflit qui se déroule ailleurs et dont les tenants et les aboutissants nous échappent. Nous devrons subir d'autres attentats, de plus en plus insupportables pour les Français. Je n'exclus même pas que la police soit sur une mauvaise piste, tant les risques de manipulation par des services spéciaux étrangers existent. Bref, nous sommes dans la tourmente.

En cette mi-septembre, la France est en guerre contre un ennemi dont elle ne connaît pas le visage. Un ennemi qu'on appelle le terrorisme, mais dont on ne sait finalement pas grand-chose, si ce n'est qu'il frappe au cœur des villes avec la volonté farouche de tuer : station Saint-Michel, avenue de Friedland, boulevard Richard-Lenoir, place Charles-Vallin. Ces noms tourbillonnent dans ma tête de manière régulière et obsédante. Mais au-delà de l'inquiétude, il y a l'énigme d'une enquête qui va nous mener au centre même de notre territoire.

Nous suivons d'abord des pistes étrangères. Il est toujours plus satisfaisant pour l'esprit de croire que le danger vient d'ailleurs et que l'adversaire est hors de nos frontières. On évoque d'abord l'implication d'un certain Kronfel qui, à en croire des milieux bien informés, serait l'artisan majeur de l'attentat du RER Saint-Michel.

Abdellah Kronfel – pseudonyme de Yahia Rihane, émir du GIA – se serait infiltré en France, comme la DST l'avait signalé, pour prendre la direction d'un commando chargé de perpétrer des actes terroristes. Kronfel est surnommé Qarnfoul, ce qui en arabe littéraire signifie « tache de vin ». Or, coïncidence intéressante, l'un des individus remarqués par le principal témoin du wagon du RER où se trouvait la charge explosive portait un grain de beauté sur la joue gauche.

Je reste toutefois dubitatif, d'abord parce que la piste Kronfel nous est fortement suggérée par un dignitaire d'un service de renseignement étranger. De surcroît, les précisions données par notre témoin m'intriguent. Je me demande si, à force de vouloir être sympathique avec les enquêteurs, il n'est pas prêt à reconnaître ce qu'ils souhaitent.

La piste suédoise, suggérée à l'initiative de sources algériennes et notamment du journal *La Tribune d'Alger*, est explorée très vite après l'attentat du 25 juillet. Nos regards se tournent alors vers un certain Deneche. Cet individu est connu des services de police. Il serait l'un des responsables du GIA et résiderait en Suède. Un témoin présent dans le RER le jour de l'attentat l'a identifié formellement comme l'un des trois individus au comportement suspect repérés dans la rame où a explosé la bombe. Il reste que l'insistance mise par certains membres de services spéciaux étrangers à pointer du doigt Deneche dans cet acte criminel me conduit à observer la même circonspection. L'homme fait trop figure de coupable idéal. Néanmoins, la DST met en place une surveillance quotidienne de l'individu, en coopération avec les services suédois.

En fait, c'est la piste française – même si elle n'exclut pas des ramifications avec des réseaux extérieurs – qui apparaît rapidement la plus crédible. Elle ne provient ni d'un témoignage ni d'une construction intellectuelle préétablie, mais tout simplement de l'exploitation d'indices matériels : les empreintes digitales et palmaires qui ont pu être relevées sur la bombe sont celles de Kelkal. Il est le maillon qui doit nous permettre de faire tomber comparses et complices.

Mais Kelkal, malgré les moyens déployés par les services du ministère de l'Intérieur, reste introuvable. Il est en cavale, il nous faut rapidement retrouver sa trace. Une course de vitesse est engagée. Il est urgent de le localiser avant qu'il ne récidive et soit à l'origine d'un nouvel attentat. Impatience angoissante, parfois désespérante quand nous nous rendons compte qu'une information remontée aux services de police ne donne rien ou est fausse.

La police procède à de nombreuses surveillances ou perquisitions dans la région lyonnaise, plus particulièrement à Vaulx-en-Velin où Kelkal serait planqué. Certains locaux de cette ville sont « sonorisés », observés nuit et jour, des informateurs « activés », des compensations promises en cas de renseignements utiles ou intéressants.

Il est important de faire sortir le suspect d'une zone qu'il connaît bien, où il peut bénéficier de nombreuses complicités, de caches et être rapidement prévenu de l'arrivée de la police. Il est clair que plus la police multiplie les perquisitions, visite les sous-sols et caves des immeubles... plus le suspect va chercher un endroit moins surveillé, plus tranquille, pour se cacher. L'effet de surprise étant passé, il convient alors de le contraindre à bouger, à sortir de son « terrain ». Il doit savoir qu'il a la police aux trousses. L'ordre est donc donné, tout en continuant les opérations de recherche, d'intensifier la présence policière dans le quartier. Il doit avoir le sentiment d'être en insécurité s'il reste à Vaulx-en-Velin.

Le 15 septembre, je décide de faire imprimer des dizaines de milliers d'affiches signalétiques représentant Khaled Kelkal et de les diffuser dans toute la France, dans tous les commissariats de police...

Kelkal est enfin repéré le 27 septembre en forêt de Malval, dans les monts du Lyonnais, par des cueilleurs de champignons. Il serait accompagné d'un deuxième individu. La gendarmerie est immédiatement alertée et se rend sur place. Malheureusement l'information fuite à la radio. Un auditeur a appelé une station qui naturellement a diffusé la nouvelle sans se soucier des conséquences pour les gendarmes qui traquent le suspect et pour la suite de l'enquête. Nous espérons tous que les fuyards n'écoutent pas la radio. Les gendarmes sont accueillis par des tirs de fusil à pompe déclenchés par un individu (Karim

Koussa), qui sera blessé, tandis que Kelkal arrive à s'échapper.

Deux jours plus tard, Khaled Kelkal est localisé près de Lyon au lieu-dit Maison Blanche à Vaugneray. Il est interpellé par une équipe de gendarmes, et alors qu'il tente de résister, il est abattu par les forces de l'ordre, pratiquement sous l'objectif d'une caméra de télévision. Sa mise hors d'état de nuire est un succès pour l'ensemble des services de police aidés de la gendarmerie nationale.

Certains cherchent rapidement à minimiser cette réussite ou à la remettre en cause, en faisant passer Kelkal pour un petit délinquant de droit commun, victime de la société. C'est tout juste si des esprits malintentionnés ne prédisent pas l'embrasement des banlieues devant une mort injuste. Il s'agit de faire de Kelkal un mythe romantique, loin de la réalité de ses actes.

D'autres lui imputent un rôle mineur dans la campagne terroriste que nous avons subie.

Ces critiques, qui émanent de ces mêmes commentateurs que nous subissons depuis le début, méconnaissent le dossier et ses multiples ramifications. Mais nous n'avons pas le temps de nous y arrêter. Les investigations doivent au contraire s'accélérer. Les policiers ne se laissent pas griser par leur succès. Insensibles aux querelles inutiles et aux fausses et malveillantes nouvelles diffusées peu avant le journal télévisé de 20 heures, nous continuons à travailler.

Je peux compter, heureusement, sur l'appui d'Alain Juppé et son sens de l'État. Il connaît, l'ayant subi lui-même, le poids des critiques injustes et les calomnies savamment distillées par de vrais adversaires et des faux amis. La confiance de Jacques Chirac m'est acquise. Au sommet de l'État, à l'Élysée comme à Matignon, on reconnaît et approuve le travail accompli par la police nationale. C'est l'essentiel. Les polémiques finiront par s'essouffler.

L'exploitation de divers documents saisis à l'occasion de l'arrestation des membres du groupe Kelkal nous permet d'interpeller rapidement d'autres individus, à la veille de commettre une action terroriste à Lille.

L'examen balistique du fusil à pompe, des armes et munitions découverts dans le bois de Malval, où il s'était réfugié, fournit les preuves que Kelkal et ses complices portaient une lourde responsabilité dans plusieurs des attentats commis depuis le 25 juillet, et qu'ils s'apprêtaient à récidiver. Ce n'est pas pour autant que le travail des policiers s'arrête. Bien au contraire.

Le 31 octobre, une « information » laisse entendre que Kelkal pourrait avoir eu un complice, qui aurait pris la tête du réseau, après l'élimination de son chef. Nasserdine Slimani pourrait bénéficier d'une planque dans un immeuble de l'avenue de Versailles à Paris et appellerait régulièrement depuis une cabine téléphonique située dans cette avenue. Toutes les cabines sont alors mises sous surveillance et écoutées en direct. Plusieurs camionnettes – des « sous-marins », pour reprendre le langage de la police – sont positionnées aux abords. À Lille, un autre réseau islamiste est étroitement surveillé par les Renseignements généraux.

Le même jour, les policiers « observent » la rencontre entre Slimani et Boualem Bensaïd. Ce dernier a fui l'Algérie en décembre 1994, pour échapper au service militaire. Il s'est rendu clandestinement en Belgique et en Hollande. Il est arrêté ce 1er novembre à la sortie d'une cabine téléphonique du XVIe arrondissement, à proximité de son domicile, 30, rue Félicien-David, par les hommes de la 6e division de la Direction centrale de la police judiciaire. Il venait d'appeler le groupe dit « des Lillois » afin de préparer un nouvel attentat. La perquisition diligentée à son domicile est prometteuse. La police saisit 4,8 kilos de chlorate de soude cachés dans un baril de lessive, un avis de transfert de fonds de 38 000 francs émis de Grande-Bretagne et les comptes des dépenses. Le lendemain, les membres du réseau des Lillois sont interpellés.

Dans les jours suivants, je transmets à mon homologue britannique un certain nombre d'informations. Les services de police d'outre-Manche font face immédiatement au problème avec efficacité et diligence et collaborent de façon exemplaire avec nos services.

Rachid Ramda, alias Abou Farès, est arrêté à Londres le 4 novembre. Des indications sur le mode de financement des attentats, retrouvées chez lui, montrent qu'il a transmis une somme de 123 959 francs à Boualem Bensaïd et Ali Touchent.

Safé Bourada, un beur né à Gueugnon (Saône-et-Loire), est lui aussi, peu après, interpellé à Paris. Délégué en 1992 de la Fraternité algérienne de France (FAF) pour la Bourgogne, il était en charge du recrutement des adhérents, de la collecte des fonds et de la fabrication de papiers d'identité pour soutenir les maquisards algériens et équiper les « frères » clandestins en France. En 1993, il a échappé à l'opération « Chrysanthème » qui visait les membres de la FAF, après l'enlèvement de deux agents consulaires français en Algérie. Puis il est passé en Belgique avec Touami M'Rad, un activiste du Groupe islamique armé, qui lui a présenté son chef, Ali Touchent, recruteur et coorganisateur des attentats commis en France.

Safé Bourada louait sous son nom à Bruxelles l'« appartement conspiratif », comme on dit en langage policier. Il rédigeait avec Ali Touchent ou traduisait les textes d'*Al-Ansar*, l'organe du GIA qui appelait avec constance à des assassinats. Il servait d'agent de liaison auprès de Rachid Ramda, le financeur présumé des attentats. Il s'occupait du recrutement pour la France, en dehors de Paris et du Nord. C'est lui qui avait repéré et converti Khaled Kelkal à la lutte armée, avant de le présenter à Ali Touchent qui l'incita à passer à l'action violente en posant des bombes. Safé Bourada s'était enfui de Bruxelles en mars 1995 lorsque la police belge démantela son réseau de soutien. Il était revenu en France de manière clandestine trois jours avant le premier attentat à la station Saint-Michel.

Le 21 décembre, les enquêteurs localisent Ali Touchent à Lyon mais celui-ci a réussi à disparaître.

En janvier 1996, le dossier des attentats de 1995 est quasiment bouclé. Mais les investigations policières se poursuivent activement, la question du terrorisme est loin d'être réglée.

Si l'enquête qui a abouti au démantèlement du réseau Kelkal a mis en évidence le professionnalisme des différents services de notre police nationale, trop souvent ignoré, son résultat est lourd de conséquences pour la société et inquiétant pour ce qu'il laisse entrevoir de l'avenir.

Jusqu'à présent, nous connaissions le terrorisme importé, téléguidé par des puissances étrangères, ou soutenu par des organisations puissantes et bien charpentées. Dans les années quatre-vingt, le terrorisme d'État frappa notre pays avec la même violence que le terrorisme actuel. Mais l'ennemi était ailleurs, audehors, et ses mobiles étaient d'ordre stratégique, reliés à des enjeux internationaux.

Nous avons également subi, en d'autres temps, un terrorisme à caractère politique et social, dans des proportions moindres que certains de nos voisins. L'usage de la terreur était alors clairement ciblé. Les agissements de la Bande à Baader en Allemagne, des Brigades rouges en Italie, ou d'Action directe en France, pour horribles qu'ils aient été, répondaient à une logique de déstabilisation des élites du monde occidental. En s'attaquant à des personnalités symboliques de la réussite économique du capitalisme ou du succès de la démocratie politique, comme Georges Besse, patron de Renault, ou Aldo Moro, président du Conseil italien, ils désignaient leur ennemi. Nous avions affaire à une tragique guerre idéologique.

La situation présente est beaucoup plus complexe et, à bien des égards, moins maîtrisable. La menace terroriste actuelle est protéiforme. Elle n'est ni tout à fait internationale ni tout à fait politique. Son inspiration religieuse est patente. Mais elle ne doit pas cacher que le terrorisme des années quatre-vingt-dix se nourrit de nos échecs intérieurs, ainsi que de certaines contradictions entre nos orientations diplomatiques et nos valeurs internes.

Il est évidemment tentant, devant l'horreur des bombes, d'éluder le débat. De désigner un complot international ou de mettre en cause le fanatisme. En un mot, de rester à la surface des choses. On évite ainsi les difficiles remises en cause. Et pourtant, comme le dit Nietzsche dans un très bel aphorisme : « N'accuse pas l'autre alors que la faute est en toi. » Or, la vague terroriste nous a révélé que les réseaux islamistes disposaient en France de complicités réelles, au point que les poseurs de bombes y étaient recrutés. Pour les groupes armés, il n'était pas besoin d'infiltrer un commando. Il suffisait d'employer des apprentis terroristes au sein de la jeunesse de notre pays. Cette vérité n'est peut-être pas agréable à entendre, mais si nous en faisons abstraction, nous allons vers de graves déconvenues.

Sur bien des plans, le parcours de Kelkal et de ses complices témoigne de l'échec du modèle républicain d'intégration. Il nous renvoie aux défaillances de nos structures civiques, à la situation de nos quartiers, à nos ghettos urbains et à nos zones de non-droit. Nous payons au prix fort le recul de l'État. Non pas seulement lorsqu'il s'agit d'assurer la sécurité ou de déployer la police, mais également de faire respecter les règles d'urbanisme ou de vérifier le contenu des publications en provenance de l'étranger.

Le combat contre le terrorisme ne se gagnera pas seulement en s'appuyant sur les méthodes des scientifiques et le savoir-faire technique d'enquêteurs performants. Il ne sera pas victorieux par la seule grâce de l'unité nationale. Il nécessite une cohérence de l'action de l'État aussi bien sur le plan intérieur que sur le plan international.

Sur le plan intérieur, la société doit être vigilante face à l'évolution de tous les territoires de la République, et notamment de ses quartiers urbains. Elle doit trouver les moyens de faire vivre l'islam dans le respect des lois françaises. Elle doit mener une action imaginative et persévérante pour résorber les phénomènes d'exclusion et réduire les ghettos.

L'État doit, pour sa part, faire son travail : adapter la législation sur le commerce des armes et des munitions ; réorienter l'action de ses services de renseignement ; contrôler le circuit des publications à caractère fondamentaliste ; former des imams français ; peser les conséquences de ses choix internationaux...

La lutte contre le terrorisme est d'abord une affaire de droit commun et de respect de la loi sous toutes ses formes. Pour l'avoir oublié, nous subissons aujourd'hui, avec un effet boomerang, l'interconnexion des milieux du grand banditisme et du terrorisme. Ce qu'on appelle le « gangsterrorisme » et qui a fait son apparition sur le devant de la scène à l'occasion des événements de Roubaix.

Le 29 mars 1996, le RAID donne l'assaut d'une maison de cette ville, dans des conditions d'une violence extrême. Immédiatement, les commentateurs s'interrogent : grand banditisme ou terrorisme ? En réalité, cette question est dépassée car la frontière entre terrorisme et délinquance est devenue incertaine et perméable. Le démantèlement, sur notre territoire, de filières de soutien aux groupes armés en Algérie, ainsi que la mise hors d'état de nuire des réseaux qui ont frappé sur le sol français en 1995 ont montré une interpénétration croissante entre les milieux du banditisme et ceux du terrorisme islamiste.

L'exemple de Roubaix est particulièrement significatif de cette confusion des genres. Il s'est révélé impossible d'établir d'emblée une connexion entre les individus repérés par la police et ceux issus de la mouvance islamiste. Il ne suffit pas qu'un délinquant de droit commun soit trouvé en possession d'un coran ou de journaux islamistes pour que la preuve de son appartenance à un réseau soit apportée. Ne pas respecter ce principe conduirait à des atteintes aux libertés individuelles, qui deviendraient très vite insupportables à l'opinion publique et en particulier à la communauté musulmane. La difficulté de tracer une frontière nette entre terrorisme et délinquance de droit commun nous amènera, dans un proche avenir, à devoir repenser notre stratégie de lutte contre les poseurs de bombes. Nous commençons seulement, à cette époque, à prendre la mesure du basculement qui s'opère.

C'est en 1994 que, pour la première fois, la police en a perçu l'ampleur au travers du démantèlement d'un groupe de trafiquants de faux papiers algériens, qui faisaient également commerce de stupéfiants. La même année, dans la région parisienne, un professeur a été interpellé après avoir commis un hold-up dont le butin devait servir à financer un groupe armé algérien. Le 14 août 1994, un attentat meurtrier a été perpétré dans un hôtel de Marrakech par de jeunes beurs venus de banlieues françaises, recrutés par des islamistes marocains pour le compte du GIA, formés à l'action en Afghanistan, et auteurs sur notre territoire d'attaques à main armée contre des commerçants. La police a également découvert, il y a quelque temps, le réseau des frères Chalabi qui mêlait étroitement lui aussi grand banditisme, trafic de drogue et activisme islamiste.

C'est dire si, au-delà de l'existence de réseaux islamistes structurés, agissant sous l'autorité de militants connus prenant leurs ordres à l'étranger, ont émergé dans un passé récent des groupes autonomes, généralement composés d'islamistes de fraîche date et de malfaiteurs plus ou moins professionnels. La dimension proprement religieuse de ces groupes s'efface devant leur aspect contestataire. L'islam fédère des éléments d'une révolte contre la société de consommation et les démocraties libérales qui l'incarnent.

Ces groupuscules, instables dans leur fonctionnement et leurs objectifs, aisément manipulables de l'extérieur, représentent une menace permanente. Traduisant une radicalisation de milieux déjà marginalisés, développant une révolte qui se serait de toute façon exprimée, cette violence s'incarne dans ce que le « marché idéologique » offre comme valeur contestataire : l'islamisme radical. Certains lieux de prière, des associations locales, la prison parfois lui servent de creuset. Cette conversion fournit une identité internationaliste à des individus déconnectés de leurs racines et de leur milieu d'accueil. D'où le panislamisme grandissant que l'on observe alors chez cette nouvelle génération de radicaux : nourris d'admiration pour les combattants d'Afghanistan, de Bosnie ou de Tchétchénie, ils développent une contre-culture propre, de plus en plus dissociée de l'expérience algérienne qui servait jusqu'alors de référence. Aussi, je crains fort que, dans les années à venir, il faille s'attendre à une progression de cette forme de contestation, à la charnière du terrorisme intérieur et du terrorisme extérieur, qui s'incarne à la fois dans l'islamisme radical et dans des actes de délinquance.

Nous devons y répondre par une stratégie tous azimuts, à la fois interne et externe, dont les orientations doivent être concordantes. On ne peut pas, notamment, prétendre combattre le terrorisme et soutenir les régimes qui financent ou encouragent l'islamisme radical. On ne peut pas jouer avec le feu en appuyant, au nom des démocraties libérales, des rébellions qui n'en ont que faire, et qui se retournent, une fois victorieuses, contre elles. On ne peut enfin fonder notre politique étrangère sur un messianisme républicain alors même que nous serions incapables de faire respecter, chez nous, les valeurs de la République.

L'idéal républicain est peut-être bon pour les autres nations, mais il doit d'abord prévaloir sur notre sol. Il est en notre pouvoir d'agir, par des actions à caractère national, pour défendre les valeurs de la République. Il dépend de nous que la législation sur les armes, qu'il s'agisse de la fabrication, du commerce ou de l'exportation, ne facilite pas l'équipement des terroristes. C'est également notre responsabilité de surveiller, comme il convient, les mouvements de fonds. On peut prescrire des mesures de contrôle de transferts de capitaux. La communauté internationale n'a pas le droit, au nom du libéralisme ou du grand marché mondial, de laisser se développer des réseaux de blanchiment et des mouvements de capitaux suspects. C'est un véritable réseau d'alerte que nous devons mettre en place pour prévenir, ou déceler cette gangrène.

De la même manière, la libre circulation des informations et la facilité des communications ne doivent pas servir d'alibi à l'inaction des États. Il est possible, pour peu qu'on en ait la volonté, de mieux surveiller les réseaux modernes de transmission de l'information – je pense notamment à Internet.

Nous devons enfin promouvoir dans nos États des législations plus sévères pour les incriminations et les sanctions susceptibles de frapper les terroristes et leurs complices.

C'est donc un retour vers nous-mêmes que nous devons opérer. C'est particulièrement vrai pour la France qui, au nom de ses responsabilités internationales, a vraisemblablement surestimé sa capacité à peser sur l'évolution intérieure des pays du Maghreb. Les liens du passé ne nous donnent pas, pour autant, le droit de dicter sa conduite à une nation comme l'Algérie. Il ne nous appartient pas de décider à sa place de l'évolution de son régime politique. Il faut souhaiter néanmoins que son peuple ne subisse pas de nouveau le sort qu'il a connu au moment où il a failli basculer dans la barbarie islamiste.

En revanche, le but de notre politique étrangère doit être de protéger les intérêts de la France qui, en l'occurrence, sont simples : éviter que les événements d'Algérie aient des répercussions négatives sur la communauté musulmane de France et sur son intégration dans la République ; préserver ce qu'il nous reste d'intérêts économiques et culturels dans ce pays.

Le 3 décembre, vers 18 h 20, une bonbonne de gaz bourrée d'explosifs éclate dans une rame de la ligne B du RER en direction de Saint-Rémy-lès-Chevreuse, à la gare de Port-Royal dans le Ve arrondissement de Paris. Deux personnes décèdent le jour même. Le bilan final sera de quatre morts et quatre-vingt-onze blessés.

Je suis sur place peu après l'explosion. Toutes les victimes n'ont pas encore été évacuées. Vision d'horreur, insoutenable. La bonbonne de gaz était cachée dans un sac bleu qui a été déposé au départ du RER, à la gare Aéroport Charles-de-Gaulle 2 TGV. Elle contenait aussi de la poudre noire et du soufre, tandis que des clous avaient été ajoutés pour renforcer son effet meurtrier. Un minuteur d'un modèle courant, en vente dans le commerce et à usage ménager, faisait office de retardateur. Ces mêmes ingrédients ayant servi à la fabrication de plusieurs des engins explosifs lors des attentats de 1995, nous supposons une origine islamiste à cet attentat.

Peu de temps après, une lettre du GIA adressée à Jacques Chirac, sans revendiquer explicitement l'opération, réclame notamment la libération d'Abdelhak Layada, l'un des chefs du GIA, emprisonné à Alger et condamné à mort. Le GIA, indique Antar Zouari, émir du GIA, « est dans la voie des tueries et des massacres. Nous faisons ce que nous disons. Les événements de ces derniers jours le prouvent ».

Le 6 janvier 1997, nous poursuivons les investigations policières et j'obtiens du Premier ministre l'autorisation pour les services placés sous mon autorité d'augmenter le nombre d'écoutes téléphoniques. C'est la procédure fixée par la loi du 10 juillet 1991 pour les

« interceptions de sécurité ». Désormais nous pourrons écouter 1 190 lignes au lieu des 928 déjà en service.

C'est la preuve, si besoin était, que nous n'en avons pas terminé avec le terrorisme des fondamentalismes islamiques. La police et la gendarmerie nationale lui ont porté des coups très durs, certes, mais pour combien de temps ?

Le phénomène islamiste n'est pas nouveau, mais depuis plus de trente ans il n'a cessé de se développer. Il s'est structuré et a promu des responsables qui, pour asseoir ou confirmer une autorité, font preuve d'un prosélytisme souvent agressif et parfois violent.

Cet islam conquérant est devenu le dénominateur commun de plusieurs centaines de millions d'hommes répartis entre de multiples nations. Les rivalités qui existent entre elles masquent trop souvent la constitution progressive d'un ensemble arabo-musulman qui s'imposera à l'avenir comme un pôle de civilisation impossible à négliger.

La contestation au nom de l'islam se développe, selon des schémas divers, dans l'ensemble du monde musulman. Elle n'est pas sans répercussions sur l'évolution de la communauté musulmane de France. Pour l'heure, le phénomène islamiste ou fondamentaliste dans notre pays ne concerne, heureusement, qu'une très faible minorité de musulmans. Cependant, il pourrait progresser, et ce d'autant plus que les difficultés économiques et sociales frapperont durement certaines communautés émigrées qui, marginalisées, deviendraient plus réceptives aux sollicitations de la mouvance islamiste. Les actions violentes qui pourraient en découler risquent d'être préjudiciables, non seulement à l'image de l'islam, mais aussi à l'ensemble d'une communauté musulmane modérée et souvent intégrée.

Cette perspective entre en contradiction avec la volonté de bâtir une France libérale, tolérante, accueillante, respectueuse de la liberté du culte et donc du culte musulman.

Nous avons la chance d'avoir traversé l'épreuve du terrorisme sans exacerbation des tensions internes. Aucun des attentats perpétrés sur notre sol n'a provoqué d'actions individuelles ou collectives de rétorsion à l'égard des musulmans vivant sur le territoire national. Nos compatriotes refusent, dans leur immense majorité, de faire l'amalgame entre les criminels intégristes et les Français musulmans.

Cette lucidité est le meilleur rempart contre l'intégrisme qui se développe sur fond d'hostilité et d'intolérance à l'égard de l'islam. Il faut continuer d'être vigilant à l'égard de ceux qui confondent intégrisme islamiste et religion musulmane, ou qui associent, dans une même réputation et dénonciation, l'islam, la violence dans les banlieues, l'insécurité et les attentats terroristes. Appréhender les délinquants ou les auteurs d'actes criminels est bien évidemment une nécessité impérieuse pour la République, quelles que soient les origines des coupables.

Mais au-delà de la satisfaction que l'on peut légitimement éprouver devant le calme et l'unité manifestés par la communauté nationale au cours de la période récente, il faut que l'État définisse les termes d'une politique des cultes s'inscrivant dans le cadre de la laïcité républicaine. C'est la responsabilité du ministre de l'Intérieur, qui est aussi chargé des cultes.

La laïcité bien comprise ne signifie pas la méconnaissance du fait religieux et surtout pas sa négation.

Mais cette dissociation du pouvoir temporel et de la présence spirituelle ne va pas de soi avec l'islam.

Dans l'islam coexistent plusieurs tendances. Pour les tenants de la « chariacratie » pure, l'État n'est là que pour permettre à la société civile de pratiquer à la lettre les commandements du Coran, et n'est donc que l'instrument de la religion. Cette conception prédomine à l'heure actuelle dans nombre d'États musulmans et nous ne pouvons pas en mésestimer l'importance. Ailleurs, l'État conserve une vocation religieuse, mais la loi n'a pas pour objet d'imposer la pratique et la doctrine de la religion.

Reste que, dans tous les cas, il n'y a ni séparation entre l'État et la religion, ni distinction entre pouvoir temporel et pouvoir spirituel, ni frontière entre la pratique religieuse et l'attitude sociale. L'État est religieux et doit contraindre ou permettre l'exercice du culte musulman et l'observation de ses préceptes, seules valeurs utiles et nécessaires.

Il y a donc une difficulté conceptuelle à concilier vision républicaine de la religion et principes fondamentaux de l'islam. Elle explique les multiples pierres d'achoppement sur lesquelles bute le dialogue que poursuivent les autorités françaises avec les musulmans de France ; dialogue qui sera toujours pavé d'incompréhensions réciproques, quand bien même il est indispensable.

La première entrée officielle de l'islam en France remonte, en fait, à la construction d'une mosquée à Paris, lieu de culte pour les rares musulmans y résidant alors, lieu symbolique voué à commémorer le sacrifice des soixante-dix mille musulmans morts au cours de la guerre 1914-1918, lieu culturel enfin destiné à manifester l'ouverture de la France aux civilisations de son empire colonial.

Cette mosquée, inaugurée par le président de la République Gaston Doumergue et le sultan du Maroc Moulay Youssef, a bénéficié, sinon d'une reconnaissance officielle, du moins d'une subvention de 500 000 francs accordée à la Société des habous et lieux saints de l'islam par la loi du 19 août 1920 ; mesure qui constituait une violation évidente des dispositions de la loi de séparation des Églises et de l'État. Mais la France de 1920 n'était plus à une contradiction près en ce domaine. La mosquée de Paris resta longtemps le seul établissement musulman de France. C'est l'évolution des rapports avec le Maghreb qui allait transformer la situation de l'islam dans notre pays.

Ce fut d'abord l'arrivée dans les grands chantiers, ouverts après la Libération, de nombreux travailleurs musulmans, logeant à proximité de leur lieu de travail. Cette population était formée de célibataires et de résidents provisoires destinés à repartir vers leur terre d'origine.

L'indépendance de l'Algérie superposa à cette immigration de travailleurs une immigration d'origine différente, composée d'une part des harkis et personnes ralliées à la France ou qui s'étaient compromises pour elle, d'autre part des rapatriés simples qui n'étaient poussés par aucune nécessité politique, auxquels s'ajoutèrent de nombreux immigrés attirés par l'essor économique de la France.

En même temps que l'immigration a augmenté, la pratique du culte musulman s'est développée en

France. Des mosquées ont été construites. La mosquée de Paris n'a plus été seule. Ces mosquées dépendent toujours de leurs généreux donateurs qui sont pour la plupart des États musulmans : Arabie saoudite, Maroc, émirats du Golfe. Chaque État qui participe à la création d'une mosquée, ou qui fournit quasi intégralement les fonds nécessaires à sa construction, entend que les fidèles soient des nationaux de l'État donateur ou aient un lien de rattachement idéologique ou politique à son égard.

Il en est résulté une situation d'une grande confusion, face à laquelle le gouvernement français s'est retrouvé fort démuni. Certes, au plan juridique, les choses sont restées relativement simples. Aux termes de l'article 2 de la loi de 1905, l'État se doit d'ignorer les difficultés que peut rencontrer l'islam en tant que religion, se garder d'une immixtion dans son organisation, se borner à surveiller sur le strict plan de l'ordre public la pratique du culte. Mais cette attitude a vite montré ses limites. Elle n'apportait pas de réponse satisfaisante aux problèmes posés par l'essor de l'islam sur notre territoire : comment concilier pratique du culte musulman et intégration dans le cadre laïque de la République ? Comment assurer la formation des imams ? Comment faciliter l'accès au culte ? Quelle réglementation accorder au « hallal » ? Autant de questions qui nécessitaient un dialogue entre l'État d'une part et la communauté musulmane de l'autre. Si les gouvernements successifs s'y montraient tout à fait disposés, le cadre institutionnel de ce dialogue posait en lui-même un problème supplémentaire : l'absence d'institutions représentatives de l'islam.

L'État chercha donc à créer une telle instance. C'est ainsi que Pierre Joxe, alors ministre de l'Intérieur, désigna en novembre 1989 six sages appelés à réfléchir à sa constitution. En mars 1990, l'instance fut officialisée sous le nom de Conseil de réflexion sur l'islam en France (CORIF). Bien vite, certains mirent en avant le principe de non-ingérence de l'État dans le fonctionnement du religieux, d'autres s'étonnèrent qu'un certain nombre de questions religieuses, notamment la fixation des fêtes, aient été confiées à cet organisme. Le CORIF était donc mort-né et, dès 1992, avant les changements électoraux, il n'a fait l'objet d'aucune réunion.

Charles Pasqua, ministre de l'Intérieur, essaya ensuite de favoriser l'émergence d'un Conseil représentatif des musulmans de France, ayant pour but de rassembler toutes les tendances musulmanes autour de la mosquée de Paris. Ce conseil, qui s'est réuni un certain nombre de fois, élabora une charte du culte musulman, présentée officiellement en janvier 1995 au ministère de l'Intérieur, et qui avait pour objet de définir les rapports de l'État avec la deuxième religion de l'Hexagone. Le pari de cette charte était d'organiser le culte musulman en France par les musulmans français. Il sera ruiné par des rivalités de personnes.

L'échec de ces deux expériences, dont les intentions étaient excellentes, doit servir de leçon. L'erreur est, en fait, d'avoir voulu créer un islam dépendant de l'autorité politique, c'est-à-dire un islam de France, comme il y a eu une Église de France dépendant de l'État par le Concordat. C'est aux musulmans eux-mêmes de prendre conscience de la nécessité d'une certaine représentation qui, sans aboutir à une unité que la République n'a aucune intention de leur imposer, leur permettrait de parler d'une voix forte des problèmes de religion qu'ils désirent aborder avec l'État. Ni l'organisation ni la représentativité des musulmans ne peuvent être décrétées par l'État.

Il faut y parvenir, car l'organisation actuelle de l'islam ne permet pas une intégration véritable des jeunes Français musulmans, ou des jeunes musulmans en voie de francisation. Cette carence est grave et nous invite à la réflexion.

Réflexion difficile, puisque l'État n'a pas le droit d'intervenir en matière religieuse. Réflexion nécessaire, puisque l'absence d'organisation religieuse crée un problème pour l'intégration et la sécurité. Réflexion possible, puisque si l'État n'a pas la faculté d'organiser lui-même la représentation de l'islam, il dispose de moyens d'action notamment par l'attribution du hallal (qui dépend d'un arrêté conjoint du ministère de l'Intérieur et du ministère de l'Agriculture), et par les lois sur l'enseignement (loi du 12 juillet 1875 pour l'enseignement supérieur, loi Debré de 1959 pour l'enseignement primaire et secondaire).

Plutôt que de vouloir créer un islam *de* France, il y aurait lieu de s'intéresser à l'islam *en* France, en aidant les musulmans à pratiquer leur culte dans le respect des lois de la République.

On peut évidemment demeurer sceptique car l'islam est aujourd'hui présent dans les territoires où il est non seulement majoritaire, mais pratiquement « unanimitaire », d'où sa tentation d'intolérance. L'islam n'a ni culture ni tradition de religion minoritaire.

Mais il faut saisir l'occasion de créer un islam en France. Un islam reconnu comme une des religions pratiquées sur le territoire de la République. Un islam qui respecte les vertus de la laïcité, la liberté de chaque citoyen de pratiquer sa religion, avec le caractère privé du culte. Bref, un islam qui ne soit ni ostentatoire ni prosélyte. Une telle ambition, peut-être utopique, suppose que soient réunies plusieurs conditions.

Il convient d'abord de rappeler que le principe de laïcité de l'État ne permet pas de donner à une fraction de fidèles un monopole sur une communauté tout entière. Il ne faut pas hésiter à signifier clairement que l'histoire de la mosquée de Paris s'inscrit désormais dans le cadre de la liberté que confère la laïcité.

C'est dans cet esprit que j'ai notamment abordé la question du hallal, à laquelle je fus confronté sitôt mon arrivée au ministère de l'Intérieur. Le hallal répond non seulement à un besoin cultuel – consommer des viandes rituellement sacrifiées – mais il est la source d'un financement important du culte. L'usage s'était instauré de confier l'organisation exclusive du hallal à la mosquée de Paris, avec le dessein de consolider une institution à rayonnement national, ayant les fonds nécessaires pour construire des mosquées, rémunérer les imams, édifier une université de théologie.

Cette orientation s'est révélée décevante. Le monopole de fait de la mosquée de Paris a engendré des rancœurs et des frustrations, en même temps qu'il suscitait l'ire de nombre d'États musulmans, peu satisfaits de voir leurs propres nationaux contraints de se ranger sous une autre bannière que la leur.

C'est pourquoi nous avons modifié notre politique en la matière, en reconnaissant l'existence de plusieurs grandes tendances cultuelles musulmanes. La mosquée de Paris en est une, mais elle n'est pas la seule. Rien ne doit empêcher des communautés, même réduites en importance numérique ou en lieux de culte, mais représentant une fraction significative de fidèles, d'obtenir l'habilitation de sacrificateur et donc les ressources nécessaires à la pratique religieuse.

À travers la distribution du hallal, c'est en effet la création de mosquées nouvelles et de lieux de culte qui peut être envisagée à l'aide de fonds spécifiques et d'origine nationale. Il ne s'agit naturellement pas de subventionner la réalisation de mosquées. L'État ne peut le faire. Mais on pourrait obtenir que les associations qui souhaitent en créer se conforment à la loi de 1905. Cela nous permettrait, au moins, de vérifier que l'argent étranger, destiné à la création de lieux de culte, entre en France autrement que par des valises bourrées de devises et profitant de la liberté des changes.

Les lieux de culte ou les lieux de réunions culturelles doivent être animés par des imams capables d'enseigner une religion compatible avec les lois de la République. On ne peut tolérer que des imams profitent de leur statut pour prôner violence, haine et antisémitisme. C'est hélas arrivé. Et cela m'a conduit à renvoyer en « urgence absolue » des imams qui s'étaient livrés à de tels débordements.

Au travers de l'organisation de l'islam, c'est la question même de la laïcité qui est posée. La laïcité, principe fondamental du pacte républicain, ne saurait à mon sens signifier la négation du fait religieux. Cette tentation qui existe dans certains cercles laïcistes est de nature à susciter, à l'avenir, de nouvelles polémiques d'ordre politique. Or, la France a mieux à faire que de rouvrir cette guerre de religion que fut la querelle scolaire.

La République doit au contraire accepter le fait religieux et le reconnaître dans sa diversité. L'histoire des religions, et le patrimoine philosophique, culturel et artistique qu'elle recèle, ne peuvent être ignorés de nos enfants, comme c'est trop souvent le cas aujourd'hui.

Il ne me semblerait pas inutile que les programmes d'histoire à l'école intègrent des éléments d'initiation à la connaissance des religions. Ce serait facteur d'une meilleure compréhension de notre passé, gage d'une plus grande tolérance et d'un respect accru des croyances de chacun.

2

Police et République

Comme tous mes prédécesseurs, à la veille de la saison estivale, je m'inquiète de l'insécurité qui règne dans certains quartiers de nos villes, et notamment en banlieue parisienne. En ces mois de mai et juin 1995, je constate avec effroi l'augmentation du nombre d'incidents graves qui opposent les forces de l'ordre à des bandes de jeunes délinquants. Incendies de véhicules, jets de pierres, provocations répétées à l'encontre de ceux qui incarnent l'autorité… Chaque soir, nous évaluons avec mes collaborateurs les risques d'un embrasement des banlieues. Nous craignons qu'un drame ne le précipite.

Sur la carte de la violence urbaine, onze départements se démarquent : les sept de la région Île-de-France plus l'Oise qui subit, de manière grandissante, une délinquance liée à l'extension du réseau des transports et à sa proximité avec le Bassin parisien. Viennent ensuite le Nord, le Rhône et la Seine-Maritime. Mais ce serait une erreur de croire que la violence urbaine est le monopole des grandes métropoles et des départements fortement urbanisés. La Sarthe, l'Indre-et-Loire ou encore la Haute-Garonne sont elles aussi marquées par le développement d'une insécurité qui exaspère nos compatriotes.

Il est tentant d'imputer aux carences de l'urbanisme et au développement des ghettos, voire à la progression de l'immigration clandestine, ces phénomènes de violence urbaine. C'est un raisonnement à l'évidence simpliste. Le mal est en réalité beaucoup plus profond. La délinquance dans les banlieues n'appelle ni la multiplication d'actions à caractère socioculturel ni une répression aveugle. Ce n'est pas, à mon sens, en entretenant l'assistanat ou, pis, l'infantilisation que nous ferons baisser la fièvre. Peut-être dépenserons-nous beaucoup d'argent. Peut-être soulagerons-nous notre conscience. Mais rien de tout cela ne constitue une politique digne de nous.

Je ne crois pas non plus dans l'efficacité d'une augmentation indéfinie des effectifs de police. À quoi sert la police si l'uniforme n'est plus respecté ? Si la société qu'elle représente est rejetée ? Si la nation qu'elle sert est obsolète et l'autorité de l'État contestée ? Les fonctionnaires de police peuvent assurer la sécurité, élucider les enquêtes, protéger la population, mais ils ne sont pas en mesure de pallier les failles de notre modèle social et politique, dont ils sont les réceptacles et qu'ils subissent de plein fouet.

La situation de certains quartiers de nos villes appelle une politique fondée à la fois sur l'autorité et sur la considération. Mais l'une ne saurait aller sans l'autre. L'autorité impose que nous rétablissions la juste valeur de la sanction, de la responsabilité individuelle, plutôt que d'accorder toutes les vertus à la prévention et tous les torts à la responsabilité collective.

La sanction n'est que le juste retour du risque pris par le délinquant, que la mesure des limites de sa liberté personnelle. Elle est la stricte conséquence de l'article 4 de la Déclaration des droits de l'homme, trop souvent oublié, et qui dit : « La liberté consiste à pouvoir faire tout ce qui ne nuit pas à autrui. » Ainsi, l'exercice des droits naturels de chaque homme n'a de bornes que celles qui assurent aux autres membres de la société la jouissance de ces mêmes droits, ces bornes ne peuvent être déterminées que par la loi.

Or, en maintes circonstances, les responsables politiques ont préféré se réfugier dans la langue de bois, par peur de déranger. Lorsque j'ai lancé un débat sur l'inadaptation de la législation sur la délinquance des mineurs, d'aucuns ont poussé des cris d'orfraie, même parmi mes amis politiques. Et pourtant, comment ne pas constater que la délinquance concerne des individus de plus en plus jeunes, de mieux en mieux organisés, agissant en bandes, avec leurs propres rites, leurs propres codes, leurs propres hiérarchies ? Ils recréent en fait ce que la société a été incapable de leur fournir, c'est-à-dire des repères.

Mais notre société ne retrouvera pas le sens du respect de l'autorité si celle-ci n'apparaît pas comme légitime, si elle n'est que l'expression d'un pouvoir abstrait et déshumanisé. La considération que l'État doit au citoyen n'est pas synonyme de discours complaisants, de distributions de prestations en tous genres, ou de traitement social de l'exclusion. Elle consiste d'abord à permettre l'accès de la personne quelle qu'elle soit à un vrai savoir, à une vraie culture, à un vrai métier. La rébellion de certaines banlieues et le sentiment de révolte d'une partie de la jeunesse sont parfois le signe du refus d'une société fondée sur l'infantilisation et l'assistanat.

Le 12 juillet 1995, je passe une partie de la nuit avec les policiers qui patrouillent de nuit au Val-Fourré, à

Mantes-la-Jolie, et travaillent dans ce quartier difficile. Par ce déplacement décidé à l'improviste, je veux tenter de sonder la réaction des jeunes, que j'espère pouvoir rencontrer, à la venue d'un ministre de la République. Je ne suis pas déçu. Spectacle désespérant de ces adolescents drogués qui, indifférents, me regardent passer. Impression pénible devant ces gamins qui nous entourent et vocifèrent. Hostilité d'une atmosphère chargée d'agressivité. Au commissariat, les policiers m'expliquent les difficultés qu'ils rencontrent pour éviter que la coexistence de quatre-vingts nationalités différentes ne dégénère. Leur tâche s'apparente à une mission impossible qu'ils accomplissent avec un mélange de grandeur et de tristesse.

Le Val-Fourré n'est pas un cas unique. À Trappes, où je passe une autre partie de la nuit avec les fonctionnaires de la brigade anticriminalité, à Gennevilliers avec les fonctionnaires de la CRS 44, où je me rends également, on constate la même ébullition.

La précarité sociale, autant que les trafics, entretient une économie souterraine. Un processus de ghettoïsation des quartiers est à l'œuvre. Des zones de non-droit, où la République n'existe plus et où la police a bien du mal à pénétrer, se développent. Délinquance des mineurs et trafic de drogue s'y installent durablement.

Régulièrement, les rapports de police me signalent l'accroissement du nombre de mineurs mis en cause dans des crimes ou délits. Plus de cent vingt-six mille d'entre eux sont ainsi chaque année impliqués dans des actes délictueux. Ils ont parfois quatorze ou quinze ans. L'Office central pour la répression du trafic illicite des stupéfiants, dirigé par le commissaire Gilles Leclair, met en évidence les ravages de la drogue sur une jeunesse désœuvrée. De nombreux indices montrent que leur consommation progresse notamment dans les quartiers difficiles qui demeurent un terrain privilégié pour les revendeurs, pas seulement occasionnels. Les interpellations de trafiquants sont en augmentation régulière, de même que les saisies. En 1996, on compte plus de quarante mille affaires d'infraction à la législation sur les stupéfiants, contre plus de trente-six mille l'année précédente. Derrière ces chiffres préoccupants se dissimulent des réalités inquiétantes. La tranche d'âge des dix-huit/vingt-cinq ans représente, à elle seule, plus de 67 % des interpellations pour usage de cannabis en 1996. L'étude de la police prouve aussi que l'accès aux stupéfiants se fait de plus en plus jeune, à un âge où l'enfant est scolarisé. S'agissant de la cocaïne, de l'héroïne ou du crack, les mêmes tendances sont enregistrées. La drogue n'est pas seulement répandue en Île-de-France.

C'est cette réalité que les services de police appréhendent quotidiennement. Maintenir ou rétablir l'ordre dans les cités est un exercice difficile et ô combien risqué. Il ne dépend pas seulement des moyens techniques, financiers ou humains mis en œuvre. Il dépend surtout de la conception d'ensemble que l'on se fait du rôle de l'État et de la politique. Poser la question des banlieues, ce n'est pas poser une question isolée, c'est mettre en cause la validité des choix opérés dans un grand nombre de domaines depuis plusieurs décennies. Quand on pense que la police détient une réponse exclusive aux problèmes des quartiers, on fait fausse route.

C'est la raison pour laquelle l'effort du gouvernement en faveur de la sécurité dans les banlieues s'intègre dans un plan de relance globale pour la ville, l'un des moyens mis en œuvre afin de résoudre la « fracture sociale » dont nous n'avons jamais cessé de nous préoccuper. Alain Juppé me demande de concentrer les moyens dans les quartiers sensibles en affectant trois mille policiers supplémentaires là où la présence de la force publique est réclamée. C'est ce que nous faisons avec Éric Raoult, en charge de la politique de la Ville au gouvernement.

Au cours de ces premiers mois, Place Beauvau, je découvre combien la police doit, quartier par quartier, parfois rue après rue, reprendre l'initiative pour reconquérir des territoires laissés hors de la loi républicaine. De nombreux maires, à l'image de Raymond Barre à Lyon, Pierre Bédier à Mantes-la-Jolie ou Jean-François Copé à Melun, contribuent à nous faciliter la tâche. À l'occasion de visites nocturnes faites à l'improviste dans les commissariats, je ne cesse de dialoguer avec des policiers qui, dans l'anonymat, œuvrent à apaiser les tensions en assurant la paix publique.

L'opinion française ne connaît pas suffisamment sa police. En matière de sécurité, la perception compte autant que la réalité. Les chiffres sont impuissants à gommer l'effroi suscité par tel ou tel récit. Le recul de la criminalité ne suffit pas à empêcher la psychose de gagner les esprits et la tentation du repli sécuritaire de progresser. La police est en première ligne, confrontée à la manifestation la plus brutale et la plus primaire des désordres de la société : la violence. Il faut adapter son action à la nouvelle donne de l'insécurité : face au trafic de drogue, à la délinquance juvénile, aux bandes organisées, aux agressions dans les transports en commun, elle ne doit pas être absente ou impuissante, mais présente et rassurante.

C'est l'objet de la réforme de la police qu'il me revient de mettre en œuvre. Sa philosophie est ambitieuse. Il ne s'agit pas d'augmenter – nous n'en avons pas les moyens – les effectifs à perte de vue, mais de revoir un mode de fonctionnement et une organisation du travail archaïques. C'est dans cet esprit que nous décidons de réformer les corps et les carrières pour donner plus d'esprit d'initiative et de responsabilités aux policiers ; d'élever le niveau de la formation et d'envisager la création d'une grande école nationale de la police ; de modifier les cycles de travail.

Ce dernier dossier est un grand chantier qui bouleverse habitudes et réflexes bien ancrés. Mais il faut savoir si l'on veut réformer l'État ou le voir supplanté par des acteurs privés de la sécurité dont la déontologie et l'attachement à l'intérêt général ne sont pas les mêmes.

Lors d'une réunion du Conseil supérieur de la police technique et scientifique, le 16 novembre 1995, j'annonce vouloir mettre en œuvre une « police technique et scientifique de proximité », notamment pour mieux élucider les cas de petite et moyenne délinquance. Peu de temps après je fais publier un décret portant création de « sûretés » dans six départements : Alpes-Maritimes, Bouches-du-Rhône, Rhône, Nord, Réunion, Seine-et-Marne.

La police nationale, comme d'autres institutions, est aujourd'hui concurrencée. Elle n'est plus en situation de monopole. Elle doit évoluer pour satisfaire les attentes de nos compatriotes. Aussi, je ne me laisse pas dissuader par ceux qui veulent fermer les yeux sur le risque d'une privatisation de la sécurité et le démantèlement de la police nationale. Et je ne me laisse pas impressionner non plus par ceux qui, sous couvert d'attachement au service public, refusent toute innovation et ont pour seul souci de préserver quelques avantages acquis ou quelques positions de pouvoir.

Réaménager le rythme de travail de la police, c'est lui donner les moyens d'être plus présente, plus visible et donc plus efficace. À quoi bon être ministre de l'Intérieur si l'on renonce à cet objectif pour gérer un statu quo qui deviendrait, au fil du temps, de plus en plus infernal ?

L'atomisation du paysage syndical policier offre une chance que le pouvoir politique doit saisir. C'est ma conviction. J'en fais part au Premier ministre qui partage ma détermination à dépasser les corporatismes pour imposer l'intérêt général.

Avec le directeur général de la police nationale, nous préparons minutieusement le terrain en lançant une campagne d'explication dans toute la France. Préfets, gradés et civils sont tour à tour informés des changements fondamentaux de l'organisation du temps de travail. Recevant tous les commissaires de police au ministère, je les incite à s'approprier cette réforme. J'écris même personnellement à chaque fonctionnaire concerné. Dans chaque département, une commission est instituée pour statuer sur cette réforme. Le passage du cycle de travail 3/2 (trois jours de travail et deux jours de repos) au cycle 4/2 (quatre jours de travail et deux jours de repos) entre finalement dans les mœurs. Dans la dernière ligne droite, à la fin de l'année 1996, nous multiplions les rencontres avec les syndicats pour les convaincre du bien-fondé de cette réforme, au nom même d'une conception républicaine de l'État et de la police.

Pour le 14 juillet 1996, j'obtiens de Jacques Chirac que, pour la première fois, la police nationale défile sur les Champs-Élysées. Combat difficilement gagné, grâce à lui, sur les chefs militaires, soutenus par le ministre des Armées, pour qui le 14 Juillet ne peut s'ouvrir à Paris que par un défilé exclusivement composé des forces militaires.

Le 14 Juillet n'est pas une fête militaire, mais celle de la nation, de la République tout entière. Et la police nationale protège la République. J'ai souhaité qu'un hommage national lui soit rendu à cette occasion après la vague d'attentats qui a meurtri la France et les Français. C'est ainsi que le défilé accorde une place privilégiée aux commissaires de police dont j'ai voulu aussi qu'ils soient ceints de l'écharpe tricolore et suivis par les élèves des écoles de police. Quelle fierté pour moi quand j'entends les applaudissements qu'ils soulèvent chez les Parisiens. Quelle magnifique reconnaissance pour leur travail exemplaire face au terrorisme et à l'insécurité.

La réforme de la police nationale entre en vigueur le 1er janvier 1997. Les critiques se sont estompées au fur et à mesure que la concertation progressait et lors d'un Conseil des ministres en février, ma fierté est grande d'entendre le Premier ministre et le président de la République se féliciter de cette réforme. Le réaménagement des cycles de travail a permis de gagner la disponibilité d'un nombre de policiers qui représente environ 10 % des effectifs du service général.

Nos fonctionnaires vont pouvoir mieux se consacrer à lutter contre l'insécurité. Ils apporteront leur pierre à l'édifice de reconquête de nos quartiers, qui constitue une des tâches principales du septennat. La police nationale a montré sa capacité à se réformer de l'intérieur, sans déchirement ni aigreur. Quel exemple pour l'État !

La transformation de la police nationale doit être poursuivie. Revoir les conditions de son recrutement, améliorer la formation des fonctionnaires, rénover les écoles de police, repenser la chaîne du commandement, renforcer l'autorité de la hiérarchie tout en développant le dialogue social, modifier les conditions de vie de nos policiers et moderniser les locaux de police... Autant de nécessités de raffermir l'efficacité de notre police nationale et républicaine et lui donner les moyens d'imposer le respect de l'État et de la loi.

3

Une loi très controversée

J'ai longtemps hésité avant de proposer au Premier ministre de légiférer sur l'immigration.

Les lois votées en 1993 modifiaient en profondeur les conditions d'entrée et de séjour des étrangers en France. Remettre l'ouvrage sur le métier présentait a priori plus d'inconvénients que d'avantages. On risquait d'accréditer la thèse, répandue par l'opposition, que ces textes étaient inopérants. On sous-entendait, involontairement, que l'État était impuissant à lutter efficacement contre l'immigration clandestine. Et puis les problèmes ne se règlent pas toujours par des lois nouvelles. L'inflation législative, cette maladie bien française, complique souvent les situations au lieu de les simplifier.

Certes, il y avait la pression de nombreux parlementaires de la majorité fréquemment sollicités par des électeurs exaspérés, en particulier dans le Sud-Est. Mais la commission parlementaire qui avait travaillé à des aménagements de notre arsenal législatif contre l'immigration irrégulière avait vu ses travaux vilipendés par la presse parisienne. L'excès de certaines propositions formulées dans son rapport ne facilitait pas, il est vrai, la tâche du gouvernement. Le dossier fut temporairement refermé.

Pour ma part, quoique favorable à un renforcement de notre dispositif de maîtrise des flux, je m'accommodais du statu quo juridique. L'essentiel était de pouvoir poursuivre notre effort pour élever de manière significative le taux d'exécution de reconduites à la frontière. La multiplication des charters renvoyant vers leurs pays d'origine des clandestins de toutes nationalités s'effectuait sans trop de difficultés. Bref, l'hostilité à cette orientation d'une partie de la « société bien-pensante » s'était muée en indifférence. La majorité de nos concitoyens approuvait notre fermeté.

J'ai pu ainsi développer cette politique de renvois groupés d'étrangers en situation irrégulière. Certaines associations ont bien tenté de s'y opposer au nom de la défense des droits de l'homme, oubliant un peu trop vite que parmi les expulsés se trouvaient nombre de repris de justice, parfois multirécidivistes, condamnés par nos tribunaux pour usage ou trafic de stupéfiants, vols, coups et blessures volontaires, agressions contre des biens et des personnes, autant de délits constitutifs d'atteinte aux droits de l'homme. Mais devant notre détermination, l'écho des critiques et des oppositions s'était progressivement estompé.

Le 21 mars 1996 à 6 heures, les CRS évacuent de l'église Saint-Ambroise à Paris de nombreuses familles africaines sans papiers. Il n'y a pas eu d'incident majeur. Survient alors l'occupation de l'église Saint-Bernard, dans le XVIIIe arrondissement de Paris. J'entends procéder rapidement à cette autre évacuation. Le Premier ministre me demande d'attendre, pensant que la situation va se décanter pendant la saison estivale. Mais, loin de cesser, elle devient le feuilleton politique de l'été, d'autant que, comme à l'ordinaire, et selon les mêmes principes qui avaient prévalu lors des attentats terroristes, on raconte parfois n'importe quoi à ce sujet.

Pour certains, la grève de la faim des occupants est largement factice et ne s'apparente pas au calvaire décrit complaisamment ici ou là. Le passage au chevet des « plaignants » devient un « must » pour des personnalités du show-biz ou de la politique en mal d'activités médiatiques. Il offre progressivement à cette occupation d'un lieu de culte une opportunité politique inquiétante, permettant de lancer un appel à la désobéissance civique, sous couvert d'humanité.

Extraordinaire confusion des sentiments et des esprits qui conduit à donner des brevets de civisme à des personnes hors la loi ; à considérer la régularisation d'une situation anormale comme un droit ; à transformer par un subterfuge sémantique des irréguliers en simples « sans-papiers ». Comme si l'octroi de papiers était une simple formalité procédurale et non pas le résultat d'une démarche volontaire reposant sur des motifs acceptables par l'État.

Le 23 août 1996, l'ordre est finalement donné à la police de faire sortir de l'église Saint-Bernard les quelques trois cents personnes en situation irrégulière qui s'y trouvent depuis deux mois. L'orchestration politico-médiatique de cette évacuation est habilement mise en scène.

Pathétique cette starlette à la recherche de publicité, absente au moment de l'intervention, qui saute dans un taxi pour arriver à temps sur le parvis de l'église afin de pouvoir exprimer devant les caméras de télévision sa violente hostilité à ce délogement « inhumain ». Elle oublie d'avouer qu'elle emploie – je le sais par les rapports de la police – une femme du Cap-Vert sans l'avoir déclarée.

Révoltante l'attitude de ces religieux, dont celle du curé de Saint-Bernard qui, après m'avoir appelé pour dénoncer ce scandale, selon lui toléré par les pouvoirs publics, et exiger l'évacuation de l'église, fustige maintenant la police d'y être arrivée par la force... Je dis ce que j'en pense au cardinal-archevêque de Paris, Mgr Lustiger, qui lui aussi s'est plusieurs fois plaint auprès de moi de l'inaction de la police et aujourd'hui regrette qu'elle ait pénétré dans l'église en cassant la porte.

Comment faire autrement, les individus enfermés dans l'église en ayant barricadé toutes les entrées ? En somme ces religieux croient encore aux miracles, pas moi. Le fait est que les portes de l'église ne se sont pas ouvertes par la simple « opération du Saint-Esprit ».

L'imbroglio juridique qui suit l'évacuation de Saint-Bernard produit une mauvaise impression sur la majorité de nos compatriotes, particulièrement attentifs à notre attitude sur le terrain de l'immigration.

Les Français approuvent certes, largement, que nous mettions enfin un terme à une occupation illégale d'un édifice religieux, mais ils ne comprennent pas la paralysie de l'État imputable à la complexité juridique des procédures, et au comportement visiblement politique de certains membres du Palais de justice de Paris.

Je suggère donc au Premier ministre d'adresser des signes de sa détermination. Le gouvernement doit démontrer sa volonté de s'attaquer à ces problèmes concrets qui entretiennent l'extrémisme et alimentent la xénophobie. Il convient naturellement de le faire avec le souci de l'équilibre, sans démagogie et en respectant les principes constitutionnels. Mais nous ne pouvons rester inertes pour faire plaisir à quelques-uns et décevoir les attentes de la grande majorité.

Le président de la République accepte bientôt le principe d'un texte à dominante technique, apportant les ajustements nécessaires. Il ne s'agit pas de rouvrir un débat idéologique qui a fait couler beaucoup d'encre dans les années quatre-vingt, et qui semble dépassé. Après avoir constitué une ligne de fracture au sein de la société française, l'immigration devenait, qu'on le veuille ou non, une réalité en passe d'être mieux tolérée. Avec l'aide de Jean-Paul Faugère, directeur des libertés publiques et des affaires juridiques au ministère de l'Intérieur, et de Michel Besse, le directeur de mon cabinet, je mets donc au point un projet de loi dont le seul but est de donner à l'État, et à ses représentants, les moyens de se faire respecter.

À droite comme à gauche, de nombreux responsables, souvent élus locaux, sont maintenant également convaincus de la nécessité de mener de front intégration des étrangers en situation régulière et fermeté à l'égard des immigrés en situation irrégulière. Il ne faut pas s'éloigner de cette ligne ou fragiliser ses tenants. Seules en profiteraient l'extrême droite d'une part, qui dénonce dans un même mouvement tous les étrangers et toutes les civilisations extérieures, et l'extrême gauche de l'autre, qui prétend accueillir en dehors de tout cadre légal les candidats à l'immigration.

Je me prépare, en dépit de nos précautions, à un débat difficile car je sais combien la question migratoire touche au cœur de l'équilibre social mais aussi de la conception de la citoyenneté et de la vision de l'identité nationale. Parler de l'immigration, c'est aussi parler de la France. Pour une raison simple : notre pays a toujours été une terre d'immigration, accueillant sur son sol des flux de populations en provenance, pour majeure partie, de nos voisins européens.

À ce titre, elle a longtemps fait figure d'exception dans une Europe terre d'émigration et réservoir de main-d'œuvre pour l'extérieur. Ce particularisme français s'explique par notre position géographique, notre démographie, longtemps plus faible que celle de nos voisins, ainsi que par la nécessité d'alimenter la croissance économique en hommes. Des vagues d'immigration se sont ainsi succédé depuis le début du siècle. Avant guerre, avec une forte proportion d'Italiens et de Polonais, pendant la reconstruction puis au cours des trente glorieuses, avec des contingents de Portugais et d'Espagnols. Quelles que soient les différences de volume et de nationalité, ces flux migratoires ont des points communs. Ils ont pour origine l'Europe, voire, plus récemment, l'Afrique du Nord ; pour raison d'être le travail et pour conséquence le renfort démographique.

Or, depuis 1974, l'immigration a profondément changé de nature et de dimension. En vingt ans elle s'est diversifiée, devenant progressivement africaine, puis maintenant asiatique. Il y a, en cette fin des années 1990, plus de soixante mille non-admissions par an venant des différents pays d'Asie. On constate une forte pression à nos frontières de l'immigration irrégulière indienne (plus de 60 % de non-admissions sur les sept premiers mois de 1996) ou encore chinoise (la Chine est ainsi au huitième rang pour les non-admissions et les irréguliers). Le développement des filières sri-lankaises, pakistanaises et bengladies n'est pas la moindre des évolutions que nous observons. Elle est d'ailleurs en passe de donner naissance à un communautarisme agressif qui tranche avec l'intégration discrète dont nous avions l'habitude.

Deuxième évolution, l'immigration de travailleurs se transforme en une immigration d'ayants-droits. La politique du regroupement familial, l'attrait exercé par notre protection sociale et le ralentissement de la conjoncture économique expliquent cette mutation. Sur quatre-vingt-dix mille entrées régulières par an, on dénombre, à cette époque, vingt-cinq mille regroupements familiaux, vingt-cinq mille étudiants, cinq mille réfugiés politiques, dix mille demandeurs d'asile à titre provisoire, vingt-cinq mille visiteurs de longue durée dont seulement quinze mille titulaires d'un contrat de travail.

Troisième évolution liée aux deux précédentes, ce qui était une immigration de renfort démographique devient une immigration de substitution de peuplement, avec toutes les conséquences que cela implique : formation de ghettos dans un certain nombre de quartiers, montée du communautarisme au détriment de l'intégration personnelle, tensions ethniques et essor de la xénophobie et du racisme, intrusion de l'immigration dans le débat politique national.

Voilà dans quel contexte nous devons agir. Notre tâche est de surcroît compliquée par l'accroissement considérable des facilités de circulation et par l'édification d'espaces régionaux dont nous ne maîtrisons ni la totalité des règles de fonctionnement ni tous les mécanismes. Rien dans ce panorama ne saurait nous conduire à la passivité ou à l'affolement. Le poids des transports et des communications dans les flux migratoires est relatif. Les transferts de population ne sont pas nés avec les réseaux modernes et remontent à la nuit des temps. Quant à la construction européenne, bien comprise, elle est susceptible de nous donner les moyens d'action supplémentaires pour canaliser les flux migratoires.

Ces contraintes doivent toutefois permettre de dissiper quelques illusions commodes mais trompeuses. Europe ou pas, facilités de transport ou non, fermeté politique ou impuissance publique, je ne crois pas à l'immigration zéro, cette ligne Maginot des temps actuels qui rassure à bon compte des citoyens inquiets. La France demeure une puissance mondiale qui a vocation à rayonner au-delà d'elle-même et de l'Europe de l'Ouest. Son influence dépend de sa capacité à accueillir des étudiants, à faire connaître sa langue et sa culture, à maintenir des liens de coopération avec les pays en voie de développement. Il est paradoxal de voir les croisés de l'identité nationale occulter ce qu'elle doit à l'universalisme français.

Comment oublier la contribution de l'immigration à l'économie française, et notamment au fonctionnement des services publics ? Jadis, c'était le bâtiment et les travaux publics ou l'automobile que les étrangers venaient soutenir par leur travail. À la fin des années quatre-vingt-dix, c'est l'hôpital public ou les services d'entretien qui bénéficient de l'apport de main-d'œuvre étrangère. Il faut avoir le courage de le reconnaître, même si l'on peut déplorer la réticence de nos concitoyens à exercer ce type d'emplois.

Dire cela, ce n'est pas renoncer à définir une politique de l'immigration crédible, bien au contraire, c'est en peindre l'environnement et en souligner la nécessité. C'est laisser le mythe pour la réalité, la rigueur de pacotille pour la véritable exigence, celle qui s'attaque aux vrais problèmes dont dépend l'avenir de la France.

On a attribué, sous l'influence des passions, beaucoup plus à cette loi qu'elle ne contenait réellement. Le texte qui fut discuté dans l'indifférence à l'Assemblée nationale, en décembre 1996, comportait quatre dispositions principales : une amélioration du dispositif d'éloignement des étrangers en situation irrégulière par l'allongement des règles de la rétention administrative ; un accroissement des possibilités de contrôles à la frontière et, pour les officiers de police judiciaire, de la faculté à procéder à une visite des véhicules à l'exclusion des voitures particulières dans une bande de vingt kilomètres au voisinage des frontières de notre pays ; une adaptation du système des certificats d'hébergement avec la nécessité d'une déclaration de départ de l'hébergé, qui mit le feu aux poudres ; enfin, une possibilité de régularisation pour les étrangers en situation irrégulière résidant depuis plus de quinze ans sur le sol français et ayant fait donc preuve de leur intégration.

Avec le recul, on s'aperçoit combien le psychodrame national auquel ce texte a donné lieu fut excessif. J'avais certes commis une erreur d'ordre psychologique en mésestimant l'impact de la formalité déclarative ajoutée au certificat d'hébergement. Certains en ont sciemment et abusivement profité, par mauvaise foi et strabisme politique, confondant allègrement « déclaration » et « délation ». Si l'on devait supprimer du droit français l'ensemble des déclarations faites à l'administration, on aurait du travail pour plusieurs années. Un quidam propriétaire de son appartement n'est-il pas dans l'obligation de déclarer son locataire à l'administration ? De signaler son déménagement au fisc ? Deux exemples parmi d'autres qui montrent la présence des devoirs citoyens jusque dans notre vie quotidienne.

La contestation qui se lève au début du mois de février 1997 doit autant à un contexte marqué par l'élection municipale de Vitrolles[1] et l'agitation de Châteauvallon[2] qu'au texte lui-même. Mais c'est le projet de loi gouvernemental qui risque d'en être la principale victime et avec lui la crédibilité du pouvoir, sommé par les pétitionnaires de reculer sur le terrain de l'immigration.

C'est dans les tempêtes que l'on ressent la solitude du pouvoir et que l'on apprécie à leur juste valeur un regard chaleureux, un mot réconfortant ou une poignée de main franche. Durant ces moments délicats où le bruit des manifestants couvrait les débats parlementaires, le soutien d'Alain Juppé ne m'a jamais manqué. Cet appui m'a permis de tenir bon au cours des quelque cent dix heures passées à l'Assemblée nationale et au Sénat pour défendre mon projet de loi. L'engagement à mes côtés de mes collègues du gouvernement, Jean-Claude Gaudin, Éric Raoult et Guy Drut, ainsi que le concours des députés Gérard Léonard et Jean-Pierre

1. En 1996, le Conseil d'État annule l'élection de Vitrolles. L'année suivante, à l'issue d'une nouvelle élection, la candidate FN devient maire de la ville avec 52,5 % des voix.
2. Ville qui se veut le point de résistance au FN.

Philibert ou du sénateur Paul Masson furent une aide précieuse.

Au cours de cette tempête médiatique, dont j'étais le centre, j'ai puisé des ressources dans ce passage du *Fil de l'épée* où le général de Gaulle décrit l'homme de caractère : « Face à l'événement, c'est à soi-même que recourt l'homme de caractère. Son mouvement est d'imposer à l'action sa marque, de la prendre à son compte, d'en faire son affaire. Et loin de s'abriter sous la hiérarchie, de se cacher dans les textes, de se couvrir des comptes rendus, le voilà qui se dresse, se campe et fait front. Non qu'il veuille ignorer les ordres ou négliger les conseils, mais il a la passion de vouloir, la jalousie de décider. Non qu'il soit conscient des conséquences, mais il les mesure de bonne foi et les accepte sans ruse. »

Pendant ces journées de crise et jusqu'à la manifestation du 22 février, j'ai écouté et lu les déclarations de mes contradicteurs sans vouloir leur répondre publiquement. À les entendre, je menaçais la République, mon projet de loi était liberticide et mes intentions douteuses. Peu leur importaient les arguments du gouvernement. Ils les irritaient au lieu de les convaincre. Peu leur importaient les réalités de l'immigration clandestine. C'était un leurre à leurs yeux, un fantasme, presque une invention des extrémistes. Je ne parle même pas de la légitimité du Parlement, rayée d'un trait de plume. Aux yeux de ces contestataires, la politique n'existait plus et ses représentants étaient disqualifiés, qu'ils soient de droite ou de gauche.

J'ai cru, à un moment, à la sincérité de leur indignation. Nous voulions lutter contre l'immigration clandestine, ils croyaient que l'on attentait à la liberté individuelle. Nous avions pour objectif de démanteler les filières organisées du faux hébergement, du travail au noir, de l'exploitation de l'homme par l'homme, ils estimaient que nous refusions l'étranger et tournions le dos à notre tradition d'accueil et d'hospitalité. Nous voulions prendre la mesure des formes modernes de l'aliénation de la personne humaine, ils lisaient nos mobiles à travers les grilles d'un sinistre passé.

J'ai eu le tort de n'avoir pas compris que Vichy fait encore partie de notre inconscient politique et d'un passé qui n'est pas seulement judiciaire, que les procès de ses responsables n'a pas suffi à exorciser le fléau de la collaboration. Je le reconnais. Mais cette instrumentalisation d'une période noire de notre histoire à des fins purement politiques me paraît révoltante, d'autant qu'elle est sélective et conduit à la banalisation. Elle ne visait qu'à donner des exemples à la droite. À lui faire des procès d'intention en jetant le doute sur son attachement à la République. Son véritable but, enfin, était de paralyser l'action publique, et d'empêcher les responsables légitimement élus de faire leur travail en résolvant les difficultés auxquelles sont confrontés les Français.

Cela, je ne l'accepte pas. La controverse est, en démocratie, légitime. Mais il faut savoir clore les polémiques, surtout quand leur objet a disparu. Une fois levées les préventions de ceux qui voyaient, à tort, dans la réforme des certificats d'hébergement un appel à la délation, l'agitation devenait inutile ou, plutôt, elle dévoilait son véritable dessein : refuser au gouvernement les moyens de lutter efficacement contre l'immigration clandestine.

L'outrance, le mensonge et l'hypocrisie se sont finalement retournés contre leurs auteurs. Outrance de ceux qui défilèrent dans une déshonorante allégorie, une valise à la main, aux abords de la gare du Nord. Ce simulacre eût été ridicule s'il n'était insultant. Mensonge de ceux qui laissèrent croire que le projet de loi interdisait la France aux étrangers. Le certificat d'hébergement ne concernait que cent cinquante mille personnes sur les quelque soixante-dix à quatre-vingts millions d'étrangers qui foulaient chaque année notre territoire et sur le million et demi qui vivaient chez nous, munis d'un visa de court séjour. Hypocrisie de ceux qui découvrirent subitement une législation vingt-quatre fois modifiée depuis 1945, y compris par une gauche qui joua la grande muette au Parlement et cria si fort dans la rue.

Le débat a également mis en lumière le manque de courage politique du Parti socialiste et de la gauche institutionnelle. On n'oubliera pas de sitôt le citoyen Jospin approuvant les appels à la désobéissance civique et le premier secrétaire du PS les combattant ; le citoyen Badinter critiquant la réforme du certificat d'hébergement et l'ancien garde des Sceaux oubliant qu'il avait signé le décret les instituant ou en rejetant la responsabilité sur d'autres ministres du gouvernement auquel il appartenait.

On ne peut jouer impunément avec la légalité républicaine, s'en réclamer puis la dénoncer au gré des intérêts du moment. Elle forme un bloc qu'il faut savoir respecter. L'instrumentalisation du droit comme celle de l'histoire affaiblissent la crédibilité du discours politique.

Dans cette affaire, l'opposition n'a rien gagné au double langage. Pour la gauche, il porte en germe des déconvenues futures. Le divorce entre la gauche institutionnelle et la gauche associative, le grand écart entre la culture de gouvernement et le réflexe d'opposition systématique jettent un doute sur la capacité des socialistes à gouverner.

Mais surtout, cette ambiguïté ne sert pas la vérité. Elle ne sert pas la République. Elle n'honore pas les politiques. Comment croire qu'en jouant les Dr Jekyll et Mr Hyde de la vie publique, on puisse retrouver la confiance du peuple français ?

Contrairement à ce que j'ai pu lire ici ou là, lutter contre les filières d'immigration irrégulière n'est pas un impératif électoraliste, ou une fantaisie démagogique. C'est tout simplement une nécessité justifiée par la volonté d'intégrer dans la cité les étrangers qui respectent nos lois ; imposée par l'urgence de faire reculer les tensions sociales créées par la constitution de ghettos ethniques ; dictée par le souci des droits de l'homme.

Qui peut sérieusement prétendre que la dignité de la personne trouve son compte dans le maintien sur notre sol d'ateliers où s'entassent des étrangers exploités par des entrepreneurs peu scrupuleux ? Qui peut ignorer les conditions dans lesquelles sont transportés les travailleurs clandestins, embarqués, telles des marchandises, dans des camions ou des bateaux ? Qui peut se voiler la face devant ces salaires de misère et ces logements de fortune qui sont le lot de l'immigrant irrégulier ?

Aucun gouvernement républicain digne de ce nom ne peut s'exonérer de ses responsabilités, en ce domaine comme dans les autres.

Je concède, bien sûr, que l'immigration irrégulière n'est pas le seul problème de la société française. Mais il doit faire l'objet, comme les autres défis qui nous sont lancés, d'un règlement approprié, sous peine de voir nos concitoyens excédés se tourner vers d'autres solutions.

Loin de moi l'idée de courir après les extrémistes ou de participer à une « lepénisation » des esprits. La distinction clairement marquée par le gouvernement entre l'immigration irrégulière et l'immigration légale, venant après d'autres initiatives dépourvues d'ambiguïté, suffit à faire litière de cette accusation. Mais quand nous aurons laissé, par excès de faiblesse, refus de lucidité ou esprit de démission, la nation et la République aux mains des extrémistes et la politique à celles des démagogues, alors nous pourrons pétitionner, manifester ou désobéir, nous aurons perdu sur toute la ligne.

Le devoir des républicains n'est-il pas, dans ces temps incertains, de consolider les institutions et les principes sur lesquels repose notre contrat social et politique plutôt que d'en saper, avec une constance qui frise l'acharnement, les fondements ?

Le rôle des intellectuels n'est-il pas de faire preuve de discernement et non, avec un affolement généralisé, de confondre Vitrolles avec Châteauvallon et l'Assemblée nationale, en jetant sur eux le même opprobre ?

Le débat politique mérite mieux que ces caricatures. D'autant qu'à l'instar d'autres périodes de son histoire, c'est la question même de son avenir qui est posée à la France et qui inquiète les Français : République unitaire ou constellation de féodalités régionales ? Association de nations souveraines ou constitution d'un ensemble européen fédéral ? Communautarisme ou assimilation ?

Nous sommes placés désormais, en matière de politique d'immigration, devant un choix clair : accepter le développement séparé des communautés ou assumer l'assimilation républicaine. Ces deux options ont chacune leur logique et leur légitimité.

Le communautarisme prend pour exemple et pour modèle les États-Unis. La régulation des flux migratoires s'effectuerait par le biais de quotas fixés par nationalités. La nation renoncerait à imposer un modèle commun d'organisation à tous ainsi que des valeurs collectives pour se borner à laisser vivre, dans l'autonomie la plus grande, des groupes ethniques ayant leurs propres règles et ne se mélangeant pas les uns aux autres. Naîtrait ainsi une société multiculturelle, à la fois sur le plan géographique et social. Prôner cette politique, c'est oublier qu'il existe une singularité américaine que l'on ne peut généraliser. Qu'outre-Atlantique, le communautarisme coexiste avec un patriotisme dont la vitalité ne s'affaiblit pas. Si l'on ajoute la prise en compte de la dimension territoriale, à la fois continentale et insulaire de l'Amérique, on comprend pourquoi il serait difficile de transposer chez nous une politique équivalente. La mise en place d'une stratégie des quotas, séduisante à certains égards, se heurte à de nombreux obstacles : quelle clé de répartition entre les nationalités ? Quelles réactions en Afrique et dans les pays francophones ? Quelle capacité d'absorption pour la société française ? Et quels risques de constitution de ghettos supplémentaires où s'entasseraient des étrangers malheureux ?

La politique d'assimilation a plus d'un siècle. Elle repose sur une idée simple : la France n'est pas une ethnie mais un choix culturel. Quiconque vit sur notre sol est appelé à le partager. Au-delà des réalités administratives de l'intégration, là est le ressort essentiel du succès de l'action publique. Si nous venions à douter de nos valeurs, de la pertinence de nos principes républicains, de la nécessité d'appliquer la loi de manière égale pour tous, de maintenir fermement la séparation de l'Église et de l'État et plus généralement de la sphère privée et de la norme civique, alors aucune politique d'immigration crédible ne serait possible.

L'assimilation républicaine n'est pas négatrice des différences, oublieuse des cultures et des sensibilités de chacun. Mais elle cantonne la différence aux pratiques individuelles et associatives sans jamais l'établir dans le droit positif. Le droit à la différence s'est transformé progressivement en une aspiration à la différence des droits. Cela nous rappelle le temps des Mérovingiens, où chaque vague d'arrivants donnait naissance à un droit particulier : un jour les Wisigoths, l'autre les Ostrogoths, etc. Ce retour en arrière n'est pas acceptable. Pour assimiler les flux migratoires, il faut croire en soi-même, en son État, et en ses lois. On peut après discuter des outils et des méthodes. C'est bien sûr, quotidiennement, une question primordiale.

Car il est clair que les outils traditionnels de l'assimilation républicaine ont fait leur temps. L'armée ne sera plus à l'avenir le creuset citoyen qu'elle était naguère. La fiscalité, par le jeu des exonérations et des régimes particuliers, n'a plus ce pouvoir égalisateur que lui conférait la Déclaration des droits. Il reste l'école, qui, confrontée aux ghettos créés par un urbanisme inapproprié, a tendance à reproduire les carences de son environnement plutôt qu'à y remédier. Nous avons encore la possibilité de renverser la tendance en redonnant à l'Éducation nationale des missions claires : instruire les enfants, transmettre les connaissances, former l'esprit critique et la liberté de jugement, développer le civisme et le respect des règles élémentaires de la vie commune.

En dépit de l'affaiblissement des piliers de la République, faut-il réduire l'assimilation républicaine à une incantation ? Je ne le crois pas, parce que, malgré tout, l'intégration se passe mieux qu'on ne le croit. J'en veux pour preuve la très grande stabilité de la société française devant les tentatives de déstabilisation imputables au terrorisme intégriste.

Il y a certes, nous l'avons vu, des quartiers où la situation est dangereuse. Il y a le phénomène préoccupant d'enfants nés en France et qui ne se sentent pas français. Mais tout compte fait, les arrivants réguliers n'éprouvent pas de difficultés majeures à s'assimiler.

Nous assistons également à l'émergence de nouvelles formes d'assimilation. Je pense notamment au sport qui joue aujourd'hui un rôle majeur dans notre société, grâce à la densité du tissu associatif, à l'exemplarité de certains itinéraires et à leur mise en valeur par les médias, à l'élan patriotique qui accompagne les grands événements. N'oublions pas non plus la vitalité du monde associatif : les trésors de dévouement et d'engagement qui s'y déploient pallient dans une certaine mesure la défaillance de certaines structures traditionnelles.

Tout se jouera, en dernier ressort, sur la capacité de l'État à assumer ses responsabilités. Ni les associations ni la volonté des étrangers eux-mêmes de s'intégrer ne suffiront si la puissance publique est défaillante à remplir ses obligations : une administration qui fasse respecter les lois, une école qui instruise, une économie qui crée des emplois, ou encore un urbanisme qui structure l'environnement.

J'aurais aimé que le débat sur l'immigration fût l'occasion de parler de ces enjeux. De mesurer le chemin qu'il reste à parcourir pour réussir l'assimilation des étrangers. De rassembler aussi les républicains de bonne volonté sur la nécessité d'un État fort, capable d'imposer son autorité et de contrôler les flux migratoires.

Si j'ai un regret aujourd'hui, ce n'est pas d'avoir déposé, et fait voter, un projet de loi qui a prêté à polémique, c'est tout simplement que ce débat n'ait pas eu lieu à cette époque dans de meilleures conditions de sérénité.

Au travers de l'organisation de l'islam, de la politique migratoire, de l'appréhension de la menace terroriste... c'est le visage de la France de demain qui se dessine. La multitude d'événements que nous avons vécus depuis 1995 n'est pas sans liens logiques. Elle ne constitue pas une somme de faits, petits ou grands, reliés par une chronologie hasardeuse. Elle nous ramène toujours à la lancinante question de notre identité : quelle raison avons-nous aujourd'hui de poursuivre cette aventure collective qui a pour nom la France ?

Est-ce le lien du sang, comme le suggère l'extrême droite ?

Est-ce un attachement désincarné aux droits de l'homme ?

Est-ce la volonté de bâtir une communauté susceptible de faire vivre des valeurs ?

Ou, tout simplement, la routine et l'habitude nées de l'Histoire et des traditions qu'elle a forgées ?

« Notre cher et vieux pays », comme l'appelait le général de Gaulle, semble aujourd'hui ployer sous le fardeau d'une histoire prestigieuse, hésitant sur son avenir, peinant à surmonter des défis qu'en d'autres temps il a su relever.

L'immigration ne peut faire peur à un pays assimilateur.

L'islam ne peut être une menace pour un pays qui a vaincu les guerres de religion. Le terrorisme ne peut faire plier un pays qui a conscience, au plus profond de lui-même, de son unité.

Et pourtant, la France paraît, de l'intérieur et de l'extérieur, manquer de confiance en elle-même. Elle a cherché ailleurs, trop longtemps, les fondements de sa propre politique. Mais ce n'est pas l'assemblage de la politique monétaire allemande, de la politique de défense britannique ou de la politique sociale suédoise qui peut fonder la politique de la France, ni faire office de dessein européen. L'Europe qui se forge est le fruit d'un compromis entre des conceptions nationales différentes, qui reflètent des modèles institutionnels, économiques et sociaux variés, adaptés à la situation particulière des États membres. Elle nécessite donc un surcroît d'attachement à nos valeurs et non pas un abandon en rase campagne de nos principes.

Je n'en prendrai qu'un exemple : la politique d'attribution de la nationalité. Doit-on, au nom de l'harmonisation de la politique des visas et de la définition d'une politique d'immigration commune, revenir sur un droit de la nationalité particulièrement libéral ? Je ne le crois pas. Mais il faut prendre conscience qu'on ne peut défendre à l'intérieur le droit du sol contre le droit du sang, et accélérer à l'extérieur une évolution qui nous conduirait à privilégier l'orientation inverse.

Les chemins qu'empruntera l'Europe seront donc directement fonction de notre capacité à définir une politique singulière et à asseoir un certain modèle républicain.

Or, cet enjeu est occulté.

En dépit de ses velléités de ruptures avec la pensée dominante, le Parti socialiste est trop impliqué dans les orientations politiques des années quatre-vingt pour prétendre incarner une alternative à la «pensée unique», trop peu dégagé du mitterrandisme pour revenir aux sources de la gauche, trop convalescent pour dédaigner aucune de ses composantes.

En fait, le Parti socialiste a perdu ses repères et se trouve dans une situation semblable à celle du parti travailliste anglais au début des années quatre-vingt, qui cumulait usure du pouvoir et ambiguïté de la ligne politique. Il cherche une synthèse introuvable entre l'économie administrée et l'économie libérale. Il s'efforce de sortir de la contradiction entre l'héritage européen et atlantiste de François Mitterrand et le refus d'une construction européenne fondée sur les mécanismes du marché. Comment le Parti socialiste peut-il être crédible lorsqu'il réclame un État au-dessus des corporatismes et capable d'imposer l'intérêt général, lui qui n'a dit mot devant l'appropriation partisane de l'État à laquelle s'est livré François Mitterrand ? Comment peut-il prétendre incarner des institutions plus équilibrées alors qu'il a largement cautionné la dérive monarchique et autoritaire des institutions sous ce même président ? Les socialistes parviennent peut-être à s'opposer, mais ils ne parviennent plus à convaincre. Leurs difficultés participent cependant à l'amenuisement et à l'assèchement du débat politique. Le ralliement, contraint et forcé, du Parti socialiste à une vision minimaliste et modeste du rôle de la politique dans la société est une des raisons de la montée du vote protestataire.

Quant au gaullisme, il fonctionne comme une nostalgie au lieu d'être un aiguillon. Il est devenu, dans notre vie politique, une statue du commandeur qui nous paralyse davantage qu'il ne nous stimule. Il sera bientôt totalement neutralisé puisque, après ses adversaires de gauche, ses ennemis de l'extrême droite l'invoquent maintenant. Mais à force d'être galvaudées, la singularité et l'originalité de son inspiration se dissipent. On oublie que le gaullisme n'est pas réductible à une doctrine, ou à l'attachement à un homme. Qu'il est avant tout une référence pour l'action publique, valable quelles que soient les circonstances.

Comme toute œuvre politique, le gaullisme a ses failles, son lot de décisions injustes et d'actes manqués. Mais, de 1940 à 1969, il a été mû par une idée : la croyance en la souveraineté comme une réponse primordiale aux problèmes de notre temps. La souveraineté, dans son double aspect national et populaire, permet à la fois l'exercice de la liberté individuelle et la réalisation d'une ambition collective. La souveraineté est la condition de la démocratie et de la République réunies.

L'appartenance à un pays libre, maître de ses choix et de ses alliances, fait des individus qui le peuplent des citoyens et en aucune façon des sujets : citoyens qui ont des droits mais aussi des devoirs à l'égard de la communauté nationale ; citoyens capables de dire non à l'inverse de l'esclave décrit par Nietzsche qui dit toujours oui.

Et ce fil d'Ariane me paraît, plus que jamais, devoir être renoué. Notre angoisse actuelle provient du fait que dans un même temps le lien national s'effiloche et la liberté individuelle, elle, ne s'épanouit pas. L'individu n'est plus un citoyen mais un administré, un sondé, un consommateur, bref, un sujet des temps modernes. L'homme est réduit à sa dimension mercantile et la personne devient le jouet d'un système qui l'exclut de la prise de décision.

Pour masquer cette dérive, on abuse des mots. Tout devient citoyen : le contrat, l'entreprise, l'école, la télévision. Mais cette inflation des termes est révélatrice de la confusion intellectuelle dans laquelle nous sommes empêtrés. Pendant que l'homme voit sa vocation citoyenne remise en question, les institutions intermédiaires sont chargées d'assumer des responsabilités qui ne les concernent pas.

Cette évolution précipitera naturellement l'émergence du communautarisme car, confronté aux puissances qui le régentent, l'homme ne pouvant plus compter sur le lien social et patriotique, lui substituera le lien du groupe ethnique, la sujétion de la famille ou le repli sur des convictions catégorielles.

La montée de l'extrémisme est la traduction politique de ces phénomènes qui sont à l'œuvre. Aujourd'hui, personne ne sait où s'arrêtera l'ascension de ce fléau idéologique, même freiné provisoirement.

Il dépend de nous d'y mettre un coup d'arrêt. Il est temps. Car de l'anathème à l'indifférence, de la diabolisation à l'instrumentalisation, du front républicain à l'alliance honteuse, nous avons été jusqu'à présent incapables d'apporter à l'essor de l'extrémisme une réponse appropriée, en tout cas durable. Au point que les Français s'interrogent : leurs responsables politiques sont-ils atteints de surdité ? Cultivent-ils un prétentieux complexe de supériorité ? Se sont-ils définitivement réfugiés dans le conformisme et la langue de bois ?

Combattre l'extrémisme, c'est d'abord occuper le champ de la politique. Le Front national s'est délibérément placé sur le terrain idéologique. Son discours initial a évolué : l'immigration et la sécurité ont cessé d'être ses obsessions exclusives. Il se nourrit maintenant de la crise économique et des difficultés sociales et, tel un aspirateur, cherche à avaler tous les mécontentements comme le poujadisme au début de la IVe République. Le Front national a toujours prospéré sur le déclin de l'idée nationale. Il profite de la sclérose de notre système politique et de l'affaiblissement des valeurs sur lesquelles notre pays s'est patiemment construit et lentement fortifié.

Face à une offensive de grande envergure, nous avons répliqué au mieux par un discours gestionnaire et rationaliste, au pire par du juridisme, en passant par le silence embarrassé. C'est une erreur de croire que nous endiguerons le fléau avec des méthodes aussi vermoulues qu'inefficaces. Abandonner le terrain idéologique, délaisser le langage des valeurs, c'est au final perdre la bataille politique.

Non que nous ayons avec l'extrême droite de quel-
conques valeurs communes. Mais pour le prouver aux
Français, encore faudrait-il qu'ils perçoivent que nous
défendons de notre côté des valeurs authentiques.

J'ai la conviction que nous ne pouvons pas faire
l'impasse sur l'essentiel : la réaffirmation des principes
qui fondent notre engagement politique.

Certes, nous devons – et je crois avoir quelque crédit
pour en parler – lutter contre l'immigration clandestine
et mener une action vigoureuse contre l'insécurité.
C'est indispensable, mais c'est insuffisant. Ce volet de
notre politique doit s'inscrire dans un dessein plus
large de renforcement de la cohésion nationale autour
des principes républicains.

L'extrême droite parle de la nation. Mais de quelle
France s'agit-il ? De la France des ligues et du 6 février
1934, de la France de la compromission avec l'occu-
pant, de la France divisée de la guerre d'Algérie. Elle
ne nous parle jamais de la patrie dans laquelle les Français se reconnaissent et veulent vivre : la patrie de la
liberté, de l'égalité des droits et du contrat social ;
la terre de l'école gratuite, laïque et obligatoire qui
encourage la promotion des talents et récompense le
mérite individuel au-delà de l'origine sociale ou ethnique ; la nation de la résistance à l'oppression et du
droit d'asile, fondée sur l'acte de volonté et non sur la
lignée du sang.

L'extrême droite se réfère à l'Histoire, mais c'est
pour mieux la falsifier. Elle récupère Jeanne d'Arc et
s'approprie la parole pontificale. Comme si Jeanne
d'Arc et le Saint Père avaient véhiculé un langage
d'exclusion, de haine et de refus de l'autre. L'extrême
droite invoque maintenant la République qu'elle

n'aime pas. Les Français le savent mais ils pressentent que nous avons pu délaisser l'ambition républicaine.

Il est indispensable que l'exercice de la responsabilité politique ne soit pas un métier, apanage de professionnels cumulant mandats, honneurs et fonctions, mais qu'elle redevienne un service de la cité accessible à tous et reposant sur la recherche de la vertu. Le nécessaire débat sur la modernisation de la vie publique doit avoir pour effet de faire triompher une certaine conception de la politique, et non se perdre dans les méandres de modes de scrutin introuvables ou, pis, consacrer la victoire d'une démagogie communautariste.

Nous avons le devoir de faire que l'État ne soit pas le refuge des corporatismes, ni la juxtaposition de bastions plus soucieux de leur propre pouvoir que de l'intérêt général ; féodalités décrétant la rigueur pour les autres mais ne la pratiquant pas pour elles-mêmes. Le devoir de réhabiliter l'État comme incarnation de la volonté générale et de la souveraineté populaire. Or, l'État s'est perdu dans des aventures économiques et financières aux conséquences désastreuses, mais s'est montré oublieux de ses missions essentielles. C'est cette logique qu'il convient d'inverser.

Il importe de ne jamais nier le rôle essentiel de l'État car ce serait alors nier l'existence même de la nation. Contrairement à certaines affirmations, les Français ne sont pas seulement motivés par une progression de leurs revenus, une amélioration de leurs conditions de travail ou la généralisation de leurs loisirs. Ils ont aussi une ambition et une fierté pour la France. Si demain ils n'étaient plus habités par cette ambition et cette fierté, l'essentiel, c'est-à-dire la France, serait en péril.

Il dépend de nous enfin que le projet européen soit aussi et surtout un projet français qui suscite l'adhésion véritable de notre peuple, un projet qui ne jette pas par-dessus bord notre conception de la nationalité, de l'équilibre entre les pouvoirs, du rôle de l'État dans la vie collective, de la soumission de la monnaie et de l'économie à la politique. Un projet qui ne s'arrête pas aux frontières de l'Union européenne, mais qui englobe le continent.

L'extrémisme se nourrit du dépérissement de l'État ou d'une méconnaissance par ses représentants de la responsabilité de l'État. Il se fortifie aussi de l'abandon de l'idée nationale par certaines de nos élites. Avec la nation, ce n'est pas seulement une histoire et un sentiment que l'on délaisse, c'est également un instrument de l'action et des règles de vie commune que l'on néglige.

Pour quoi et pour qui ? On se garde bien de le dire. On se garde bien d'en débattre.

Ne nous illusionnons pas sur la portée d'une union des partis, qui sonne comme la traditionnelle alliance des libéraux et des conservateurs pour sauvegarder leurs positions. N'ayons pas une confiance absolue dans l'énoncé d'un bilan. Aucun catalogue de mesures annoncées ou entrées dans les faits ne suffira à répondre à l'interrogation majeure de ce début de siècle : la France a-t-elle un avenir à l'heure de la mondialisation ?

C'est à cette question que nous devons répondre. Faute de quoi les extrémistes ont de beaux jours devant eux, en dépit des manifestations et des protestations.

« On ne lutte pas contre les démagogues en les maudissant, on lutte contre les démagogues en leur enlevant la part de vérité qui les fait vivre », disait Emmanuel Mounier.

Notre devoir est d'ôter aux extrémistes la part de vérité qui les fait vivre et prospérer.

II

Vu du RPR
Scènes de la vie parlementaire

(1996-2002)

1996

À l'Assemblée nationale, derrière les questions d'actualité et les débats dans les commissions et au sein de l'hémicycle, de jour et souvent de nuit, il y a les groupes parlementaires, chevilles ouvrières de la démocratie représentative.

Le plus souvent, la vie des groupes est discrète, en grande partie institutionnelle et basée sur le règlement de l'Assemblée nationale et les instructions du bureau de celle-ci ; parfois elle devient publique, comme lors des journées parlementaires, important rendez-vous politique et médiatique.

Ces événements génèrent pour le groupe organisateur souvent bien plus de difficultés que de bénéfices. En principe, il s'agit de réfléchir et de passer ensemble un moment de détente, de convivialité. Mais réunir les députés et les sénateurs pendant deux jours, sous le regard permanent de la presse, c'est créer les conditions idéales de tous les psychodrames.

Les « grands » de ce monde parlementaire jouent leur partition personnelle, se donnent à voir, parfois mettent en scène leur arrivée, leur départ, leurs querelles. Ils testent leurs ambitions, étalent leurs déceptions, manifestent leurs amertumes, mesurent leur

popularité auprès des députés et des sénateurs et préparent leur rentrée.

Si ce spectacle n'est pas toujours d'une excellente
qualité, il constitue désormais un moment incontour-
nable de notre vie politique.

26 et 27 septembre

Nos journées ont lieu cette année au Havre, dans le
beau musée André-Malraux, ouvert sur la mer.

La récente victoire d'Antoine Rufenacht à la mairie,
dans une ville dirigée depuis plus de quarante ans par
des municipalités de gauche et plus particulièrement
communistes, aurait dû ressouder la famille parlementaire RPR autour du gouvernement et de Jacques
Chirac. Ce n'est pas le cas. Ces journées sont, au
contraire, révélatrices du climat délétère qui règne
au RPR et un prolème préoccupant pour la cohésion de
la majorité parlementaire et la formation qui devraient
relayer la politique du gouvernement.

Les grèves de la fin de 1995 contre le plan Juppé ne
sont pas oubliées, le climat social dans le pays est toujours incertain. De ce fait, l'atmosphère qui règne parmi
les députés et les sénateurs n'est pas détendue. Elle est
souvent hostile au Premier ministre Alain Juppé.

À Avignon un an plus tôt, Juppé avait déjà dû calmer
la grogne des parlementaires face à la montée du
mécontentement social. Son discours avait été offensif
et rassembleur pour « passer de l'esprit critique à l'esprit
de solidarité », en leur rappelant que « nos destins sont
liés. Si nous gagnons, nous réussirons tous ensemble…
si nous échouons nous en pâtirons tous ».

Au Havre, il est clair que Juppé aura du mal cette fois à se faire entendre et comprendre, compte tenu des manifestations et des grèves de décembre 1995 qui ont paralysé le pays pendant une bonne quinzaine de jours.

Dès l'ouverture de ces journées, Jacques Chirac m'appelle pour me demander de m'y rendre le plus vite possible, car elles s'annoncent difficiles pour Alain Juppé. J'avais l'intention de n'y participer que le dernier jour pour assister au discours de clôture du Premier ministre.

Le ton général est donné par Charles Pasqua, ancien ministre de Balladur, sénateur des Hauts-de-Seine, lorsqu'il déclare que «la route choisie n'est pas la bonne».

Dans les couloirs et jusque dans la salle, deux députés qui ont soutenu Jacques Chirac en 1995 mènent le jeu de la contestation. Pierre Mazeaud, président de la commission des lois à l'Assemblée, et le turbulent, bouillonnant, fantasque Étienne Garnier, député de Saint-Nazaire, font de tonitruantes déclarations aux journalistes qu'ils croisent.

Mazeaud, dont le caractère n'est jamais facile, est furieux. Depuis que sa proposition de loi sur les conditions de prescription de l'abus social n'a pas été retenue par le gouvernement, il est en éruption critique permanente. Il s'en prend naturellement à Juppé, ainsi qu'à Toubon qu'il ne cesse de traiter d'incapable et de surnommer «Toucon». Il aurait tant aimé être ministre après la victoire de Chirac et occuper le poste de garde des Sceaux à la place, précisément, de Jacques Toubon.

Étienne Garnier, dont l'intelligence est aussi vive qu'imprévisible, répète à qui veut l'entendre qu'Alain Juppé est un « irréparable Premier ministre, lequel par dogmatisme et maladresse entraîne le pays vers d'irrattrapables difficultés, de nouvelles fractures et d'inacceptables inégalités entre les Français ». Il ne supporte pas, mais pas du tout, la personnalité d'Alain Juppé. Très énervé, il exhorte Jacques Chirac, puisque « seul demeure en France un personnage politique : le chef de l'État », à changer de route et, par voie de conséquence, de Premier ministre. Venu du sillage d'Olivier Guichard, Étienne Garnier restera toujours un chiraquien fidèle et atypique. Il aime discuter avec les militants trotskistes des chantiers navals.

Michel Péricard, élu assez difficilement président du groupe RPR à l'Assemblée nationale en mai 1995, peine depuis à s'imposer à ce poste, où il a succédé à Bernard Pons. Député-maire de Saint-Germain-en-Laye, Péricard est un excellent élu local qui aime diriger, gérer et construire. Mais, dans un groupe parlementaire, l'autorité ne s'adresse qu'à des pairs ; elle est tout sauf facile à exercer, qu'il s'agisse de répartir les responsabilités, les temps de parole entre les députés, ou d'exprimer une position du groupe, tout en respectant l'opinion et la personnalité de chacun.

Ce jour-là, peu après l'ouverture des journées, Michel Péricard prend la parole assez maladroitement. Il fait part à l'assistance, sans aucune précaution oratoire, du mécontentement du président de la République qui, par téléphone, vient de lui adresser de vives remontrances. Chirac lui a manifesté son « indignation devant les écarts de langage de certains » et a exigé que cessent les critiques envers

Juppé. Un tel compte rendu abrupt, inédit dans sa forme, est très diversement apprécié par les parlementaires… mais aussi à l'Élysée.

Dès mon arrivée, je me rends bien compte de la morosité et du pessimisme des députés et sénateurs présents.

Le ressentiment et les griefs vis-à-vis de la personne d'Alain Juppé et de l'action de son gouvernement sont tels que certains ne se privent pas de me dire, pas toujours en privé et parfois devant des journalistes, qu'ils espèrent la démission du Premier ministre. « Va dire et faire comprendre à Chirac qu'on n'en veut plus, de Juppé », me demandent-ils.

C'est dans ce contexte qu'intervient un petit coup de théâtre. Dans le courant de l'après-midi, une demi-heure avant l'arrivée du Premier ministre, une rumeur se répand dans la salle : Alain Juppé n'est pas en retard, il ne viendra pas au Havre, il serait parti remettre sa démission au président de la République.

On tente de faire durer les débats pour en savoir un peu plus, mais Philippe Séguin, qui est à la tribune, s'impatiente. Suspension des travaux. Il apprend cette rumeur, mi-incrédule, mi-furibond.

Après une demi-heure d'attente, pétard mouillé : le Premier ministre arrive. La rumeur téléguidée par les proches d'Alain Juppé n'a provoqué aucun réflexe de soutien. La mise en scène de la vraie-fausse démission a fait long feu.

L'accueil réservé à Juppé n'est pas des plus chaleureux, nombre de mes amis n'applaudissent pas.

Avec cet humour dont il est coutumier, Michel Péricard résume fort bien la journée, en répondant à un collaborateur qui benoîtement lui demande s'il va bien : « Si je vais bien ? Quand, dans la même journée, vous vous serez fait engueuler par le président de la République, le Premier ministre, le président de l'Assemblée et un bon tiers des députés, vous verrez si on va bien… »

Bouc émissaire de toutes les mauvaises humeurs, des ambitions déçues, des jalousies et rivalités, responsable aux yeux du gouvernement de l'énervement des élus : ainsi pourrait-on définir le poste de président du groupe majoritaire.

1997

21 avril

Je suis à Strasbourg pour inaugurer l'amphithéâtre Michel-Debré de l'ENA, je viens de terminer mon allocution, il est autour de 11 heures, lorsqu'on me prévient que le président de la République cherche à me joindre de toute urgence. Je m'éclipse un moment et appelle l'Élysée.

– Je vais annoncer la dissolution ce soir, me dit Jacques Chirac.

Je lui réponds :

– Monsieur, je ne peux que vous répéter ce que me disent mes services, à savoir qu'on va gagner mais de justesse. Il y a une inconnue cependant qu'il ne faut pas minimiser, c'est le score du Front national et le report des voix extrémistes au second tour.

– Je l'annonce dès ce soir, me confirme-t-il.

Ce n'est pas vraiment une surprise pour moi. Je me souviens d'une conversation un dimanche de la fin du mois de mars à l'Élysée. À ce moment-là, compte tenu de l'état d'esprit de la majorité sortante, le résultat d'une élection anticipée n'était déjà pas évident. La plupart des experts sérieux affirmaient que la majorité sortante gagnerait mais avec moins de sièges. Chirac hésitait encore. Il me demanda mon avis, que je lui donnai : « Écoutez, ce que je peux vous dire, c'est que c'est un pari risqué. On va perdre des députés, puisque l'état de grâce est terminé. Nous sommes en pleine crise, il y a des grèves, un mécontentement social évident, les sondages ne sont pas favorables. Je pense que la majorité sera reconduite mais faiblement. »

Mon sentiment alors est que Jacques Chirac n'est pas très chaud pour cette dissolution. C'est un animal politique, il ne la sent pas. En revanche, ce que je sais, c'est que Juppé et Villepin y sont très favorables, pour une raison qui m'apparaît évidente et que j'explique à Chirac : « Ce qui se joue pour Juppé c'est son maintien à Matignon. Il se sait contesté notamment dans le domaine social. S'il y a un changement de Premier ministre, celui qui s'imposera sera Séguin qui apparaît plus ouvert sur ces questions sociales. Juppé veut "sa" majorité. »

J'ai revu Jacques Chirac plusieurs fois depuis ce moment-là et lui ai redit qu'il y avait un risque d'échec à mes yeux.

8 mai

Après avoir assisté à plusieurs réunions des dirigeants de la droite, chargés de conduire la campagne électorale, je suis effondré. Autour de la table, il y a aussi bien des amis de Balladur que des partisans de Juppé et de Séguin, et ce petit monde ne cesse de se contredire et de se disputer. Personne ne s'entend et n'est sur la même longueur d'onde. Il n'y a pas de patron, mais une espèce de magma d'égocentrisme, d'esprit de revanche et d'arrière-pensées. Les séguinistes sont contre quand les juppéistes sont pour, et vice versa. J'ai prévenu Chirac : « C'est apocalyptique, ils sont tous contre vous, ils veulent tous tirer la couverture à eux et on court à la catastrophe. »

1er juin

Avant même l'annonce des résultats du second tour des élections législatives, les grandes manœuvres pour prendre la direction du RPR se déclenchent autour de Philippe Séguin.

En cas de victoire serrée, hypothèse improbable mais pas totalement à écarter, il s'agit pour lui de se tenir prêt à entrer à Matignon. En cas de défaite, il est clair pour lui que Juppé devra démissionner de son poste de président du RPR.

À l'hôtel de Lassay, où réside Philippe Séguin depuis son élection à la présidence de l'Assemblée en 1993, les réunions se succèdent dès le début de l'après-midi.

Au groupe, dès 19 heures, on compte les réélus, les élus et les battus, plus d'une centaine. Le résultat du second tour des élections législatives, pourtant prévisible depuis une semaine, est vécu comme un véritable séisme.

2 juin

La victoire de la gauche et des socialistes contraint Jacques Chirac à accepter un régime de cohabitation, Lionel Jospin est nommé Premier ministre.

En fin de journée, Chirac reçoit Philippe Séguin qui exige la démission de Juppé et sa nomination immédiate à la direction du RPR.

Jacques Chirac ne veut pas trancher à chaud et se voir imposer une solution. Sa façon de régler ce conflit est de ne pas le régler. Il propose à Séguin de prendre la présidence du groupe parlementaire, ce qu'il refuse catégoriquement : il veut contrôler le parti.

Une fois de plus exaspéré par l'acharnement que le chef de l'État met à soutenir Juppé, Séguin quitte le bureau sans qu'aucun accord ait pu être trouvé.

Désormais, leur relation sera, plus que par le passé, marquée du sceau de l'incompréhension, voire de l'affrontement.

3 juin

Les épreuves révèlent les caractères. Il y a les fatalistes réalistes, les résignés, malgré tout heureux d'avoir survécu au naufrage politique. Ils sont calmes même s'ils sont déçus. D'autres, au contraire, fébriles, agités, énervés, parlent de revanche, de règlement de comptes, de têtes qui doivent tomber…

Il apparaît que la lame de fond qui secoue le RPR est profonde. Elle porte Philippe Séguin sur sa crête et emporte dans son tourbillon Alain Juppé. Un décompte rapide montre que moins d'une dizaine de députés lui font encore confiance sur les cent quarante rescapés. Et ceux ou celles qui ont été battus manifestent clairement, et le font savoir, leur ressentiment à l'égard de Juppé. Devenu ancien Premier ministre, il est le parfait bouc émissaire comme lors des journées parlementaires du Havre qui avaient déjà un goût de défaite.

Cette fois-ci, sa position à la tête du RPR est publiquement et quasi unanimement contestée. Souvent les mots sont très durs et ils le visent personnellement. Pourtant très affecté, Juppé n'entend pas lâcher prise, surtout au profit de son rival Philippe Séguin. Il cherche donc à résister pour sauver sa tête à la présidence du mouvement. Pour ce faire, il tente de faire monter le président de la République sur son navire politique en perdition.

En quittant l'Assemblée où il vient d'accomplir les démarches administratives de député de Gironde, Juppé téléphone à Chirac pour lui annoncer que très peu de députés le soutiennent… lui, Chirac. C'est une interprétation qui ne me semble pas refléter l'exacte réalité des choses. Une fois de plus, Alain Juppé a confondu juppéistes et chiraquiens.

Je le dis à Jacques Chirac au téléphone. Le capital confiance dont bénéficie le président de la République n'est pas encore trop entamé, du moins ouvertement. C'est celui de Juppé qui, à cette heure, a totalement disparu : il est le responsable tout désigné de la déroute électorale et la cible de toutes les récriminations des députés RPR, mais aussi de l'UDF, qui a perdu plus de quatre-vingts sièges de députés.

Cette défiance vise pareillement, pour les plus avertis, Dominique de Villepin, secrétaire général de l'Élysée, dont on croit savoir qu'il a beaucoup œuvré en faveur de la dissolution, imaginée pour renforcer l'autorité politique de Juppé, modérer les ardeurs

127

contestataires de Séguin, contenir les ambitions clairement exprimées de Sarkozy et anéantir les ultimes prétentions de Balladur.

Je comprends vite que Jacques Chirac n'entend pas céder aux pressions de Séguin. Il ne se résout pas à lui confier les clés du RPR, il craint de subir une opposition de son propre parti, et peut-être plus encore le caractère de Philippe Séguin qu'il redoute tout particulièrement.

S'il lâche prise devant lui, son autorité politique, déjà contestée à gauche, le deviendrait aussi à droite. Il ne peut accepter à la tête du RPR un homme qui ne le soutiendrait pas vraiment. Il est persuadé que, plus on se rapprochera de la fin de son mandat, moins il aura en Séguin un allié sûr sur lequel il pourra s'appuyer.

Ce mardi, vers 16 heures, Juppé prépare un communiqué pour annoncer ma nomination au poste de secrétaire général du RPR avec comme mission d'organiser dans les trois mois des assises destinées à élire un « nouveau président ». Selon la formule de Jacques Chirac empruntée à Mitterrand, qui l'avait reprise de Cervantès, « il faut donner du temps au temps ». Alain Juppé cherche à rester dans le jeu et l'utilisation du terme « nouveau » pour le futur président du parti devrait permettre d'apaiser Séguin.

Pour des raisons politiques et aussi affectives, Jacques Chirac refuse toujours de « lâcher » Juppé. Je crois qu'il n'a cependant pas le choix. Je le lui dis.

Séguin, Sarkozy, Balladur, qui se sont rencontrés, exigent un changement immédiat à la tête du mouvement. Leur alliance pèse fort sur les députés RPR qui souhaitent tourner la page de la dissolution ratée.

À 20 heures, au journal télévisé, Pasqua s'en mêle. Il demande publiquement le départ de Juppé et la constitution d'une nouvelle équipe dirigeante.

4 juin

Avant la présidence du parti, l'urgence est de décider de la gouvernance du groupe des cent vingt-sept députés restants.

Philippe Séguin propose de désigner un « comité politique provisoire » de vingt-neuf membres nommés sans élection, à la rigueur à la suite d'une élection « fermée », avec une liste sans panachage qui, autour de lui, gérerait le groupe.

Des députés chiraquiens, par l'entremise d'Henri Cuq, lui font valoir qu'il ne peut pas s'autoproclamer président du RPR, qu'il doit se faire élire, que cela sera très facile pour lui et que son autorité en sera d'autant plus forte en cas de succès. Il ne doit pas être élu sur une liste, mais sur son nom, conformément aux statuts du groupe et à la réalité du poste. Henri Cuq ajoute qu'en aucun cas une liste où Nicolas Sarkozy figurerait en deuxième position ne serait acceptable. Cela signifierait que si Séguin partait, ce serait Sarkozy qui lui succéderait à la présidence du groupe parlementaire.

5 juin

Nouvel entretien de Philippe Séguin avec des députés chiraquiens menés par Henri Cuq avec qui il préserve des relations de confiance. Ils défendent toujours le principe de l'élection, refusent catégoriquement, me font-ils savoir, les exigences des balladuriens et de Nicolas Sarkozy, qui ne veulent pas d'élections à bulletin secret pour pourvoir les postes du bureau de l'Assemblée et celui du groupe.

Il n'est pas question pour eux de céder au maire de Neuilly qui veut être nommé, d'autorité, premier vice-président du groupe.

Devant la détermination des émissaires chiraquiens, Philippe Séguin comprend que l'unité du groupe parlementaire est en jeu et accepte la procédure habituelle. Henri Cuq lui donne sa parole qu'il n'y aura aucun traquenard, que les élections seront loyales et qu'il demandera à ses amis de voter dans un esprit de rassemblement.

Comme à son habitude, Édouard Balladur fait entendre sa voix, s'efforçant de rester mesuré dans ses propos, où le fiel pointe cependant... S'exprimant à l'issue d'un petit déjeuner des députés qui lui sont proches, il souhaite qu'« à l'occasion des élections au bureau du groupe RPR toutes les sensibilités soient représentées dans une volonté d'équilibre... y compris celle d'Alain Juppé ».

Les balladuriens soutiennent, pour un poste au bureau, les candidatures de Jean-Pierre Delalande, Philippe Auberger, Patrick Devedjian, Michèle Alliot-Marie et Dominique Perben.

10 juin

Les élections se déroulent au premier étage de l'Assemblée, dans un climat loin d'être apaisé : tout le monde se méfie de tout le monde.

Philippe Séguin est élu président du groupe, et les vice-présidents sont, dans l'ordre des suffrages obtenus, Jacques Godfrain, député de l'Aveyron, et Renaud Muselier, député des Bouches-du-Rhône. Nicolas Sarkozy n'arrive qu'en troisième position, devant François Fillon et Hervé Gaymard.

1ᵉʳ juillet

Alors que les psychodrames et les guerres des clans se poursuivent, voilà que François Fillon, député de la Sarthe, considéré comme proche de Philippe Séguin, intervient publiquement et ravive les oppositions internes. Ses déclarations me semblent inopportunes à un moment où le RPR est en proie à une crise interne post-électorale.

Ministre dès 1993, Fillon a pris position en faveur d'Édouard Balladur lors de l'élection présidentielle. En dépit de l'échec de son candidat et de la victoire de Jacques Chirac, il a été avec Michel Barnier et François Bayrou l'un des rares balladuriens à figurer dans le premier gouvernement d'Alain Juppé en 1995.

Au micro d'Europe 1, François Fillon déclare que « tout conduit vers une formation unique de l'opposition » et précise qu'« il faut respecter des étapes. Aujourd'hui, le RPR doit être rénové, l'étape suivante, c'est celle de l'élargissement et du travail en commun ». Estimant que le RPR avait été « ces dernières années une machine », Fillon souhaite « élargir la base du parti à droite et à gauche ». À droite, cela signifie le Mouvement pour la France, présidé par

Philippe de Villiers « dont les idées sont proches de certaines idées du RPR ».

Interrogé sur les relations avec le Front national, il précise que le futur président du RPR, Philippe Séguin, « ne négociera jamais » avec le parti de Jean-Marie Le Pen. Selon lui, « il faut établir une ligne politique vis-à-vis du FN, ce que nous n'avons jamais fait ». Et il indique que Philippe Séguin va « l'engager en organisant un débat avec les militants sur cette question ». Il juge cependant que « le dialogue avec les électeurs du FN est indispensable ».

Évoquant le dîner qui aurait récemment eu lieu entre le député RPR Robert Pandraud et Jean-Marie Le Pen, il tient à préciser que le RPR ne donne « aucune caution » aux discussions avec le FN.

6 juillet

Philippe Séguin est élu président du RPR en remplacement d'Alain Juppé. Il confirme sa décision de démissionner début septembre de la présidence du groupe à l'Assemblée nationale.

16 juillet

Le climat politique qui règne parmi les députés demeure difficile.

Au sein du RPR, et publiquement de la part de quelques uns, Jacques Chirac n'est plus exempté de propos souvent critiques. Naturellement, les comploteurs habituels et les professionnels de la revanche se réjouissent. Les balladuriens, sarkozystes et séguinistes aiguisent contre lui leurs flèches empoisonnées, les vraies-fausses rumeurs assassines qui leur servent de force de frappe politique.

Les amabilités dont je suis le destinataire, avec l'espoir que j'en serai le messager, fusent de divers côtés : « Ton Chirac, il n'a plus aucun sens politique », « Il est nul de chez nul », « Jamais, il n'aurait dû dissoudre », « Dire que l'on veut le changement, et continuer avec Juppé, c'était suicidaire... Chirac c'est fini... »

Alain Juppé reste lui aussi la cible de toutes les contestations, amertumes et déceptions. Philippe Séguin les initie, les canalise et leur donne une résonance toujours plus forte. Ainsi ne se prive-t-il pas de distiller des commentaires destructeurs à propos de la « détestable influence » que son rival exercerait sur Jacques Chirac.

Certains députés, confrontés aux revendications sociales, à la morosité du pays, avaient pourtant évoqué l'hypothèse d'une dissolution dès les journées parlementaires du Havre, au mois de septembre 1996, pendant que d'autres réclamaient la tête du Premier ministre. Ils oublient aujourd'hui leurs déclarations antérieures, et naturellement affirment maintenant que la dissolution était une erreur.

Ils reprochent souvent à Jacques Chirac de n'avoir pas, lors de son accession à l'Élysée, provoqué des élections législatives qui lui auraient permis de se doter de sa propre majorité, pour cinq ans. Chirac n'aurait pas dû promettre à Séguin, qui se trouvait alors très bien à l'hôtel de Lassay, qu'il ne dissoudrait pas l'Assemblée nationale s'il était élu. Et il n'a pas voulu revenir sur cet engagement. On peut le regretter… Pour beaucoup, la dissolution devait bien avoir lieu, mais en juin 1995. On s'est trompé de calendrier électoral. L'erreur vient d'une mauvaise analyse de la situation parlementaire et sociale en mai 1995.

À la suite des débats qui ont traversé le groupe RPR avant et surtout après les élections, l'appétit politique de Sarkozy, peut-être même de Séguin, la volonté de revanche de Balladur sont de nouveau évidents. Je suis convaincu que la « reconquête » politique que doit engager Jacques Chirac passe notamment par la maîtrise du groupe à l'Assemblée nationale.

Lorsque nous en parlons, je lui rappelle que, dès juin 1995, les députés qui avaient soutenu son rival se sont réunis avec Nicolas Sarkozy et Édouard Balladur pour, déjà, voir comment « se débarrasser » de lui à la prochaine élection présidentielle en l'empêchant de se présenter.

Je suis persuadé que, s'il entend préserver son avenir, il doit reprendre l'initiative et aider « ses » amis à résister à ceux qui, dans leur esprit, l'ont par avance éliminé. Il doit montrer qu'il faudra compter avec lui, et qu'il continue de s'appuyer sur des troupes motivées.

Je peine à le convaincre. Sa défaite l'a sonné et comme décroché des réalités politiques. Il ne se préoccupe pas de la stratégie à adopter pour demeurer le maître du jeu au sein de sa propre formation. Il attend pour cela des vents favorables.

Il ne cherche pas à me dissuader dans ma volonté de me faire élire président du groupe, même s'il pense que j'ai peu de chances de réussir. Les « poids lourds » du RPR me sont hostiles. Les « experts » considèrent que l'élection va se jouer entre Franck Borotra, le candidat de Séguin, et Michèle Alliot-Marie, qui veut servir de « passerelle » entre chiraquiens et balladuriens, comme en 1995. Elle est en réalité plus balladurienne que chiraquienne.

Il y a aussi Dominique Perben, autre ancien ministre de Balladur. Il s'inscrit toujours dans la mouvance de l'ancien Premier ministre et se veut compatible avec les chiraquiens. Jacques Godfrain est également candidat au bureau provisoire. Il doit penser, en tant que premier vice-président, avoir l'opportunité de l'emporter.

Cela fait beaucoup de postulants. Mais je crois à mes chances.

Les uns et les autres ne perçoivent pas que le groupe est constitué aux trois quarts d'élus restés, malgré tout, au fond d'eux-mêmes, fidèles au président de la République.

Avant d'annoncer publiquement mon intention de briguer la présidence du groupe, je passe du temps, pendant l'été, à adresser une lettre manuscrite et personnelle à chaque député RPR pour les en informer. Je ne veux pas qu'ils l'apprennent par la presse. Je sollicite de leur part conseils et soutien. Je leur téléphone de ma voiture, pour plus de discrétion, et rencontre individuellement nombre d'entre eux.

Je perçois vite que mes chances sont plus réelles que ne l'estiment les spécialistes du commentaire politique. À la différence des « notables » du RPR, les députés rescapés de la dissolution m'aiment bien. Ils n'ont pas oublié que, sous le gouvernement Balladur, comme secrétaire général adjoint du RPR, de 1993 à 1995, je n'ai cessé d'aller, parfois plusieurs fois par semaine, les soutenir dans leur circonscription.

Ils se souviennent aussi qu'au ministère de l'Intérieur, j'ai mis un point d'honneur à répondre rapidement et personnellement à leurs courriers, à les recevoir dès qu'ils me demandaient un rendez-vous et surtout à ne pas laisser cette tâche à un collaborateur. Je les ai souvent reçus pour les écouter, recueillir leurs avis. « Connus » ou non, tous avaient le droit à une attention identique ou à des égards semblables, même s'ils étaient « députés de base ». Pour moi, nous faisions tous partie de la même famille, unie par cette fraternité qui doit rassembler les militants d'un même combat politique.

Les plus anciens n'ont pas oublié combien j'ai été présent en commission des lois et dans l'hémicycle, dès ma première élection au Palais-Bourbon, en 1986, pour guerroyer, même en séance de nuit, contre l'opposition socialiste.

Je ne cesse de me démener dans le même temps auprès des députés nouvellement élus, pendant que mes principaux concurrents, se croyant déjà vainqueurs, se répandent auprès des journalistes accrédités au Palais-Bourbon en propos malveillants à mon endroit.

Signal important pour moi, début août, Jacques Chirac a confié à Henri Cuq : « J'ai bien réfléchi, il faut soutenir Jean-Louis. »

Cuq faisait campagne pour Franck Borotra. Désormais il va appuyer ma candidature, même s'il lui est difficile de ne pas accompagner son collègue des Yvelines dont il est aussi le vice-président au conseil général. J'y vois la preuve que Jacques Chirac, qui doutait de mes chances en juillet, y croit désormais et appuie ma démarche. Ceux qui me jetaient un mauvais sort ont échoué.

Mais le terrain n'est pas déblayé pour autant. Les tentatives de manœuvres pour me faire renoncer se poursuivent.

9 septembre

Au cours d'un déjeuner en tête à tête avec Jacques Chirac, Philippe Séguin tente d'échafauder une ultime combine et fait pression sur lui pour qu'il cesse de laisser entendre qu'il approuve ma démarche. Jacques Chirac résiste, au grand dam de Séguin qui lui explique lourdement que mon échec serait immanquablement le sien. Mais il est trop tard, Henri Cuq tient Chirac au courant de ma campagne et les échos qui lui parviennent sont de plus en plus favorables.

Philippe Séguin imagine un plan de secours. Craignant chaque jour davantage que son candidat Franck Borotra ne soit battu, il voudrait obtenir que nous nous retirions lui et moi de la compétition pour solliciter un nouveau candidat. Ce plan est soutenu par Mazeaud et par Michèle Alliot-Marie, elle aussi candidate, qui se verrait bien en ultime recours.

10 septembre

Philippe Séguin fait publier par l'Agence France-Presse une dépêche expliquant que, en tant que président du RPR et président sortant du groupe parlementaire, il « laisse les députés libres de choisir » son successeur. Il perçoit qu'il ne doit pas porter l'échec de son protégé. Il tente d'obtenir de Jacques Chirac un communiqué identique et essuie un nouveau refus.

Il lui propose alors non plus de signer un communiqué, mais d'autoriser Mazeaud à laisser entendre à des journalistes que lui, Chirac, est sur la même position que Séguin, qu'il ne soutient personne, donc pas moi. Jacques Chirac ne cède pas et s'oppose fermement à cette ultime manœuvre.

16 septembre

Je suis élu par les députés RPR à la présidence et deviens président de leur groupe parlementaire à l'Assemblée nationale.

J'ai devancé au second tour de scrutin, avec 81 voix, Franck Borotra qui n'en a obtenu que 57. J'étais déjà arrivé en tête à l'issue du premier tour avec 57 voix sur 138 votants, précédant Franck Borotra (30 voix), Michèle Alliot-Marie (26), Dominique Perben (22) et quelques voix pour Jacques Godfrain.

Nous sommes en période de cohabitation. Chirac est à l'Élysée, Jospin à Matignon depuis le 2 juin 1997. Le groupe RPR a perdu la majorité à l'Assemblée. La déception est en son sein toujours forte, et le doute règne.

Comme président du principal groupe de l'opposition, je me dois de trouver chaque jour des équilibres délicats pour laisser critiquer la politique du gouvernement socialiste, sans atteindre le chef de l'État. Il y a des domaines, notamment la Défense, la politique étrangère mais aussi, ce qui est beaucoup plus difficile, la politique européenne, où il me faut être vigilant. La frontière peut être bien mince entre les attaques contre le Premier ministre et des critiques plus ou moins voilées envers le président de la République. Le vent de la division et des ambitions diverses continue de souffler sur le RPR.

Comme je m'y suis engagé, je suis en permanence présent à l'Assemblée et dans l'hémicycle. J'ai de la chance : sans bouchons, et à allure soutenue, ma circonscription est à moins de deux heures de voiture du Palais-Bourbon.

Il me faut d'abord tenter de rassembler les députés du groupe, restaurer leur unité, leur insuffler une énergie nouvelle. Tout en assurant une place à des personnalités aux ambitions fortes et pas toujours concordantes, et en tenant compte d'inimitiés de moins en moins dissimulées.

La guerre des ego qui se poursuit inquiète nombre de députés de base. Ils n'apprécient pas d'être tiraillés entre les uns et les autres, de devoir choisir, au sein du groupe, tel camp plutôt que le voisin. Chaque mardi, je déjeune à la Questure avec une petite dizaine d'entre eux. Ils me font souvent part de leur agacement même si certains apprécient d'être « dragués » par les « grands chefs », comme ils les appellent.

Je veille aussi à réconforter les chiraquiens fidèles qui en ont besoin. Ils se sentent un peu abandonnés par l'Élysée, et je reste loyal et attaché à mes amis du Club du 4 novembre. Une poignée de députés inconnus des médias nationaux qui, dès l'annonce de sa candidature, ont à l'initiative de Jean Ueberschlag, député du Haut-Rhin, soutenu Jacques Chirac sans craindre ni les ricanements ni les mauvais sondages. Sans qu'on le sache toujours, ce groupe de députés a rendu un fier service à Chirac en 1994-1995, et, j'en suis convaincu, continuera de soutenir son action.

À la rentrée parlementaire d'octobre 1997, les rancœurs sont encore vives. Elles s'expriment parfois sans ménagement, attisées par nombre de partisans d'Édouard Balladur qui espèrent toujours leur revanche et préparent la suite de leur carrière. Ils font entendre leurs différences avec Chirac dont ils contestent plus que jamais le sens politique et parfois même les décisions.

Philippe Séguin et Nicolas Sarkozy, pas toujours solidaires, impriment la force de leur personnalité sur les parlementaires.

Gérer Séguin est une entreprise délicate voire impossible. Vrai écorché vif, capable de fortes et imprévisibles éruptions de colère, Séguin souffre de lui-même, de ce qu'il est, d'un mal-être qui s'explique peut-être par une enfance compliquée. Personnalité impressionnante par son imposante silhouette, fascinante par la vivacité de son intelligence, la puissance de son verbe, séduisante par son amour de la France, son sens de l'État, Séguin veut être aimé mais il a empêché une rencontre durable avec les Français, qui pourtant la souhaitaient.

Rien n'est simple avec Séguin, tout dégénère vite en affrontement bruyant. C'est sa façon à la fois de séduire et de se détruire.

Il prend ses distances avec Chirac bien qu'il ait pour lui une véritable et ancienne affection. Difficile de déchiffrer l'amour et le désamour politiques et peut être humains de Séguin à l'égard de Chirac. Tous les deux se présentent comme des héritiers du gaullisme. Mais en ont-ils la même perception ?

Tout a commencé le 11 janvier 1990 au nom précisément du gaullisme, lorsque Charles Pasqua et Philippe Séguin signent une proposition commune pour un nouveau Rassemblement, véritable tentative de putsch contre Alain Juppé, et donc Jacques Chirac. À l'approche des assises du RPR où, pour la première fois, les militants vont directement désigner leur président, Philippe Séguin fait alliance avec Charles Pasqua pour « régénérer le RPR ». Sentant le danger, Jacques Chirac s'engage fermement et fait sienne la motion présentée par Juppé.

À l'arrivée, le 11 février 1990, le courant Pasqua-Séguin n'obtient que 31,68 % des voix lors des assises du mouvement au Bourget, et Jacques Chirac est réélu président du RPR, créé en 1976 sous son impulsion.

Malgré ce désaveu, Séguin s'allie de nouveau avec Pasqua contre Chirac, pour combattre cette fois le traité de Maastricht. Nouvel échec qui, cependant, apparaît presque comme un succès pour Séguin. Il acquiert au cours de la campagne référendaire une notoriété et une nouvelle dimension politique. Son débat télévisé avec le président de la République, François Mitterrand, marque l'opinion publique.

Depuis l'échec de la liste de Défense des intérêts de la France en Europe (DIFE), conduite par Jacques Chirac et Michel Debré en 1979, le Rassemblement pour la République (RPR) et Jacques Chirac, son président, ont adopté un profil bas à l'égard de la construction européenne. Prudence qui s'est traduite par une liste commune UDF-RPR aux scrutins de 1984 et

1989, avec comme têtes de liste successives Simone Veil et Valéry Giscard d'Estaing.

La signature du traité de Maastricht, qui prévoit l'Union monétaire européenne, plonge le RPR dans l'embarras et va entraîner aux yeux de l'opinion une fracture entre Chirac et Séguin.

Tout d'abord, nombre de compagnons, y compris des figures de proue du mouvement, restent attachés à l'idée d'une Europe qui préserve la souveraineté nationale, en droite ligne des conceptions gaulliennes. Mais Chirac est convaincu qu'une position hostile à Maastricht risquerait de fragiliser l'union de l'opposition. Le parti gaulliste a signé avec l'UDF la charte de l'Union pour la France (UPF) dans la perspective des élections législatives de mars 1993.

Pris entre le marteau de ses intérêts électoraux et l'enclume du soutien de ses militants, Jacques Chirac cherche à éteindre l'incendie de la division au sein de la famille gaulliste. Dans un premier temps, il se contente de minimiser la portée du traité de Maastricht qu'il présente comme une simple « étape » de la construction européenne.

Mais le 27 novembre 1991, Philippe Séguin publie une tribune dans *Le Figaro* au titre sans équivoque : « France, réveille-toi ! », dans laquelle il explique l'urgence et la légitimité d'un débat sur l'Europe avec en toile de fond la question de la souveraineté nationale : « Dans le processus délétère qu'est devenue la construction européenne, Maastricht est supposé constituer un saut qualitatif. En réalité, c'est un saut dans l'inconnu. Sous couvert d'Europe, ce sont de véritables abandons de souveraineté qui se préparent… Une véritable machine infernale est ainsi mise en place, dont nous n'avons plus la maîtrise… »

À l'Assemblée nationale, le 5 mai 1992, dans un discours de plus de deux heures pour défendre l'exception d'irrecevabilité qu'il vient de déposer contre la révision constitutionnelle, préalable à l'adoption du traité de Maastricht, Séguin entraîne dans son sillage cinquante-huit députés RPR sur un groupe parlementaire qui compte cent vingt-six membres.

Pour prévenir un risque d'implosion du RPR, et éviter que le mouvement gaulliste ne passe dans le camp Séguin, le 12 mai Jacques Chirac rencontre l'ensemble des députés et préconise de ne pas se prononcer lors du vote sur la réforme constitutionnelle.

Le 23 juin, afin d'éviter que la maison de la rue de Lille ne se fissure en deux blocs opposés, les parlementaires RPR réunis en Congrès à Versailles s'abstiennent sur le projet de révision constitutionnelle.

Dès lors Séguin, qui a rallié à sa cause Pasqua, organise son camp, avec en ligne de mire le référendum prévu pour le 20 septembre 1992, et crée un Rassemblement pour le non au référendum (RPNR).

D'autres gaullistes se mobilisent pour le non, comme l'association Carrefour du gaullisme, créée en 1979 et présidée par le député-maire de Nogent-sur-Marne, Roland Nungesser. Celui-ci parvient à rassembler trois anciens Premiers ministres, en l'occurrence Michel Debré, Maurice Couve de Murville et Pierre Messmer, ainsi que des personnalités comme Maurice Schumann, Bernard Tricot et Philippe de Gaulle.

À l'inverse, Jacques Chaban-Delmas lance un « Appel du monde combattant » en faveur du oui qui regroupe d'anciens résistants et déportés contre la

« folie ultranationaliste ». Il est signé notamment par Irène de Lipkowski, Pierre de Bénouville, Jean Mattéoli, Pierre Sudreau et des personnalités non gaullistes comme Simone Veil.

Pragmatique par nature, Jacques Chirac a évolué sur les questions européennes qu'il a appris à connaître lors de son passage au ministère de l'Agriculture de 1972 à 1974. Eurosceptique, il a signé le 6 décembre 1978, alors qu'il est hospitalisé après un grave accident de la route, l'« Appel de Cochin » qui dénonce la préparation de l'« inféodation de la France » et accuse l'UDF d'être le « parti de l'étranger ». Les premières élections européennes au suffrage universel ont été un échec pour Chirac. En 1980, il a démissionné de son mandat européen en application de la « règle du tourniquet » qui devait permettre à tous les membres de sa liste de siéger à tour de rôle à Strasbourg.

Mais, pour ménager l'avenir et ne pas apparaître comme trop antieuropéen, en 1992 Jacques Chirac appelle à soutenir le traité de Maastricht même s'il doit s'opposer frontalement à Philippe Séguin.

Rien ne va plus entre les deux hommes.

Deux ans plus tard, au cours de la campagne présidentielle de 1995, pendant quelques mois leurs chemins convergeront à nouveau. Pourtant tout avait commencé par un coup de colère.

Le 12 novembre 1994, sur la pelouse de Reuilly, près du bois de Vincennes, Jacques Chirac réunit les militants du RPR, saisis par le doute. Les sondages lui sont peu favorables et font de Balladur le favori. Chirac attend de cette rencontre un grand moment d'unité de la famille gaulliste autour de lui. Le discours de Séguin avant celui de Chirac, et la présence à la tribune de Juppé doivent marquer l'esprit de rassemblement.

Pour ne pas apparaître dans la campagne électorale qui débute comme le représentant d'un parti, afin de mieux rassembler les électeurs autour de sa candidature à l'Élysée et de se situer au-dessus des formations politiques, Chirac entend transmettre les rênes du mouvement RPR à Alain Juppé.

Évidemment, cet adoubement est inacceptable et insupportable pour Séguin qui boude la « cérémonie d'union des gaullistes » et le fait savoir bruyamment. Nous l'apprenons peu avant le début de la réunion et nous voici, à l'arrivée des militants, enlevant des chaises pour que la salle apparaisse bien remplie.

J'en ai voulu à Séguin de gâcher ce grand rendez-vous d'unité autour de Chirac. Reuilly fut pour moi un terrible moment de découragement, l'expression d'une trahison désespérante, une occasion manquée d'affirmer la force de notre famille.

J'ai conscience que Philippe Séguin fut l'un des principaux inspirateurs du discours de Chirac sur la « fracture sociale » et que la puissance de sa voix a contribué à son succès en poussant Balladur à droite. Mais ce soir-là, il m'a profondément déçu.

Après la victoire de Jacques Chirac, qu'il marqua de sa forte empreinte, Philippe Séguin espérait Matignon. Mais, une fois encore, Chirac lui a préféré Alain Juppé. De retour à la présidence de l'Assemblée, où il a été élu en mars 1993, Séguin continuera à cultiver sa différence.

Lors des grèves de 1995, au nom du gaullisme social, il ne cesse de critiquer les mesures imaginées par Juppé avec l'aval de Chirac, pour réformer la protection sociale. Il n'accepte pas son libéralisme, et moins encore sa façon de gouverner le pays. En toutes occasions, il le dénigre et veut apparaître comme son possible successeur à Matignon.

Le 21 avril 1997, jour où Philippe Séguin fête ses cinquante-quatre ans, Jacques Chirac dissout l'Assemblée nationale, contre l'avis officiellement recueilli de son président.

Le premier tour des législatives, aux résultats catastrophiques pour la droite, contraint Chirac à se démarquer pour un temps d'Alain Juppé et à solliciter les services de son rival déclaré. Peine perdue, c'est la défaite qui est au rendez-vous. Séguin prend alors en main la destinée du mouvement gaulliste et accède à la présidence du RPR, le 6 juillet 1997, lors d'assises extraordinaires.

Chirac, préoccupé par la suite des événements, me recommande d'être très vigilant et de bien renforcer mes rapports personnels avec les militants.

Pour ce qui me concerne, et tout au long de ma présidence du groupe, je fais comme si je n'étais pas au courant de tout ce que Séguin a imaginé pour m'empêcher d'être élu et s'opposer à Chirac, mais je demeure quotidiennement sur mes gardes.

Au cours de ces années, je suis aussi confronté à Nicolas Sarkozy, lequel ne cesse de marquer depuis 1994 une hostilité pathologique envers Jacques Chirac. Orgueilleux, Sarkozy ne peut admettre avoir fait le mauvais choix en soutenant Balladur. Il cherche sa revanche pour se prouver qu'il ne s'était pas trompé en abandonnant son premier mentor.

Perpétuellement en mouvement, rarement sincère, toujours dans le calcul, il ne cesse de s'adonner à une politique de combines. Celles ou ceux qui, au sein du RPR, ne sont pas d'accord avec sa stratégie et ne soutiennent pas son ambition personnelle doivent être combattus, contournés, marginalisés ou écartés sans ménagement. Toujours aux aguets, son énergie inépuisable, sa vivacité tactique impressionnent et séduisent bon nombre de députés, même s'ils se méfient peu ou prou de lui. Il bénéficie d'une petite « garde rapprochée » prête à tout pour l'aider.

Les rapports de Sarkozy avec Séguin sont aussi complexes à déchiffrer et varient selon les jours. Choc de deux personnalités, de deux tempéraments, de deux ambitions fort dissemblables. Un idéologue tourmenté s'oppose à un pragmatique sûr de lui avec en toile de fond, Jacques Chirac.

Adversaires en 1995, le gaulliste social Philippe Séguin et le libéral Nicolas Sarkozy se sont rapprochés dès 1997 pour diriger ensemble le RPR. Le premier devient alors président, le second secrétaire général.

Dans ma tâche à la tête du groupe, il me faudra compter aussi avec Alain Juppé qui, après l'échec de 1997, se remet en selle peu à peu. Pendant une année, il traverse une phase politique et personnelle difficile, traîne sa déception de n'avoir pas été compris, de ne pas avoir su se faire apprécier. Il manifeste une jalousie maladive vis-à-vis de Séguin et une grande prudence à l'égard de Sarkozy. Peu à peu, les députés redécouvrent les qualités de Juppé. Son sens de l'État, sa capacité à décider, à assumer ses responsabilités sont reconnus. Ce qui lui permet, malgré la dissolution qui reste dans tous les esprits et sa personnalité peu expansive, de bénéficier d'une écoute et d'un respect certains auprès des parlementaires.

Quant à Édouard Balladur, toujours mystérieux, il ne cesse comme le chat, de guetter la faute de sa proie pour la terrasser, toujours persuadé d'être promis à un avenir hors du commun qui s'inscrirait dans l'histoire de la France. Je sais que je n'ai rien à attendre de lui, sinon le pire.

Michèle Alliot-Marie séduit pour sa part autant qu'elle exaspère. Elle aussi attend et espère sa résurrection politique et le moment de sa rencontre avec un destin qu'elle veut exceptionnel. Prudente dans ses prises de position, elle sait se faire apprécier des députés, même si nombre de parlementaires chiraquiens n'oublient pas son attitude ambiguë lors de l'affrontement avec Balladur et son souci de servir de trait d'union entre les deux camps. Autrement dit suivre Balladur, dont elle était ministre, sans pour autant rompre avec Jacques Chirac, dont elle fut secrétaire d'État en 1986.

Mon principal complice et ami, Henri Cuq, méconnu du grand public, est un fidèle parmi les fidèles de Chirac, qu'il a rencontré dès 1972, alors commissaire des Renseignements généraux en Corrèze, et suivi à la mairie de Paris comme chef de cabinet. Député de l'Ariège en 1986 puis des Yvelines, élu au bureau du groupe dès 1993, il devient questeur de l'Assemblée nationale et est réélu les années suivantes. Son influence au sein des députés RPR est grande. Je sais que je peux compter sans réserve sur sa compréhension, son soutien, ses conseils, et son amitié.

Mes autres alliés sont ceux qu'on appelle les « députés de base ». Oubliés des grands chefs, n'ayant pas accès aux médias, et ne le souhaitant d'ailleurs pas, ils ont besoin d'être considérés, entourés, écoutés, aimés. Ils le sont de moi et généralement en ont conscience. Ils me rendent bien l'affection que je leur porte en toute occasion.

Le groupe parlementaire fonctionne grâce à une petite armée de collaborateurs. Cette équipe, constituée au fil des mandatures et des présidents qui m'ont précédé depuis 1958, a été fortement marquée par la belle et forte personnalité d'Anne Braun. Pendant trente ans, elle veilla sur le groupe gaulliste pour maintenir, dans toutes les circonstances, l'esprit de compagnonnage, cette alchimie singulière de liberté de pensée, de différence, de fraternité dans le combat et de solidarité dans l'épreuve. Passionnément gaulliste, Anne Braun sut assurer les passages de témoin à Georges Pompidou puis à Jacques Chirac.

En 1993, Christine Branchu prit sa relève à la tête d'une équipe fière de servir Jacques Chirac, mais qui se devait de rester à l'écart des querelles politiques internes du RPR. Je sais pouvoir m'appuyer sur sa compétence, comme sur le dévouement et l'enthousiasme de cette équipe soudée, rieuse, volontiers blagueuse. La secrétaire générale Christine Branchu est appréciée de l'ensemble des députés, même si les sarkozystes s'en méfient. Elle connaît chacun d'entre eux personnellement. D'une rare efficacité, sa loyauté envers Chirac n'est pas feinte ni de circonstance. Dans les temps mouvementés, son autorité, son influence et sa parfaite discrétion seront des atouts précieux pour moi.

En tant que président, j'entends non seulement préserver l'autonomie traditionnelle du groupe parlementaire vis-à-vis du parti politique lui-même et de nos alliés de l'opposition, les centristes, mais aussi garantir l'identité et la pérennité de ce groupe, alors que certains rêvent déjà de la constitution d'une formation unique, allant des gaullistes aux centristes les plus divers.

Le groupe gaulliste à l'Assemblée nationale est apparu à la fin de 1948, à l'initiative notamment de Jacques Vendroux, député du Pas-de-Calais, beau-frère du général de Gaulle et de René Capitant, député de Paris. Il a toujours revendiqué une autonomie par rapport au parti politique.

J'entends bien conserver une même distance avec l'état-major du RPR. L'instance dirigeante du groupe est son bureau, que désormais je préside. Il se réunit chaque semaine pendant les sessions parlementaires et propose au moment des réunions de l'ensemble du groupe, également hebdomadaires, la ligne politique à suivre lors des débats dans l'hémicycle.

Certes, une coordination des partis de l'opposition est nécessaire, mais elle ne doit pas aboutir, selon moi, à nous faire perdre notre âme, nous diluer dans un ensemble où les gaullistes seraient minoritaires et embarqués dans des directions qui ne seraient pas les nôtres.

27 septembre

Déjà la question des présidentielles occupe tous les esprits, mais aussi sa question subsidiaire : qui serait le meilleur candidat ?

Lors du conseil national du RPR, Séguin assure qu'il ne sera pas candidat en 2002, si Chirac se représente. Il précise même : « Le mouvement ayant été créé par qui l'on sait, on imagine mal son président se dresser ou, a fortiori, se présenter contre le président de la République. Alors, il serait grand temps d'arrêter de fantasmer. »

C'est ce que j'affirme aussi en déclarant à la tribune que « dans les circonstances présentes, servir le président de la République, c'est le protéger, non l'exposer et le faire intervenir malgré lui dans la vie quotidienne de l'opposition ».

Même Charles Pasqua n'a pas fait entendre ce jour-là une musique différente. Cependant, comme il le fait depuis bien longtemps, il évoque les rapports avec le Front national. « Le fait que nous ayons des approches contradictoires de la société suffit-il à mettre un point final à ce débat ? » s'est-il demandé.

4 et 5 octobre

Aux journées parlementaires à Saint-Jean-de-Luz, Michèle Alliot-Marie nous reçoit dans sa ville. Elle a tout fait pour que le climat soit à l'apaisement. J'y ai veillé comme président de groupe. Balladur est bien accueilli et même applaudi. Ce n'était pas gagné d'avance. Un moment de calme entre « grands chefs », cela fait du bien.

22 octobre

Déjeuner des bureaux des groupes RPR de l'Assemblée et du Sénat. Édouard Balladur semble satisfait d'être tête de liste aux élections régionales. Pasqua, mine sombre, évoque l'affaire Papon. Alain Juppé prend sur lui pour s'intéresser de nouveau aux rites de la vie politique. Il me souffle : « Heureusement, il y a Bordeaux pour penser à autre chose. »

28 octobre

La question qui revient quotidiennement et me sera sans doute posée jusqu'à la fin de mon mandat, sans probablement jamais vraiment trouver une réponse, est la suivante : comment s'opposer au gouvernement quand on soutient le président de la République, comment critiquer le Premier ministre tout en faisant confiance au chef de l'État ? C'est le propre de la cohabitation de reposer sur une équation politique complexe, avec un jeu à trois : le président, une majorité qui ne lui est pas favorable et une opposition qui ne peut pas se contenter d'une critique systématique de l'action du gouvernement et du chef de l'État.

Avant les questions d'actualité, Séguin, qui vient de déjeuner avec Chirac, n'a pas l'air décontracté lorsqu'il nous rejoint. Je l'observe pendant la séance, il est complètement fermé, de méchante humeur. Notre secrétaire générale me rapporte plus tard qu'en passant devant elle, Séguin lui a dit : « C'est terrible. Pire encore que je ne croyais. Il (Chirac) lâche tout. »

Je pense qu'ils ont dû parler de l'Europe. Il faut dire que la veille, lors d'une rencontre avec le chancelier allemand Helmut Kohl, Jacques Chirac a déclaré publiquement que « sans l'euro, il n'y aura pas de bonheur, pas de paix, pas de prospérité… » et que « la France et l'Allemagne seront au rendez-vous de l'Europe ». Visiblement cela n'a pas plu à Séguin.

13 novembre

Le pèlerinage à Colombey, organisé chaque année depuis sa mort par les groupes gaullistes de l'Assemblée et du Sénat sur la tombe du général, s'étiole année après année. Aujourd'hui, seuls environ quarante députés et vingt sénateurs sont fidèles à ce rendez-vous. Se sont joints aux parlementaires une vingtaine de jeunes invités. L'atmosphère est triste mais sereine.

Philippe Séguin est de bonne humeur, c'est déjà cela. Mais tout peut arriver avec lui. Gaulliste authentique, il aime ce genre de commémoration, de rassemblement. Répondant à des journalistes qui nous accompagnent dans le train et lui demandent quelle signification a pour lui ce pèlerinage, il explique qu'il nous permet « de puiser des forces, de nous ressourcer, de tenter de nous souvenir de ce que nous sommes et de penser à l'avenir ».

Comme chaque année depuis dix-huit ans, le pèlerinage débute par une messe. L'abbé Lambert cherche à trouver les mots qui rappellent l'épopée et l'humanité du général de Gaulle.

Belle opération de communication de Nicolas Sarkozy qui prend le train avec nous, s'assoit à côté de Philippe Séguin et de moi. Il entre dans l'église avec nous, puis… s'éclipse discrètement avant même le début de la messe pour, dit-il, un « petit rendez-vous avec les journalistes »… En effet, au café près de l'église, il rejoint une dizaine d'entre eux et leur parle pendant toute la durée de l'office, puis repart directement en voiture à Paris. Ni messe, ni recueillement au cimetière, juste le temps des caméras…

Je me dis dans le train du retour qu'il va sans doute falloir mettre fin à un tel pèlerinage. Le nombre de parlementaires présents diminuant d'une année à l'autre, les anciens parlementaires vont finir par être les plus nombreux.

3 décembre

Pour retisser les liens de confiance entre les parlementaires et Jacques Chirac, j'organise une rencontre des députés avec lui au « pavillon » de l'Élysée. Plus d'une centaine d'entre eux et une cinquantaine d'anciens députés sont présents. Édouard Balladur, Alain Juppé et Philippe Séguin sont là, ils l'entourent pendant son discours. Nicolas Sarkozy est dans la salle au milieu de ses collègues.

À la fin de son intervention, Chirac se retourne, provocateur et moqueur, pour s'adresser à Édouard Balladur :

– Maintenant, allons boire un coup !

– Pardon ? demande Balladur qui fait comme s'il n'avait pas bien entendu.

– Maintenant, allons boire un coup ! répète Jacques Chirac.

Mais Balladur ne semble pas intéressé par cette invitation, il s'éloigne et quitte discrètement la pièce. Il a remarqué, comme nous tous, que Chirac n'a pas mentionné son nom dans son discours.

Comme l'an passé à l'Élysée, les députés s'en vont, les uns après les autres, dès la photo prise avec le président de la République – « clic-clac Kodak », comme le répète invariablement Chirac.

À la fin de la rencontre, Roselyne Bachelot essuie une colère de Philippe Séguin qui lui reproche de ne pas l'avoir prévenu de la visite d'une responsable de l'OLP à Paris. Bon camarade, Alain Juppé, qui passe par là, remonte le moral de Bachelot, encore bouleversée par le déchaînement de Séguin contre elle.

1998

6 janvier

Au bureau du groupe, ni Philippe Séguin ni Édouard Balladur ne sont présents, trop occupés par la campagne des régionales et la rédaction du programme RPR. Donc tout va bien.

13 janvier

Avant le début de la réunion, à mots feutrés, Édouard Balladur reproche à Philippe Séguin l'absence de l'Europe dans le document sur les valeurs du RPR. Philippe Séguin lui répond avec une parfaite courtoisie, mais ne fléchit pas sur le sens qu'il donne à ces « valeurs ». Il n'est pas certain qu'Édouard Balladur ait apprécié cette leçon de vocabulaire.

L'ordre du jour comporte un échange sur le traité d'Amsterdam. Philippe Séguin fait un long développement sur le sujet qui n'est pas toujours simple à comprendre, mais dont il ressort qu'il faudra bien finir malgré tout par soutenir le président de la République.

Édouard Balladur souligne de son côté un artifice casuistique de Séguin qui distingue, avec un soin infini, les délégations et les transferts de souveraineté. Les membres du bureau multiplient les sourires de bonne compagnie devant cet échange de salon qui cache mal des désaccords fondamentaux.

14 janvier

Lors d'une réponse à une question d'actualité de Huguette Bello, députée communiste de la Réunion, sur le cent cinquantième anniversaire de l'abolition de l'esclavage, Lionel Jospin évoque, en plus de ce sujet, l'affaire Dreyfus et aussi le cinquantième anniversaire de la Déclaration universelle des droits de l'homme : « Aujourd'hui, en 1998, l'ensemble de la France se rassemble dans des commémorations. Mais, si l'on se replace à l'époque des événements, on est sûr que la gauche était pour l'abolition de l'esclavage. On ne peut pas en dire autant de la droite. On sait que la gauche était dreyfusarde et que la droite était antidreyfusarde. »

Ces propos déclenchent de la part des députés RPR un chahut monstre, plusieurs d'entre eux se lèvent pour invectiver le Premier ministre. « Pauvre type », lâche Philippe Séguin à l'adresse de Jospin, qui essaye de poursuivre. Mais, à trop vouloir donner des leçons d'histoire, le Premier ministre s'emmêle dans les références historiques : « Pour Dreyfus, on se souvient des noms de Jean Jaurès, de Gambetta, mais j'aimerais qu'on me cite des personnalités des partis de droite de l'époque qui se sont dressées contre l'iniquité. »

Au perchoir, léger sourire méprisant, à peine dissimulé, de Laurent Fabius. Que Jospin se fasse chahuter ne semble pas trop lui déplaire.

Une fois revenu au banc du gouvernement, Lionel Jospin, l'air sombre, plus sombre qu'à son habitude, boit nerveusement un verre d'eau pendant que les députés de l'opposition quittent l'hémicycle en hurlant : « Démission, démission ! »

À la fin de la séance, Jospin, qui a bien compris qu'il était allé trop loin, et avant de quitter l'Assemblée par la porte de Bronze, s'arrête pour discuter avec un groupe d'une vingtaine de députés de l'opposition. Il tente de reprendre sa démonstration. Les députés lui répondent avec véhémence sous le regard des huissiers, qui le protègent au cas où...

Philippe Séguin, narquois, se tient en retrait et prépare probablement une réplique sur l'ignorance du Premier ministre : Gambetta, en effet, est mort douze ans avant le début de l'affaire Dreyfus.

31 janvier-1er février

Lors des assises des 31 janvier et 1er février 1998, qui doivent rebaptiser le parti, trois émissaires de l'Élysée, Jacques Toubon, Roger Romani et Frédéric de Saint-Sernin, s'activent dans les couloirs pour dissuader les militants de suivre la proposition Séguin de rebaptiser le parti. Alors que la motion prônant le retour du sigle RPF l'emporte de quelques dizaines de voix, Séguin renonce finalement à changer le nom du parti gaulliste. Il considère qu'il n'a pas obtenu une approbation suffisamment majoritaire.

La disparition du RPR est ainsi évitée de justesse, mais Séguin, malgré sa volte-face, en éprouve une vive amertume et ne se prive pas de le montrer. Il n'attend qu'une nouvelle occasion de monter au front contre Chirac. Finalement, il aime ces moments de tension où il peut le défier et donc compter à ses yeux.

23 mars

Après les élections régionales, les majorités se cherchent au sein des nouveaux conseils. La représentation proportionnelle ne permet pas la formation de majorités homogènes.

À droite, certains pourraient être tentés par une alliance avec le Front national. Les experts affirment qu'une telle union peut faire basculer douze régions à droite. L'élection des présidents sera décisive pour mesurer si cette alliance devient une réalité politique.

Jacques Chirac, en tant que président de la République, intervient alors à la télévision et à la radio pour dénoncer le danger des alliances électorales droite-FN dans les conseils régionaux. Il met en garde contre le risque d'« abîmer la France, ses valeurs, son image… ».

Il rappelle la « droite républicaine » au respect de ses engagements « aux termes desquels elle n'accepterait aucune compromission avec l'extrême droite »… Elle peut convaincre sans se renier.

Il recommande à la gauche plus de modération : « Depuis longtemps, certains n'ont pas hésité à faire le jeu de l'extrême droite. C'est ainsi que le scrutin proportionnel a été adopté. C'est ainsi que, lors des dernières élections législatives, de nombreux sièges ont été donnés à la gauche par un Front national qui a clairement et délibérément fait battre la droite républicaine au profit de l'actuelle majorité. »

Je ne suis pas surpris par cette intervention de Chirac.

Je sais qu'il n'approuve pas notamment l'attitude de Charles Millon, qui fut son ministre de la Défense, et qui s'est laissé aller, pour conserver son siège de président de la région lyonnaise, à une alliance à peine dissimulée avec le Front national. Chirac est persuadé que Millon fait un très mauvais et inacceptable calcul et me confie lui avoir dit : « Tu fais une connerie. »

24 mars

Au bureau du groupe, les divergences entre Édouard Balladur et Nicolas Sarkozy s'approfondissent quand ce dernier s'oppose sans précaution oratoire à l'ancien Premier ministre sur la question d'un recours au Conseil constitutionnel concernant le projet de loi sur les trente-cinq heures.

En revanche, Philippe Séguin, qui recherche de plus en plus souvent du regard son approbation, félicite avec une particulière chaleur Nicolas Sarkozy.

Cet après-midi, l'Assemblée nationale reçoit Tony Blair qui doit s'exprimer à la tribune de l'hémicycle.

Fabius est au perchoir, Jospin au banc du gouvernement, avec à ses côtés Martine Aubry, ministre de l'emploi et de la solidarité, non loin des anciens Premiers ministres Alain Juppé, Édouard Balladur,

Raymond Barre. Les députés sont très nombreux à être venus écouter le Premier ministre britannique.

Nous découvrons un personnage drôle, perfide : « Je vais donc vous parler en français, alors courage. » Lorsqu'il raconte l'époque où il était serveur dans un bar à Paris et reçut sa première leçon de socialisme, la droite éclate de rire, la gauche beaucoup moins : « Je me souviens, dans le bar il y avait un pot commun et on m'a dit strictement qu'il fallait y mettre tous les pourboires. Au bout de deux mois, j'ai découvert que j'étais le seul à le faire. C'était ma première leçon de socialisme appliqué. » Il ajoute : « La gestion de l'économie n'est ni de gauche ni de droite, elle est bonne ou mauvaise. » Applaudissements alors sur tous les bancs. J'observe Jospin, il ne bronche pas. Il se met seulement à sourire quand Tony Blair, s'écartant de son texte écrit, précise après une courte pause : « Et c'est bien géré par la gauche aujourd'hui… »

25 mars

À la réunion de groupe, Philippe Séguin présente la situation politique au lendemain des élections régionales.

Dans la plupart des régions, aucune force politique ne remporte de majorité absolue. Lors de l'élection des présidents de région, quatre élus de droite ont accepté le soutien du Front national, ce qui crée une sérieuse controverse. La droite conserve quatorze présidences sur vingt-deux en métropole. La gauche progresse par rapport aux précédentes élections en remportant huit présidences contre seulement deux auparavant.

Applaudissements polis, mais le silence des députés traduit de grandes interrogations sur ce qu'ils peuvent dire à leurs électeurs et sur le positionnement politique qu'ils doivent adopter, face à la progression de la gauche et la réalité politique de l'extrême droite.

14 avril

Philippe Séguin ne cache pas qu'il a déjeuné avec Chirac. Il a l'air satisfait de ce moment passé à l'Élysée. Il a certainement plaidé pour le non à l'euro. Chirac, jamais très clair, a probablement dû s'y opposer, mais mollement, sachant qu'il ne le ferait pas changer de position. Ce qui a manifestement convenu à Séguin. Il est donc résolu à camper sur son non.

16 avril

Avant le sommet de Bruxelles qui doit entériner, en mai, la liste des pays qui adopteront la monnaie unique, Chirac organise une conférence de presse consacrée aux questions européennes.

Rappelant qu'il est le garant de la politique européenne, il critique certaines décisions du gouvernement, comme la réduction du temps de travail à trente-cinq heures, qui isole la France de ses partenaires de l'Union. Il se déclare opposé à un référendum constitutionnel préalable à la ratification du traité d'Amsterdam. Il réclame une modification du mode de scrutin pour les élections européennes. Le chef de l'État, qui défend la monnaie unique, veut rassurer les eurosceptiques en vantant les mérites d'une « Europe des nations ».

20 avril

On m'apporte une dépêche de l'AFP qui indique que le porte-parole du RPR, François Fillon, interrogé sur la volonté de Chirac de réformer le mode d'élection à l'Assemblée européenne de Strasbourg, a déclaré : « Si l'on veut moderniser les institutions, il faut poser toutes les questions dont celles du pouvoir du Parlement, du nombre des députés et de la présidentialisation. »

Pourquoi toujours chercher implicitement à critiquer le chef de l'État, à se démarquer de lui ? Ministre de Balladur de 1993 à 1995, puis de Juppé, alors que Chirac qu'il a combattu est président de la République, Fillon reste pour moi un personnage un peu à part. Proche de Séguin, il cultive un certain mystère sur sa personnalité.

A-t-il fait cette déclaration de sa propre initiative ou sur la suggestion de son mentor ?

21 avril

Si le vote négatif sur l'euro semble acquis, cinq députés font entendre leur différence, soit par souci de cohérence, soit par fidélité au président de la République.

À 13 heures, dans les couloirs et à la buvette, les députés RPR discutent vivement. François Baroin défend le oui à l'euro. Il vient me le dire dans mon bureau.

Ce 21 avril, dans l'après-midi, s'exprimant pour la première fois devant l'Assemblée depuis sa déclaration de politique générale en juin 1997, le Premier ministre, Lionel Jospin, introduit le débat parlementaire sur l'adoption de l'euro, soulignant les contradictions du RPR qui a appelé à repousser la résolution soumise au vote tout en se déclarant favorable à l'euro. Il tente également de rassurer les quelques membres de sa majorité qui sont hostiles au passage à la monnaie unique.

22 avril

À 8 h 30, à la réunion du Club du 4 novembre, qui regroupe les fidèles de Chirac, je plaide pour le non à la monnaie unique.

À 10 heures, Alain Juppé m'appelle au téléphone pour m'indiquer qu'il votera oui. Trois semaines plus tôt, pressenti pour être l'orateur du groupe, il avait décliné l'offre et exclu d'apporter un soutien au gouvernement.

À 11 heures, réunion du groupe : de longs débats… pour parvenir à la non-participation du groupe au vote de l'après-midi et au dépôt d'une motion de censure.

J'introduis le débat en réunion en précisant : « Le peuple a déjà dit oui à l'euro. C'est en fait un piège qui nous est tendu. »

Séguin est nerveux, il n'arrête pas de remuer ses lourdes jambes, souffle, grimace, s'exprime : « Le débat en cours dans l'hémicycle est sans enjeu ni portée. (…). La réussite de l'euro dépendra de la politique économique et sociale qui sera conduite. Le problème est le contrôle politique de la politique monétaire de l'euro. »

Le débat fait entendre des positions diverses et souvent divergentes. Jean-Pierre Delalande, René Galy-Dejean, Alain Juppé, Patrick Devedjian plaident pour le oui à la monnaie unique. Leurs arguments portent sur le fond et, pour certains, sur le souci de cohérence avec la position du président de la République qui, dans quelques jours, exprimera celle de la France au Conseil européen. Alain Juppé ajoute que nous devons aussi être attentifs à la position de l'UDF, favorable à l'euro.

Partisans du non, les députés Pierre Lellouche, Christian Jacob, Patrick Ollier, Bernard Accoyer, Dominique Perben, Jean Ueberschlag, Jean Besson se refusent à exprimer un vote qui pourrait être interprété comme un quitus au gouvernement.

« Je suis un peu paumé ». Comme souvent, l'ironie grinçante d'Éric Doligé, député du Loiret, sur la valse des arguments des chefs, fait sourire la salle.

Au terme de ces échanges, Séguin, qui a joué avec le feu, reprend la parole pour mettre l'accent sur la stratégie qui doit naturellement prendre en compte les choix du président de la République. « Selon les textes et les enjeux, notre opposition doit prendre des formes différentes. On ne s'oppose pas de la même façon sur la réforme du Conseil supérieur de la magistrature, le texte sur la modernisation de la vie politique, sur une partie du texte "Exclusion"… Sur l'euro, peut-être aurions-nous pu, conclut-il, banaliser le débat… »

Jamais les stratégies de Chirac et de Séguin n'ont paru si antagonistes. Le premier accepte les pertes de souveraineté nationale qu'imposent les traités européens, tandis que le second se fait le chantre de l'Europe des nations. L'un croit en la monnaie unique comme moteur de l'activité économique, l'autre n'y voit qu'un leurre…

Derrière ce profond désaccord se cache aussi une autre mésentente, qui porte sur la nature même du RPR. Pour Chirac, le mouvement a pour seule fonction de favoriser sa réélection en 2002. Pour Séguin, il doit se situer dans une perspective différente, qui dépasse la présidentielle : assurer la pérennité d'un courant gaulliste.

Henri Cuq demande la parole et propose, en accord avec Séguin et moi, que le groupe opte pour la « non-participation au vote ».

Avec soulagement, les députés se rallient à cette position a minima, qui permet de ménager tout le monde et de préserver, tout au moins en apparence, l'unité du groupe sur un important dossier européen.

Mais, à 14 heures, *Le Monde* titre à la une de la première édition datée du 23 sur le « non du RPR à l'euro ». Balladur est furieux. Il n'est pas certain que Sarkozy ait tout fait pour le calmer…

La proposition de résolution recommandant l'adoption de l'euro est approuvée par 334 voix – principalement celles du Parti socialiste et de l'UDF – contre 49 – les communistes, le Mouvement des citoyens de Jean-Pierre Chevènement et la Gauche socialiste. Le RPR a décidé finalement de ne pas prendre part au vote et de déposer une motion de censure à laquelle l'UDF s'associera.

24 avril

Rencontre tendue entre Chirac et moi. Nous sommes l'un et l'autre agacés, pour des raisons différentes, par nos tergiversations sur l'euro.

Chirac ne comprend pas l'attitude des députés RPR et admet difficilement qu'ils ne soient pas unanimes. Je lui rappelle que l'armée des députés ne se mène plus à la baguette, surtout avec les « grands chefs » que nous avons, qui ne sont d'accord sur rien entre eux. D'ailleurs lui-même a évolué et son discours n'a pas toujours été limpide sur un tel sujet.

Je me souviens quand, le 11 avril 1990, à l'Assemblée nationale, il déclarait : « On a parlé de monnaie européenne, et là nous devons être tout à fait clairs. Je crois qu'en effet le bon fonctionnement d'un grand marché suppose que nous nous dotions d'une monnaie commune, je dis bien commune et pas unique... »

Sur la monnaie unique, Chirac souhaite que je confirme notre oui sur l'euro, lors du débat de motion de censure. Je lui indique que cela ne sera pas facile pour moi, les députés RPR sont divisés et indécis sur leur vote. Je dois veiller à préserver l'unité du groupe.

Une rencontre hebdomadaire entre le président et moi est dorénavant fixée chaque mardi à 9 heures pour éviter que de tels cafouillages ne se reproduisent.

28 avril

Bureau du groupe. Gueule de bois après la semaine folle de l'euro : personne n'en parle, tout le monde y pense.

29 avril

Débat dans l'hémicycle sur la motion de censure que François Bayrou, pour l'UDF, et moi, pour le RPR, avons déposée le 24 avril.

Je la défends à la tribune devant Lionel Jospin assis au banc du gouvernement. C'est un mercredi, l'hémicycle est bien rempli, les socialistes sont là, prêts à réagir à mon propos. Les députés RPR sont aussi présents, disposés à m'applaudir mais surtout à ferrailler avec leurs collègues de la majorité. Dans les tribunes de la presse, les journalistes attendent ces moments où l'agitation enflamme l'Assemblée. Ils aiment à raconter ces joutes parlementaires.

Cette motion de censure n'a aucune chance d'être votée, compte tenu des rapports des forces en présence, mais elle fait partie du spectacle politique. Elle donne l'opportunité à l'opposition de faire entendre sa différence. Elle fait partie de la démocratie parlementaire.

Tout au long de mon intervention, chahuts, cris des députés socialistes. Peu importe, ce n'est pas à eux que je m'adresse, mais à mes collègues de l'opposition pour leur démontrer que nous avons des arguments à opposer à nos adversaires et, à travers les comptes rendus des journalistes, pour prouver aux Français que nous existons et pouvons parler d'une seule voix.

Dans le numéro de l'hebdomadaire *Le Point* à paraître, que l'on me montre en fin de journée, Séguin estime que le RPR « doit avoir une marge de manœuvre » vis-à-vis du président de la République « sans pour autant être en contradiction avec lui ».

Son raisonnement n'est pas dénué de pertinence. Il estime en effet que si la droite choisit une stratégie de non-alliance avec l'extrême droite, elle doit en tirer les conséquences et s'adresser aussi aux électeurs contestataires.

Cela conduit Séguin à refuser toute fusion des partis de l'opposition dans un ensemble unique, laquelle « reviendrait à se résigner à ce que 15 % des électeurs, sous prétexte qu'ils seraient racistes ou xénophobes, soient mis hors jeu… ». Un parti de droite unique « peut espérer naviguer entre 25 % et 30 % », ce qui lui apparaît insuffisant pour prétendre au pouvoir.

Intéressante, cette réflexion de Séguin, mais comment montrer notre différence sans apparaître comme des adversaires du président de la République et ne pas le placer en difficulté politique vis-à-vis du gouvernement et de la gauche socialiste ?

C'est toute la difficulté de l'équation à résoudre en cohabitation. Soutenir l'action de Chirac et contester la politique de Jospin, c'est un équilibre à trouver. Rien ne serait pire que d'avoir une opposition totalement atone, qui laisserait au Front national le monopole de la critique. Le mieux est de montrer comment, pour des raisons idéologiques, les agissements des socialistes mutilent la politique voulue par le chef de l'État.

5 mai

Réaction agacée de Séguin quand il apprend que Chirac a décidé de rencontrer plus souvent les présidents des groupes parlementaires RPR du Sénat et de l'Assemblée nationale, Josselin de Rohan et moi, sans l'inviter, lui, le président du RPR, à se joindre à cette rencontre. Il le fait savoir par une dépêche de l'AFP.

12 mai

Au bureau du groupe, moins d'une heure après une réunion à l'Élysée, question de Renaud Muselier à Philippe Séguin qui s'y trouvait. Réponse sèche de Séguin : « Je n'ai rien à dire. »

14 mai

Vers 15 heures, une dépêche AFP annonce la création d'une alliance RPR-UDF. Je n'en ai pas été informé, et ne reçois le texte que vers 15 h 45. Je joins Séguin au téléphone, qui minimise la portée de l'accord... Le texte, qui aurait été à l'ordre du jour d'un petit déjeuner entre Dominique de Villepin et lui le jeudi 7, aurait été transmis à l'Élysée peu avant 13 heures.

Les députés sont très nombreux à appeler pour manifester leur incompréhension et leur mécontentement, moins sur le fond que sur la forme : ils n'ont été avisés de rien, alors que Séguin avait promis plus de transparence et de démocratie.

19 mai

Au bureau du groupe, Édouard Balladur est de fort bonne humeur, il s'imagine déjà aux commandes de ce mouvement d'union de l'opposition. Et pense avoir enfin trouvé le moyen de mettre en difficulté Chirac, ainsi, peut-être, que sa revanche tant espérée.

Réactions assez dures à la prise de position de Geneviève de Gaulle-Anthonioz contre moi au sujet du vote du groupe rejetant le projet de loi sur les exclusions tel qu'il nous a été présenté. Balladur : « Je connais bien Geneviève de Gaulle-Anthonioz, c'est une personne très difficile. » Il ajoute, badin : « En comparaison, l'abbé Pierre est une montagne de pragmatisme. »

1er juin

Réunion à l'Élysée.

– Tu vas bien ? m'interroge Chirac en entrant dans son bureau.

Il ajoute :

– Philippe va arriver, il est revenu plus tôt de Tunisie.

– Ça va être chaud ! Il va être d'une humeur massacrante.

– Pourquoi ? me demande Chirac avec un air faussement surpris.

– Vous interrompez ses vacances, nous sommes le lundi de Pentecôte, c'est un jour férié, et en plus vous le faites revenir de Tunisie.

J'ai vu juste. Séguin fait déjà la gueule en entrant dans le bureau présidentiel. Le volcan est proche de l'éruption. Surtout qu'il s'agit d'évoquer la question de la réforme de la justice et du débat de demain à l'Assemblée concernant le projet de loi sur le Conseil supérieur de la magistrature. Chirac suggère à Séguin, qui est l'orateur du groupe, de ne pas être totalement négatif, de laisser entendre que le RPR pourrait, lors du Congrès, voter cette réforme, mais de dire qu'il attend, avant de se déterminer définitivement, de connaître la nature des autres textes sur la justice.

L'éruption est de plus en plus imminente. D'abord Séguin n'accepte pas qu'on lui souffle ce qu'il doit dire, même si cela vient de Chirac. Il affirme que l'on ne peut pas sans arrêt changer d'avis.

Chirac insiste sur la stratégie qu'il a exposée. Alors, Séguin explose, se lève, déclare que dans ces conditions il ne sera pas l'orateur du RPR et s'en va.

Chirac me regarde, fait la moue.

– On n'est jamais déçu avec Philippe. Tu le remplaceras…

– Le débat a lieu demain, je n'ai rien préparé.

– La nuit te portera conseil. De toute façon la justice, tu connais, tu as été juge d'instruction…

L'exercice est délicat. Il faut être pour, tout en laissant entendre que l'on pourrait être contre, position difficile à faire comprendre aux députés. Parmi lesquels François Fillon qui, depuis un certain temps, me dit-on, excite Séguin pour qu'il prenne plus visiblement ses distances politiques avec Chirac.

2 juin

En l'absence de Philippe Séguin et de Nicolas Sarkozy qui participent à la réunion constitutive de l'alliance RPR-UDF, et en présence d'Édouard Balladur, j'explique le vote positif du groupe sur la réforme du Conseil supérieur de la magistrature.

Vers 11 h 30, je sors de la salle pour prendre un appel urgent de Chirac. Il veut savoir si cela va bien et si je suis prêt pour le débat de cet après-midi. Sur ce point, je lui avoue que nous avons connu des jours plus simples. Les députés dans leur majorité sont très réservés sur le texte. Ils n'ont pas envie de l'approuver et donc ne partagent pas sa position.

À mon retour, Édouard Balladur indique qu'il votera contre. Je termine rapidement la réunion. Je fais en sorte qu'aucune position ne soit formellement arrêtée.

Je fais ensuite passer la consigne auprès des chiraquiens pour qu'ils recommandent à leurs collègues de soutenir une réforme validée par l'Élysée.

L'après-midi, à la tribune, je déclare, sans taire nos critiques, ni manquer d'insister sur la nécessité d'une justice plus rapide, plus simple dans son fonctionnement, plus efficace et impartiale, que nous voterons le projet de loi constitutionnel relatif au CSM.

3 juin

Le vote sur cette réforme, approuvée par 407 voix contre 47 et 21 abstentions, souligne les divisions du groupe RPR, sur un texte accepté par le président de la République : 83 députés ont voté pour, dont Alain Juppé, Michèle Alliot-Marie, Patrick Devedjian, Robert Pandraud… et moi ; 10 se sont prononcés contre, et 27 ont refusé de participer au scrutin. Parmi les non-votants : Philippe Séguin, François Fillon, Nicolas Sarkozy, Édouard Balladur…

Le clivage au sein du groupe est manifeste entre ceux qui sont prêts à se montrer conciliants à l'égard de Chirac et voter certains textes du gouvernement et ceux qui en aucun cas, même s'il faut s'opposer à lui, ne sont disposés à suivre le président de la République.

17 juin

Philippe Douste-Blazy remplace François Bayrou, devenu président de l'UDF, à la tête de son groupe parlementaire.

Philippe Douste-Blazy est heureux d'être ce qu'il est, et plus encore de ce qu'il est persuadé de devenir. J'entretiens avec lui des relations faciles et courtoises. Nos rencontres sont régulières pour tenter de donner de la cohérence à notre action d'opposants. Mais j'ai tendance à demeurer prudent vis-à-vis de lui. Sa très forte ambition m'incite à penser qu'il n'y a rien de vraiment spontané chez lui et que tout est dominé par beaucoup de calcul. Je me souviens qu'il avait été le premier en 1994 à appeler ses amis à se regrouper autour de Balladur contre Chirac. Devenu juppéiste, plus que chiraquien, il avait eu droit en récompense au ministère de la Culture.

20 juillet

Je fais porter à Jacques Chirac une longue note sur la ratification du traité d'Amsterdam, intitulée « Un long chemin de croix parlementaire et politique ». Je veux lui faire un point sur la position actuelle et la stratégie évidente du président du RPR, Philippe Séguin.

« (...) Toute sa tactique est de déplacer le problème de la ratification du traité vers la révision de la

Constitution. Il s'agit de découpler politiquement les deux actes juridiques. Dans un premier temps, ne pas trop parler du traité permet de ne pas être dans une position trop frontale avec le président de la République. Selon lui, le projet de loi constitutionnelle qui est présenté au Parlement par le Premier ministre, et non directement par le président de la République, permet un combat politique bloc contre bloc, autorise un combat classique majorité contre opposition.

« À travers ce débat sur la révision constitutionnelle complexe jusqu'à la confusion, Séguin veut remettre à plat l'ensemble de la construction européenne et donc élargir le débat au-delà du traité d'Amsterdam pour l'organiser autour de ses propres thèmes, de ses propres questions et selon sa problématique.

« Il veut ainsi se positionner au centre du débat qui risque de virer bien vite à la polémique plus ou moins passionnelle et irrationnelle.

« Sur ce débat ainsi construit, Philippe Séguin espère non pas recueillir l'unanimité des groupes parlementaires RPR, mais rassembler derrière lui la très grande majorité des députés et des sénateurs.

« Il espère également le ralliement d'une partie de Démocratie libérale.

« Un tel débat mettrait particulièrement à mal la nécessaire harmonie entre le président de la République et l'opposition, et ce au cœur du "domaine réservé".

« Suivre Séguin aboutirait à admettre que ce sont les assemblées parlementaires et les partis qui définissent la politique de la France. Ce n'est pas compatible avec la Ve République.

« À l'intérieur du RPR, il s'agit de piéger tout à la fois les pro-européens et les chiraquiens.

« Qui plus est, si cette tactique réussissait, elle pourrait mettre en échec la révision constitutionnelle qui au Congrès doit être ratifiée par trois cinquièmes des voix. »

Il est évident que le chemin parlementaire va être parsemé d'embûches. Je rappelle que l'unité du groupe est un enjeu majeur dans ce débat et ce n'est pas à la direction du RPR d'imposer aux députés leur position, mais à eux-mêmes de se déterminer librement. L'unité du groupe ne pourra être obtenue par contrainte.

Comme l'issue du débat au Parlement est incertaine, je suggère qu'on recoure au référendum prévu par l'article 89 de la Constitution après le vote conforme de l'Assemblée nationale et du Sénat : « La seule évocation par le président de la République de cette solution pourrait aplanir le chemin parlementaire et mettre le Premier ministre en difficulté... Elle remettrait le traité au cœur du débat, déjouant une partie de la tactique de Philippe Séguin. »

22 septembre

Réunion du groupe, discussion sur la proposition de loi concernant le contrat d'union civile et sociale[1] déposée par le député socialiste Jean-Pierre Michel.

Il doit permettre à deux personnes, quel que soit leur sexe, qui « ont décidé d'établir entre elles un projet commun de vie... de bénéficier de tous les droits

1. Le futur Pacs.

accordés par les dispositions législatives, réglementaires ou conventionnelles relatives aux concubins ou aux personnes vivant maritalement (...) Le contrat d'union civile et sociale fait l'objet d'une déclaration conjointe devant un officier d'état civil du domicile ou de la résidence ».

La majorité des députés RPR est conservatrice quand il s'agit des questions de société et assez peu curieuse de leurs évolutions. Jacques Chirac a toujours été en décalage par rapport à l'esprit des parlementaires. Cela a été manifeste lors des débats sur l'interruption volontaire de grossesse et sur l'abolition de la peine de mort...

Les membres du bureau, y compris Philippe Séguin, sont très défavorables à cette proposition de loi, certains pour ne pas laisser au Front national le monopole de la contestation. Leur vision est trop étroitement politique.

Seuls Balladur, et dans une certaine mesure Dominique Perben, qui perçoivent une demande sociale, sont sur une autre position : « Soyons moins négatifs. Voyons les choses du point de vue fiscal et patrimonial. » Une position qui se veut dans la tradition libérale, laquelle a toujours existé dans le gaullisme, même si elle a souvent été minoritaire.

29 septembre

Le bureau du groupe se déroule sans problème, en l'absence de Balladur. Il boude à cause du roman policier que j'ai écrit lorsque j'étais juge d'instruction et publié en 1986. Un journaliste, dix ans plus tard, a découvert ce livre et l'un de mes personnages qui s'appelait Josiane Baladur. Il en a parlé à la radio, ce qui a déclenché la mauvaise humeur de l'ancien Premier ministre.

En réunion du groupe, tout semble se dérouler normalement, jusqu'au moment où je passe la parole à François Guillaume qui doit être notre orateur sur la motion de renvoi en commission du projet de loi d'orientation agricole. À cet instant, Séguin quitte brutalement et bruyamment la salle de réunion, dans une grande fureur qu'il ne cache pas. Je ne comprends pas bien le pourquoi d'un tel départ. Quelle mouche l'a encore piqué ?

J'apprendrai ultérieurement que François Guillaume s'était opposé à lui sur la composition des listes régionales en Lorraine. Ceci explique cela. La suite de la colère de Séguin me sera racontée par des « sources sûres et concordantes », comme on dit dans la police.

Arrivé à son bureau de la rue de Lille, il appelle le président de la République de toute urgence. Chirac, qui est en réunion de travail avec Philippe Vasseur, ministre de l'agriculture dans le gouvernement Juppé, et Christian Jacob, sort pour aller prendre Séguin au téléphone dans son bureau. Sans bien saisir les tenants et les aboutissants de cette colère, Chirac écoute Séguin éructer contre François Guillaume...

De toute façon, je refuse de céder. François Guillaume sera l'orateur du groupe, je le confirme moi-même à Séguin qui lance : « Je ne veux plus le voir. »

30 septembre

Réunion de l'intergroupe RPR-UDF. Nicolas Sarkozy défend la non-rétroactivité des lois fiscales car, dit-il, « nous ne sommes pas crédibles en matière de baisse des impôts ».

Alain Juppé, qui y voit une critique de sa politique entre 1995 et 1997, prend la parole sur un ton glacial. Sarkozy quitte la salle en colère.

Elles deviennent pénibles, ces susceptibilités de divas.

9 octobre

À la surprise générale, dont la nôtre, la motion de procédure d'« exception d'irrecevabilité » de l'opposition est votée. La poursuite de l'examen de la loi sur le Pacs devient impossible.

Les députés RPR se sont mieux mobilisés que les socialistes. La stupeur est telle qu'au moment de déclarer le résultat du vote, qui s'est déroulé à main levée, le président de séance, Yves Cochet, annonce : « L'exception d'irrecevabilité n'est pas adoptée. »

Hurlements de protestation des députés RPR. De toute évidence les députés de l'opposition sont plus nombreux que ceux de la majorité. Des cris fusent de nos rangs en direction de Cochet : « Tricheur, tricheur ! » Lequel est contraint de reprendre la parole pour annoncer : « L'exception d'irrecevabilité est adoptée. »

Le fait que l'examen du texte ait commencé un vendredi, jour où les élus sont en général déjà retournés dans leur circonscription, explique la déroute de la majorité. Et si les députés RPR sont nombreux, ce n'est pas pour l'examen du texte, mais pour partir ensemble à Menton où se tiennent le lendemain nos journées parlementaires. Rendez-vous avait été fixé ce vendredi au Palais-Bourbon pour un départ collectif. Ce qui explique que les députés RPR aient participé en nombre à une séance du vendredi. Voici comment les hasards du calendrier peuvent produire de grands effets parlementaires et politiques.

10 et 11 octobre

Les journées parlementaires débutent dans une certaine bonne humeur. Le vote, la veille, qui nous a permis de bloquer le débat sur le Pacs au grand dam de la majorité socialiste, n'y est pas pour rien.

Un an et demi après la dissolution de l'Assemblée nationale et ses conséquences destructrices sur le RPR, Philippe Séguin apparaît comme l'homme fort de notre mouvement. Il a réussi, selon lui, à « surmonter une des plus terribles épreuves qu'il lui avait été donné de vivre depuis la création du parti ». Il dit être parvenu à tirer les leçons du passé, à « se doter d'un projet » et à « maintenir son intégrité et son unité derrière le président de la République ».

Séguin se présente comme celui qui a su « réparer » le RPR, faire oublier les erreurs du passé, critique à peine dissimulée à l'égard de Juppé. Il se veut le chef de l'opposition et pas seulement celui du mouvement gaulliste.

Le RPR est rassemblé, affirme Séguin, uni autour de Chirac et de lui.

Mais Charles Pasqua se signale par son absence à Menton. Il menace de constituer une liste autonome pour les élections européennes. Il a droit à cet avertissement de Séguin : « Lorsqu'il est fait appel au suffrage universel, une fois le choix du mouvement démocratiquement arrêté, chacun doit s'y conformer, sauf à se retrouver en dehors du mouvement. »

Juppé ne cesse de montrer son agacement vis-à-vis de Séguin. Il trouve que tout le monde est bien trop complaisant à son égard, Chirac le premier.

Les journées parlementaires à Menton ont naturellement débuté par une énorme colère de Séguin quand il a aperçu dans la salle François Guillaume. Il commence par bougonner, puis un peu plus tard, quand les deux hommes se croisent, leurs larges épaules se frottent et même se percutent…

L'après-midi, Séguin nous fait savoir qu'il ne viendra pas au dîner. Il préfère relire son discours du lendemain et surtout regarder le foot à la télévision…

13 octobre

Les séguinistes, probablement en accord avec leur chef, initient une campagne en faveur de sa reconduction à la présidence du RPR, prévue en décembre, tout en laissant entendre que rien ne l'y oblige et qu'il pourrait y renoncer.

À la réunion de groupe, Alain Juppé regrette et s'excuse auprès de Séguin pour ses propos rapportés dans *Le Monde*. Lors d'une rencontre avec des journalistes à Menton, Juppé n'avait pas été très aimable vis-à-vis de lui, s'écriant : « Vous l'imaginez Premier ministre ! »

26 octobre

Nicolas Sarkozy me prévient qu'il est « contraint » de poser au Bureau du lendemain la question d'une modification des statuts du groupe afin d'exclure François Guillaume, candidat dissident aux élections régionales de mars dernier. Nicolas Sarkozy est excédé, Philippe Séguin lui mène une vie impossible et ne communique avec lui en ce moment que par des notes…

27 octobre

Vers 10 heures, Séguin décide de ne pas venir au bureau, ayant eu vent, sans doute par Nicolas Sarkozy, de mon opposition résolue à toute modification des statuts du groupe.

Une heure plus tard, Nicolas Sarkozy, agacé, s'acquitte a minima de sa mission. Il demande la modification en question. Je refuse. De toute évidence, il n'y a pas de majorité pour changer quoi que ce soit dans ces statuts. Le groupe n'est pas un parti politique, mais d'abord une union d'élus.

Seul Pierre Lellouche soutient le projet de réforme qui prévoyait d'inscrire une automaticité entre les exclusions du parti et celles du groupe parlementaire. Nicole Catala et René André, députés pourtant proches de Séguin, me soutiennent. L'affaire en restera là.

28 octobre

Avis de tempête provenant de la rue de Lille. Pierre Lellouche a convaincu Séguin d'organiser ce même jour à 16 heures une conférence de presse sur les amendements à la réforme constitutionnelle préalable à la ratification du traité d'Amsterdam. René André, orateur du groupe, est sommé de se rendre à cette conférence, prévue rue de Lille au siège du RPR. Comme rien ne justifie cette précipitation, je m'y oppose.

Vers 18 heures, le chef de cabinet de Philippe Séguin me fait savoir que celui-ci veut me voir dans une heure à son bureau rue de Lille. Je me suis fixé une règle à laquelle je ne veux pas déroger : ne jamais céder aux colères de Séguin. Je lui fais dire que je le verrai volontiers, mais demain.

Les collaborateurs du groupe se plaisent alors à imaginer et à mimer devant moi la réaction d'explosion de Séguin en apprenant ma réponse.

Peu après, Séguin arrive au groupe et entre dans mon bureau en me demandant de lui accorder quelques minutes. La conversation est courte, calme et directe : tout rentre dans l'ordre !

9 novembre

J'ai voulu respecter la date du 9 novembre, date du décès du général de Gaulle, pour organiser ce traditionnel pèlerinage sur sa tombe à Colombey. C'est un lundi, et pas un bon jour pour les députés, qui sont dans leur circonscription. Ils sont donc peu nombreux. Le spectacle que nous donnons n'est plus à la mesure de ce que de Gaulle représente pour la République. En accord avec Philippe de Gaulle, je prends donc la décision de mettre un terme à cette manifestation.

17 novembre

Préoccupé par le décalage qui apparaît entre certaines prises de position de nos parlementaires sur les problèmes de société, j'ai invité Philippe Méchet, directeur des affaires politiques de la Sofres, à s'exprimer devant l'ensemble des députés, salle 6217 du Palais-Bourbon, pour présenter l'édition 1998 des « valeurs des Français ».

Son exposé explique la compréhension réelle que les Français ont du Pacs, bien loin des caricatures et outrances de Christine Boutin.

Nombre de députés sont surpris par ce décalage entre ce qu'ils pensaient, notamment sous l'influence de quelques personnalités ou réseaux catholiques bruyants, et ce que ressent l'opinion publique.

Pour une partie d'entre eux, peut-être est-ce le début d'une réflexion personnelle et d'une évolution sur la question de l'homosexualité et de sa place dans la société moderne.

1er décembre

Au nom du RPR, René André, après avoir rappelé que « le groupe RPR a défendu la vision pragmatique d'une Europe constituée de toutes les nations, prêtes à déléguer des éléments de la souveraineté pour améliorer la vie quotidienne de leurs citoyens », annonce que nous voterons la révision constitutionnelle.

Effectivement, 109 députés RPR se prononcent pour, 19 sont contre et 4 s'abstiennent. Ainsi, le groupe RPR a su préserver son unité.

Il y aura encore à franchir l'épreuve du Congrès où, pour être adoptée, la réforme doit recueillir les trois cinquièmes de voix des parlementaires.

2 décembre

Comme s'il regrettait que notre unité ait été à peu près préservée, que les députés RPR ne se soient pas davantage opposés à Chirac, Fillon, en tant que porte-parole du RPR, déclare sur RTL qu'« un certain nombre de parlementaires n'entendaient pas voter » la révision constitutionnelle du Conseil supérieur de la magistrature. Il se plaît à rappeler que, lors de l'examen à l'Assemblée nationale, « le groupe RPR avait émis un vote très divers ». Interrogé sur le fait que cette réforme du CSM avait été préparée en accord avec le chef de l'État, il indique qu'« il pouvait arriver que nous ayons des désaccords, une appréciation différente des choses ».

Pourquoi toujours chercher à se construire un fonds de commerce politique sur nos divisions et une opposition publique à Chirac ? Réflexe déprimant, alors que nous sommes en cohabitation, de le prendre sans cesse pour cible, d'étaler d'abord ce qui peut nous séparer du chef de l'État dont nous avons pourtant toutes raisons d'être proches ?

Fillon agit-il de sa propre initiative ou n'est-il que le « porte-flingue » de Séguin ?

1999

12 janvier

Réunion à l'Élysée autour de Chirac qui souhaite plus d'entente au sein de l'opposition et que l'on évite une rupture entre ses différentes composantes.

Depuis le 9 janvier 1999, l'union a volé en éclats à la suite d'une décision du Conseil d'État d'annuler, pour vice de procédure, l'élection de Charles Millon à la présidence du conseil régional Rhône-Alpes. La crise ouverte à droite est imputée par l'Élysée au RPR qui n'a pas su rassembler toute l'opposition pour l'élection d'Anne-Marie Comparini à la présidence de la région Rhône-Alpes.

Chirac n'a pas apprécié non plus la récente déclaration de Séguin à *Paris-Match* affirmant : « Il faut que l'UDF choisisse son camp. » Chirac prône l'apaisement, nous expliquant que « les clivages droite-gauche, c'est fini… ».

19 janvier

En prévision de la manifestation anti-Pacs du 1er février, Nicolas Sarkozy demande au bureau du groupe que l'on « n'interdise pas aux parlementaires d'y aller individuellement ». Il suggère aussi que les responsables de notre mouvement attendent, pour prendre position, de savoir le succès ou non de cette manifestation.

2 février

Le bureau du groupe examine la proposition de loi tendant à la « reconnaissance de la traite et de l'esclavage en tant que crime contre l'humanité », déposée par Christiane Taubira et les députés du groupe socialiste, inscrite dans la « niche » parlementaire socialiste du 18 février.

Réaction d'Édouard Balladur : « Pas de vérité édictée par une loi… Cela rappelle l'Inquisition. »

Pour Michèle Alliot-Marie : « Il s'agit de la reconnaissance d'une évidence… Ce n'est pas un sujet de préoccupation des Français. » Elle propose que nous ne prenions pas part au vote.

Pour Nicolas Sarkozy, « notre opposition donnerait une importance à ce texte… Il faut le banaliser ».

Pour moi, je le dis aux membres du Bureau, ce n'est « certes pas à la loi d'écrire l'histoire, mais le RPR ne peut pas être absent de ce débat et se réfugier dans l'abstention (…). Ce n'est pas concevable et ce serait une faute politique et morale ».

17 février

Pendant les questions d'actualité, Lionel Jospin m'adresse un petit mot pour me dire qu'il souhaite me voir après la séance.

Nous nous retrouvons à l'écart, salle de Bronze. Le Premier ministre s'inquiète de l'attitude du RPR pendant les négociations européennes sur la Politique agricole commune. Le matin, j'ai rencontré le président du groupe SPD au Bundestag et lui ai fait part de nos préoccupations à ce sujet. Manifestement, il a tout rapporté à Matignon.

18 février

« La reconnaissance par notre Assemblée de la traite et de l'esclavage en tant que crime contre l'humanité, très attendue par les populations d'outre-mer, renforcera par ailleurs l'influence de la France dans le combat contre toutes les formes d'esclavage moderne. Oui, la France sortira grandie d'une telle proclamation, car la patrie des droits de l'homme fait ainsi souffler de son sol, comme en 1789, le vent d'une nouvelle liberté qui force l'admiration, honore ses institutions, interpelle tous les pays impliqués dans ce crime odieux et en fait la véritable locomotive de la reconnaissance internationale. Le groupe RPR votera ce texte », annonce notre orateur, Anicet Turinay, député de la Martinique.

À l'unanimité des 81 suffrages exprimés sur 81 votants, la proposition est adoptée par l'Assemblée.

2 mars

Concernant le projet de loi sur la présomption d'innocence, Patrick Devedjian, l'orateur du groupe, procède devant le bureau à une première analyse. Il conclut : « Nous devons être offensifs et positifs, c'est notre réforme, il faut se l'approprier et défendre une attitude plus libérale. » Christian Jacob est le seul à émettre des réserves sur la présence de l'avocat dès la première heure de garde à vue.

Nicolas Sarkozy soutient ce texte : « Les droits des citoyens sont une notion essentielle, centrale pour nous. » Et précise qu'il faut une « différenciation de traitement en fonction des faits en cause pour concilier le souci sécuritaire et notre volonté de protéger la liberté ». Il souligne enfin qu'il y a un problème qu'il convient de dénoncer, « celui de la prise en compte des dénonciations anonymes ».

Je rappelle que cet après-midi et en soirée viendra en séance le projet de ratification du traité d'Amsterdam et qu'Édouard Balladur s'exprimera au nom du groupe. J'invite nos collègues à être présents dans l'hémicycle pour écouter l'ancien Premier ministre, même si l'issue du scrutin ne fait aucun doute.

Je signale, l'ayant appris depuis la veille, que le chef de l'État fera lire un message au début de la séance.

Je suis interrogé par un journaliste à la sortie du bureau du groupe, salle des Quatre Colonnes, sur la teneur du message présidentiel. « S'agit-il de mettre le RPR au pied du mur sur le traité d'Amsterdam ? » me demande-t-il. Je lui réponds que, « avant nos débats sur le traité d'Amsterdam, le président de la République veut, probablement, le replacer dans l'histoire de la construction européenne. Il s'adresse à l'ensemble des élus de la nation et pas spécialement à l'opposition comme le lui permet la Constitution ».

9 mars

En l'absence de Philippe Séguin, en déplacement aux Antilles, Nicolas Sarkozy se lance dans une analyse de la situation internationale. Peut-être veut-il nous montrer qu'il a, lui, une réflexion qui dépasse nos frontières, qu'il voit juste, bien et loin, que sa stratégie politique est la bonne, puisqu'elle réussit ailleurs.

Il insiste sur la récente victoire du candidat d'extrême droite Jörg Haider en Autriche. Surprenant de saluer le succès d'un homme qui tient des propos racistes et xénophobes. Le 18 février dernier, au bureau du groupe, Sarkozy avait déjà évoqué le succès aux élections régionales de Hesse, en Allemagne, du candidat chrétien-démocrate. Vainqueurs de ces élections, les chrétiens-démocrates avaient développé un discours très offensif contre le projet gouvernemental d'introduire une forme de droit du sang et la double nationalité en Allemagne.

Ces exemples montrent, selon Sarkozy, combien il a raison de « mener une vraie opposition de droite… ».

16 mars

L'annonce, la veille, de la démission d'Édith Cresson du poste de commissaire européenne, conséquence du rapport des « sages » qui la met en cause pour faute personnelle, occupe une partie des débats du bureau et entraîne le dépôt d'une question d'actualité.

Édouard Balladur précise d'emblée que « c'est une affaire grave qui entraîne une modification du pouvoir au sein des institutions européennes. Cela doit nous conduire à avoir une vraie réflexion sur l'évolution des institutions de l'Europe même si les faits reprochés à Édith Cresson ne valent pas de quoi en faire un fromage ». Michèle Alliot-Marie reconnaît que le problème des institutions européennes est posé, « même si les dysfonctionnements ne sont pas récents ». Pour Nicolas Sarkozy, cette affaire ne doit pas être le « cœur » d'une question d'actualité… « Il ne s'agit pas de dénoncer telle ou telle personne. » Il conviendra cependant, selon lui, d'en tirer des conséquences.

30 mars

À 16 heures, après les questions d'actualité, auront lieu les explications de vote, avant le vote par scrutin public du projet de loi relatif à la présomption d'innocence, dont l'orateur du RPR sera Patrick Devedjian. Le bureau entame un dernier échange de vues à ce sujet.

Édouard Balladur constate, pour le regretter, que ses amendements n'ont pas été votés. Il réclamait notamment la suppression de la mise en examen au profit d'une généralisation de la notion de témoin assisté, de même que la création d'un « tribunal de la liberté » à la place du juge de la détention provisoire, prévu dans le projet présenté par Élisabeth Guigou, la garde des

Sceaux. Même s'il rappelle que l'angle du thème de la liberté est le bon, il conclut son intervention ainsi : « Mais moi je voterai contre ce projet. Il est insuffisant. Chacun appréciera comme il l'entendra ma position. »

Au contraire, Patrick Devedjian plaide pour l'abstention du groupe.

Que « des individualités "fortes" votent "contre" ne pose pas de problème », précise Henri Cuq qui ajoute que « la position d'Édouard Balladur est très défendable ». Mais lui s'abstiendra.

En conclusion, Devedjian indique que son propos sera sévère quant au fond du texte et qu'il propose au groupe une « abstention d'attente ».

Je rappelle que les députés DL et UDF, pour leur part, en grande majorité voteront « clairement contre ». L'opposition n'a pas réussi à trouver une position commune.

Concernant le projet de loi constitutionnelle sur la Cour pénale internationale, examiné par l'Assemblée en première lecture à partir du 6 avril, Nicolas Sarkozy dit qu'« il est très difficile d'être contre ». Il se demande pourquoi à cette occasion ne pas « parler de la prescription en droit français et interroger le gouvernement par une question d'actualité ».

6 avril

Laurent Fabius rend un bel hommage à Michel Péricard, député-maire de Saint-Germain-en-Laye, ancien président du groupe RPR à l'Assemblée nationale, décédé le 2 février : « Militant, il l'était dans la fidélité au général de Gaulle, et dans l'attachement à

Jacques Chirac. Ce n'était pas un de ces barons météoriques que la proximité d'un grand personnage aurait muni d'une circonscription et d'un mandat… Gaulliste trempé dans l'acier populaire de la Libération et de 1958, il croyait à la participation, à la grandeur, à l'indépendance… »

Puis, comme c'est l'usage, Fabius reçoit la famille de Michel Péricard à l'hôtel de Lassay. Au moment où j'y arrive, Séguin vient vers moi et me prend par le bras. Je ne suis pas habitué à de tels gestes de sa part. Il m'entraîne vers la sortie du salon et me lance d'une voix énervée : « Ils servent du champagne ! Jamais je ne faisais ça pour rendre hommage à un défunt. »

En réalité, ce qui l'a rendu furieux, c'est d'avoir vu Laurent Fabius et Alain Juppé discuter à l'écart, apparaître de connivence et ne pas cesser leur aparté à son arrivée.

Maladive, cette jalousie de Séguin vis-à-vis de Juppé. Et réciproquement.

Je me souviens du voyage officiel de Jacques Chirac les 5 et 6 octobre 1995 en Tunisie, Séguin accompagnait le président de la République. J'étais ministre de l'Intérieur et aussi du voyage.

Chirac n'arrêtait pas de rendre hommage publiquement à Séguin, « un grand Français », « un éminent ami de la Tunisie », lors du dîner d'État. « Un Français éminent, grand ami de la Tunisie, le président de notre Assemblée nationale, Philippe Séguin. Il a accepté d'être à mes côtés pour cette visite d'État dans son pays natal… », avait-il renchéri devant les députés tunisiens.

Après la visite, à la maison de Séguin, j'ai trouvé que Chirac en rajoutait, même si Séguin, légitimement ému de retrouver la terre de son enfance, appréciait ces éloges.

Alors que le cortège officiel se rend à pied au lycée Carnot, où le jeune Philippe avait été scolarisé, et tandis que Chirac salue la foule amassée le long du parcours par les autorités tunisiennes, je m'approche discrètement de lui.

– Monsieur, vous en faites un peu trop pour Séguin, vous n'avez jamais cité Juppé, on va avoir un drame en rentrant.

– Séguin est un ami, normal que je lui rende hommage ici, en Tunisie.

– Oui mais Juppé…

– Tu lui expliqueras.

L'avion présidentiel n'est pas depuis longtemps posé à l'aéroport militaire de Villacoublay, que la sonnerie du téléphone retentit dans ma voiture. À l'autre bout du fil, le Premier ministre : « Tu peux passer me voir ? »

J'arrive à Matignon. Juppé me reçoit tout de suite, l'air contrarié.

– Raconte-moi ce voyage… Il n'y en a eu que pour Séguin. Que veut Chirac ?… »

Je tente de lui expliquer que la Tunisie, c'est Séguin, et que Chirac se devait de lui rendre hommage sur les terres de son enfance. Je ne le convaincs pas.

Dans la voiture qui me ramène au ministère de l'Intérieur, j'appelle Chirac, lui relate mon entretien et lui conseille de téléphoner à Juppé pour apaiser son irritation, qui, pour l'instant contenue, ne s'est déversée que sur moi.

12 avril

Séguin se démarque de Chirac sur l'intervention au Kosovo. En tournée électorale à Saint-Denis de la Réunion, il évoque les « incertitudes » et « interrogations aussi bien militaires que diplomatiques » qui pèsent sur les opérations de l'OTAN dans le conflit du Kosovo. Certes, il affirme que « dire cela n'est pas minimiser le soutien que nous apportons à l'action du président de la République dans le conflit du Kosovo », mais on n'en est pas loin.

Le 24 mars dernier, dans le cadre de l'OTAN, Chirac a accepté une intervention militaire, dans laquelle nos forces sont engagées pour éviter que Milosevic continue de perpétrer ses massacres, qui risquaient de menacer la paix et la stabilité dans les Balkans.

En réalité, Séguin n'est pas convaincu par les arguments justifiant le recours à la guerre, sans le feu vert du Conseil de sécurité de l'ONU. Il regrette qu'il soit nécessaire de placer les armées de la France et d'autres pays européens sous la coupe américaine, donc de l'OTAN, pour assurer la stabilité de l'Europe. Et il le dit, même si cela le démarque de la politique étrangère du président et de son « domaine réservé ».

L'Élysée n'a pas apprécié cette nouvelle « sortie » du président du RPR.

16 avril

Coup de tonnerre dans le monde politique et crise au RPR. Philippe Séguin fait publier un communiqué annonçant sa démission de la présidence du Rassemblement pour la République qu'il exerce depuis juillet 1997. Il abandonne également la présidence de la liste formée avec Démocratie libérale d'Alain Madelin en vue des élections européennes.

Il est furieux de l'attitude de Chirac qui considère la liste conduite par Charles Pasqua et celle de l'UDF conduite par François Bayrou comme appartenant elles aussi à la majorité présidentielle.

Philippe Séguin avait échoué dans sa tentative de constituer une liste unique de l'Alliance – RPR, UDF, DL. Et comme il faut bien un responsable, pour lui, c'est Chirac.

Le bureau politique du RPR désigne le secrétaire général du mouvement, Nicolas Sarkozy, comme président par intérim. Il va aussi conduire la liste RPR-UDF aux européennes.

Chirac me demande de remplacer le lendemain Séguin, qui vient de lui faire savoir qu'il n'irait pas comme prévu à la réunion publique à Brive. Pour Chirac, ce rendez-vous devait être le point d'orgue de la campagne européenne en Corrèze. Il avait appelé ses amis corréziens, mis toute son ardeur pour que Séguin soit accueilli avec ferveur et s'adresse à une foule de militants enthousiastes. Cette volte-face le contrarie profondément.

27 avril

Déjeuner à la Questure de l'Assemblée nationale avec le président du Sénat, Christian Poncelet, les présidents de groupe de la majorité sénatoriale et ceux de l'opposition à l'Assemblée nationale.

Je me dis que Poncelet aurait pu inspirer un dessin de Daumier, quand je le vois accrocher sa serviette à sa cravate et la monter bien haut sur son ventre pour probablement éviter des taches.

Pas grand intérêt, ce repas. Poncelet suggère que nous nous retrouvions la prochaine fois autour du président de la République. Pourquoi pas ?

Divers sujets sont abordés, le Pacs, la couverture maladie universelle, de manière peu intéressante et superficielle, sans que la moindre position unique ne soit ébauchée.

C'est sur un ton très centriste que Jean Arthuis et Philippe Douste-Blazy demandent « plus de débats dans l'opposition ». José Rossi, président de Démocratie libérale, indique que pour lui l'Alliance des groupes de l'opposition n'existe plus. Quant à moi, puisqu'il faut bien prendre part à ce débat, je dis vouloir maintenir cette Alliance, qui marque une certaine union entre nous. « Politiquement, ce n'est pas inutile… la faire disparaître aurait plus d'inconvénients que d'avantages. »

Bref, ce sympathique déjeuner n'aura servi à rien, aucune décision n'a été prise, pas la moindre position commune décidée.

À la réunion du groupe, en début d'après-midi, devant tous les députés RPR, Sarkozy est assis à la tribune à ma droite, en tant que président par intérim du mouvement.

Nous avons droit à un magnifique moment de séduction de sa part. Il sait s'y prendre, il est habile, bel animal politique, il parle avec talent. Il marque sa place avec autorité et conforte son emprise, regarde avec insistance ceux et celles dont il sait qu'ils ne lui sont pas forcément acquis. Du grand Sarkozy.

Il se sert du vieux réflexe de peur pour mobiliser les députés afin qu'ils se démènent pour le succès de la liste qu'il conduit aux élections européennes. François Bayrou n'a pas fait équipe avec lui et mène la liste UDF. Cette division de l'opposition le préoccupe naturellement, car sa liste commune avec Démocratie libérale doit aussi affronter celle de Pasqua. « Si le score de notre liste n'était pas bon le 13 juin dans votre circonscription, croyez bien que Bayrou saurait trouver un bon candidat UDF contre vous la prochaine fois… » À bon entendeur salut ! Alors au travail sur le terrain.

4 mai

Dans la nuit du 19 au 20 avril 1999, à une heure du matin, un incendie avait ravagé la paillote *Chez Francis* d'Yves Féraud, construite dans l'illégalité en bord de mer, sur le domaine public maritime, plage de Cala d'Orzo au sud du golfe d'Ajaccio, et dont le patron serait un nationaliste.

Le 3 mai, le préfet de Corse a été placé en garde à vue et une perquisition a eu lieu dans les locaux de la préfecture.

J'indique aux membres du bureau que nous devons poser une question au gouvernement cet après-midi. « Nous ne serons pas les premiers, nous passerons après les communistes, les socialistes, l'UDF qui, cela est évident, vont interroger le Premier ministre, surtout les socialistes avec une "question téléphonée" écrite par Matignon. Pouvons-nous ne pas revenir sur cette question ? C'est notre rôle d'opposants, ne le laissons pas à d'autres. »

Les membres du bureau sont de mon avis. Édouard Balladur précise : « Le problème est grave car il s'agit de l'autorité de l'État et de la place de la Corse dans la République. » Il insiste sur l'« hypertrophie du pouvoir judiciaire. Un jeune de trente et un ans, chargé des affaires familiales, met en détention un préfet… attention à l'affaiblissement de l'État ».

11 mai

J'interroge les membres du bureau sur l'opportunité d'interpeller à nouveau le gouvernement sur la Corse lors des questions d'actualité après avoir rappelé les faits dont la presse s'est fait récemment l'écho. La dissolution du GPS, peloton de gendarmerie spécialement créé pour la Corse, dont le chef a reconnu avoir mis le feu au restaurant sur ordre du chef de la gendarmerie, a été décidée. Et le préfet écroué le 6 mai.

Nicolas Sarkozy est d'avis d'« attaquer le gouvernement, incompétent dans le choix des hommes », de « dénoncer son incohérence », son incapacité à « respecter la légalité républicaine, (et le fait qu'il) se complaît dans le mensonge ».

Édouard Balladur s'inquiète encore une fois de l'« affaiblissement de l'autorité de l'État… un préfet assassiné, un préfet en prison… ». Mais il se demande si, pour autant, on doit « favoriser la prise de pouvoir des juges en France ».

Alain Juppé propose de demander au Premier ministre « comment un préfet, dans un cas aussi exceptionnel, peut avoir agi sans contrôle du pouvoir politique ». C'est François Fillon, député de la Sarthe, qui est désigné pour poser la question au Premier ministre.

18 mai

Les membres du groupe débattent, à nouveau, de la situation en Corse et des dysfonctionnements des services de sécurité de l'État.

J'évoque le dépôt d'une motion de censure, qui pourrait être débattue le 25 mai, et la proposition d'une commission d'enquête parlementaire, au nom des trois groupes de l'opposition.

Nicolas Sarkozy intervient en premier : « La situation est confuse en Corse et une discussion sur l'autonomie serait un largage de la Corse… Avant la motion de censure, cette commission serait une erreur, compte tenu des images d'un préfet en prison… Aujourd'hui, pas un Français n'estime que Jospin est responsable pénalement… Le gouvernement n'a tiré aucune conséquence politique de la situation en Corse. »

Un long débat s'engage au bureau sur cette question.

Édouard Balladur : « J'approuve Nicolas Sarkozy, mais qu'aurait dû faire le Premier ministre ? »

Nicolas Sarkozy : « C'est le ministre de l'Intérieur qui doit tirer les conclusions de cette affaire. »

Alain Juppé : « En réalité, il faut remonter à Joxe… et se placer sur le plan politique. La censure c'est la demande d'une responsabilité du gouvernement de fait. »

Édouard Balladur : « Il convient d'interroger le Premier ministre pour savoir ce qu'il a fait pour la Corse et nous de savoir ce que nous demandons pour la Corse… »

Alain Juppé : « Il y a des prolongements pénaux et politiques… » Et il interroge : « Quelle politique pour la Corse ? »

Robert Pandraud, député de Seine-Saint-Denis : « Il faut défendre l'État… »

Renaud Muselier, député des Bouches-du-Rhône : « Il faut coller cette affaire à l'image de Jospin. »

Bernard Accoyer, député de Haute-Savoie : « La politique du gouvernement est inefficace dans tous les domaines, et pas seulement en Corse. »

Le texte de la motion de censure que nous déposons vers 20 heures est signé par les trois présidents des groupes de l'opposition et, s'agissant du RPR, par Édouard Balladur, Alain Juppé et Nicolas Sarkozy.

25 mai

Les députés sont nombreux dans l'hémicycle. L'ambiance est tendue. Au banc du gouvernement, Lionel Jospin est manifestement plus crispé qu'à son habitude. Le ministre de l'Intérieur est assis à ses côtés. Jean-Pierre Chevènement affiche un air sombre. Ils savent que la séance ne va pas être facile. Ils devront s'expliquer sur ce qui vient de se passer en Corse.

C'est Nicolas Sarkozy qui défend la motion de censure déposée par le RPR. Il remporte un vif succès auprès de nos députés, mais aussi ceux de l'UDF et de DL. Nombreux sont ceux qui se lèvent pour l'applaudir. La motion de censure n'est naturellement pas adoptée.

8 juin

Nicolas Sarkozy fait remarquer aux membres du bureau la « prestation surprenante de François Bayrou à France 2… Il a critiqué, souligne-t-il, la politique fiscale de Juppé… ». Dommage : Juppé n'est pas là pour l'entendre.

15 juin

La réunion du bureau du groupe s'annonce délicate. Les élections au Parlement européen du 13 juin ont permis à la liste rassemblant le Parti socialiste, les radicaux (PRG) et les centristes (MDC), conduite par François Hollande, d'arriver en tête du scrutin en totalisant 22 sièges.

À droite, la division l'a emporté. La liste conduite par Charles Pasqua a obtenu 13 sièges. Elle a devancé celle du RPR dirigée par Nicolas Sarkozy, qui, avec 12 sièges, a subi un échec flagrant. La liste UDF de François Bayrou n'a obtenu que 9 sièges.

Il est vrai que l'abstention a atteint un niveau impressionnant. Plus de la moitié des électeurs et électrices (53,2 %) n'a pas voté.

La droite parlementaire espérait effacer la défaite de la dissolution de 1997, montrer sa capacité à dépasser ses querelles internes, celles qui opposent partisans et adversaires d'une intégration européenne, et, au-delà, illustrer une dynamique d'union. Elle n'y est pas arrivée et a étalé au grand jour ses divergences.

Dans ces conditions, l'union de l'opposition à l'Assemblée nationale, réclamée par certains, ne se présente pas sous un jour favorable.

Alain Juppé s'exprime le premier : « On a échoué, j'ai une part de responsabilité personnelle, mais cela ne doit pas faire oublier notre responsabilité collective. Nous n'avons jamais tranché entre nous ce vieux débat sur la forme de l'Europe… Que pouvons-nous faire maintenant, essayer de sauver le malade… il faut une équipe pour gérer, un conseil politique pour redéfinir notre ligne… aborder des thèmes essentiels pour l'avenir. Nous sommes européens, quelle économie de liberté voulons-nous ? Quel est notre projet social ?… Nous devons nous mettre au travail immédiatement, dialoguer avec nos partenaires, voir s'ils changent de position. Se pose la question d'un intergroupe. Le choc est rude, il peut être mortel, mais la période qui s'ouvre est différente. »

Renaud Muselier, lui, rend hommage à Sarkozy et réclame un chef. « Qui ? s'interroge-t-il. Sinon nos militants vont partir ».Pour Roselyne Bachelot, « le problème n'est pas à droite, il est au RPR… notre alliance avec DL a beaucoup nui à notre image… il ne faut pas accepter l'éclatement du RPR, et ne prononcer aucune exclusion ». Philippe Briand est de cet avis, mais se demande : « Que veulent Pasqua et Séguin ?… Il faut arrêter de "flinguer" le président de la République, arrêter de parler des présidentielles… »

Après plusieurs autres interventions de membres du bureau, François Fillon indique que, pour lui, « le problème c'est le RPR. L'opposition ne marchera pas à trois pieds égaux ». Il se demande quelle attitude adopter vis-à-vis de Charles Pasqua et que faire des députés qui souhaiteraient le rejoindre. Il réclame « que la démocratie dans le mouvement devienne une priorité… ».

Édouard Balladur estime que « le RPR est en train d'éclater en deux, il faut trouver un message fort et lisible » et affirme que « l'organisation des groupes est à revoir ».

Alain Juppé réplique sur un ton cinglant : « Il faut sortir des ambiguïtés. Le patron du RPR, c'est le président de la République. »

Pour Henri Cuq, il faut préparer un projet, avoir des idées ; « les chefs, les Français en ont marre ». Bernard Accoyer prédit un nouvel échec aux prochaines élections « si nous sommes incapables de débattre des idées ». Pour Devedjian, se rapprocher de Charles Pasqua pose deux problèmes : « l'Europe et sa relation avec le président de la République ». « Nous n'avons aucun message à l'intention des jeunes », renchérit Robert Pandraud…

L'après-midi, devant l'ensemble du groupe, je remercie Nicolas Sarkozy pour cette campagne. « Plus qu'un échec personnel, c'est un échec collectif… nous traversons une crise majeure, rien ne sert de la nier… mais ne la remplaçons pas par une agitation, ne retombons pas dans des querelles de personnes qui nous ont fait tant de mal, notre comportement collectif est essentiel pour retrouver de la crédibilité politique… »

À ce moment, Nicolas Sarkozy arrive dans la salle où il est chaleureusement applaudi.

« (…) Les résultats sont mauvais, voire très mauvais de notre liste… je m'impute l'échec… », reconnaît-il. Mais il regrette de n'avoir pas eu « le moindre soutien de Philippe Séguin » et se demande : « Où nous entraînent la haine, la folie, la destruction ? Voulons-nous vivre ensemble ? Nous ne pouvons pas nous passer de Philippe Séguin, d'Alain Juppé et d'Édouard Balladur, mais des haines, si, et pas seulement au niveau national… La machine à détruire s'accélère… Nous sommes le mouvement qui soutient Jacques Chirac… certains débats n'y ont pas leur place »…

« Que faut-il faire maintenant ? s'interroge-t-il. Des élections internes à l'automne, c'est une décision sage… engager sans délai l'organisation pour la rédaction d'un projet politique… réunir les cadres de notre mouvement… Prenons acte du départ de Charles Pasqua. Pour les députés, que Jean-Louis Debré fasse pour le mieux ; pour les militants, ne pas rompre avec ceux de Pasqua, s'il y a le choix. »

Je donne la parole aux députés pour qu'ils s'expriment : « Nous sommes entre nous, alors allez-y franchement. »

Avec sa franchise coutumière, l'ancien contrôleur des impôts Thierry Lazaro, député du Nord, s'exprime le premier : « Depuis les présidentielles, depuis la dissolution, on ne fait que des conneries… Je suis affligé, on se bat entre nous… On doit s'entendre avec DL et l'UDF. Je suis chiraquien… mais que veut Jacques Chirac ? Où est la ligne de conduite ? Sommes-nous un mouvement d'opposition et de cohabitation… ? Sarkozy est le patron… » Ce propos sans langue de bois est bien applaudi. « Sarkozy, tu as été un grand meneur d'hommes… », renchérit Jean-Michel Ferrand, député du Vaucluse.

Pour Didier Julia, député de Seine-et-Marne, « Jacques Chirac est en cohabitation et nous dans l'opposition… Avons-nous plus de poids si on soutient Chirac ou si on s'oppose au président ?… ».

Balladur qui, manifestement, n'apprécie pas ces déclarations quitte la salle. Départ qui ne suffit pas à interrompre Didier Julia, lequel affirme haut et fort : « Nous ne sommes pas les larbins de Dominique de Villepin. »

Alain Juppé réagit violemment. « Ça suffit », s'écrie-t-il en tapant sur sa table. Trois députés applaudissent Julia. Alors que Christian Jacob, député de Seine-et-Marne, s'esclaffe en disant : « Combien Julia a-t-il fait de réunions ? »

Yves Fromion, député du Cher, ancien de Saint-Cyr et officier au 1er régiment parachutiste d'infanterie de marine, rend hommage à Sarkozy. Jacques Myard, député des Yvelines, intervient. Avec lui on peut s'attendre à des propos provocateurs, mais pour une fois il s'exprime avec pondération : « Je me sens de la famille, aujourd'hui divisée… mais nous nous retrouvons sur plusieurs combats… nous avons un problème de ligne politique, nous sommes pour une ligne politique contre le gouvernement, mais je suis aussi dans la majorité présidentielle. »

Après avoir rendu hommage à Sarkozy, Pierre Lellouche soulève une bronca dans la salle lorsqu'il affirme que « le parti du président, c'est moins de 10 % … ». Patrick Ollier, député des Hautes-Alpes, pense qu'« il ne faut pas dramatiser ce genre d'élection ».

Arnaud Lepercq, député de la Vienne, estime que « les voix de Pasqua ce sont les nôtres... J'ai confiance dans l'avenir... il faut rester unis, nous retrouver... La position de Jacques Chirac n'est pas facile ». Le député de l'Essonne, Georges Tron, veut que soit organisée une « structure de dialogue dans notre mouvement... En 2002, seul Jacques Chirac sera candidat. Mais avec quel positionnement politique ? »

Chiraquien convaincu, le député du Haut-Rhin Jean Ueberschlag demande, avec l'accent de sa région, que, pour éviter l'hémorragie, soit adressée une lettre aux militants. Naturellement, Christian Estrosi, élu des Alpes-Maritimes, rend hommage à Sarkozy et l'incite à poursuivre son action.

Thierry Mariani, député du Vaucluse, enfonce le clou : « Nous devons être un parti d'opposition avant d'être celui du président... Il est trop tôt pour parler programme avec l'UDF... Dominique de Villepin a moins de légitimité que n'importe quel élu... »

Alain Juppé a écouté ce débat en manifestant quelques signes d'agacement. Il finit par demander la parole. Il rend hommage à Nicolas Sarkozy, mais ajoute : « Le gaullisme c'est aussi une dimension sociale, il ne faut pas l'oublier... J'ai écouté ce qui a été dit... Parfois le président nous met mal à l'aise... allons-nous le critiquer ? » Juppé poursuit sans se laisser perturber par les remous dans la salle : « L'autonomie du mouvement existe. Il faut soutenir l'action du président de la République, c'est notre rôle. »

Sur ce point, je constate qu'il n'est pratiquement pas applaudi. Christian Bergelin, député de Haute-Saône, reprend la réflexion de Juppé et demande « où sont nos propositions sociales... Il faut mieux s'opposer au gouvernement sans mettre en cause le président de la République ».

Nicolas Sarkozy m'indique qu'il veut répondre aux différents intervenants. « Je suis conscient des imperfections au long de la campagne, ce n'était pas facile, croyez-moi… conscient des imperfections dans le fonctionnement du mouvement. Je suis un opposant farouche du socialisme, mais la seule opposition est insuffisante… notre projet est inodore, il faut l'adapter pour qu'il soit lisible… Que veut dire faire vivre les diversités ? Moins de centralisme mais plus de discipline… »

Plusieurs parlementaires l'ont signalé : les relations entre les députés et Jacques Chirac ne sont pas ce qu'elles devraient être. Certes, j'ai suggéré à Chirac d'organiser régulièrement des « apéros » en invitant moins de députés à la fois et de discuter avec eux une bonne heure. Il le fait, mais pas suffisamment.

Personne à l'Élysée ne peut se substituer à Jacques Chirac et remplacer un contact direct avec lui. D'autant que le courant entre Dominique de Villepin, secrétaire général de l'Élysée, et les députés ne passe pas du tout, c'est le moins que l'on puisse dire.

Cette campagne européenne a montré que nos parlementaires étaient largement démobilisés, que la crise d'identité du RPR est profonde, porteuse de déception pour les prochaines échéances électorales, notamment la présidentielle de 2002.

Pasqua nous a fait du mal : nombre de sympathisants ont voté pour sa liste. Son discours était clair et mobilisateur, pas le nôtre. L'attitude de Séguin a été incompréhensible et destructrice.

Les querelles des chefs ont fait que beaucoup de nos électeurs et de nos élus ont préféré « rester aux abris »…

Il n'y a aucun « donneur d'ordre » bien identifié et crédible pour relayer la parole présidentielle. Certains voudraient en prendre l'initiative, mais ils ont peur de mal faire ou, faute d'anticipation, de réagir avec opportunité.

Il apparaît en outre que dans certains départements l'effectif militant a fondu de moitié, ce qui influe sur le moral des députés. Le RPR n'attire que faiblement les jeunes, faute de s'intéresser à leurs problèmes. Certes les dotations financières publiques reçues par le mouvement permettent de maintenir les apparences d'un grand parti, mais c'est de moins en moins la réalité.

Tout cela, je l'exprime oralement à Jacques Chirac chaque fois que je le rencontre. Il me répond à plusieurs reprises : « Merci de ta franchise, je partage ton analyse. »

19 juin

Ancien membre du cabinet de Philippe Séguin à la présidence de l'Assemblée nationale, Nicolas Baverez publie dans *Le Monde* une tribune intitulée « Un septennat pour rien ». Cet article, particulièrement critique à l'égard du chef de l'État, a été inspiré, selon certains, par Séguin qui veut régler ses comptes et prouver qu'il a eu raison de s'opposer au président de la République.

« Pour l'opposition, l'alternative est claire, écrit Baverez : soit poursuivre sa désintégration dans l'orbite du chef de l'État ; soit se reconstruire en se libérant de la tutelle présidentielle qui la neutralise en la soumettant au jeu pervers de la cohabitation… L'opposition dispose-t-elle d'un mode d'emploi et d'un motif d'optimisme, avec la méthode empruntée par Lionel Jospin pour faire émerger un parti et une majorité régénérés des cendres fumantes du mitterrandisme et des plaies du congrès de Rennes ? »

22 juin

À l'ordre du jour du bureau du groupe, une réflexion sur l'organisation de l'opposition parlementaire, et la constitution d'un intergroupe rassemblant le RPR et ses alliés de l'opposition.

Faut-il inviter tous les députés de l'opposition à assister à nos prochaines journées parlementaires qui se tiennent à Marseille ? Au vu des différentes interventions, la réponse à cette question est positive, mais après une première séance où nous serions entre nous.

Je propose ensuite de constituer un bureau où seraient représentés les trois groupes de l'opposition pour accroître notre efficacité parlementaire.

Concernant la question de la double appartenance, Édouard Balladur, « dans les conditions actuelles », dit qu'il y est favorable.

Dominique Perben, très favorable à une nouvelle organisation de l'opposition, demande que les députés RPR, UDF et DL se réunissent pour en discuter et « que l'on fasse voter tout le monde ».

Je précise que je ne souhaite naturellement pas que le groupe RPR soit dissous dans un ensemble politique confus. Une fusion avec les centristes donnerait

naissance à des divisions au sein de notre mouvement, à des confrontations. Le message politique de
l'opposition parlementaire deviendrait de plus en plus
inaudible. Mais il est nécessaire d'organiser une coordination entre les différents groupes.

Édouard Balladur sort de son silence : « Jamais le
RPR n'était tombé si bas... jusqu'à présent les
réunions de l'opposition sont trop techniques et donc
un peu ennuyeuses. Il conviendrait de constituer un
directoire de trois ou quatre représentants par groupe et
une réunion de l'intergroupe politique chaque semaine.
Il ne faut pas fermer la porte aux pasquaïens ni aux
évolutions futures... »

L'ancien Premier ministre me fait toujours penser à
un félin aux aguets. Peu communicatif, surtout avec
moi, il semble souvent ailleurs, s'exprime sur un ton
cérémonieux et plutôt lentement. Je ne cesse de me
demander quelles sont ses arrière-pensées. Qu'attend-
il ? Que veut-il ? Qu'espère-t-il ? Regrette-t-il au fond
de lui sa trahison politique envers Chirac, par la grâce
de qui il est devenu Premier ministre ?

Christian Jacob, député de Seine-et-Marne, se
demande si l'organisation de l'opposition est bien la
préoccupation actuelle des Français.

Alain Juppé se prononce pour un groupe commun
à l'Assemblée nationale via une confédération de la
droite et du centre, mais il recommande de recueillir
au préalable l'avis de la famille gaulliste. Il dit être
favorable à ma proposition d'un bureau parlementaire
commun.

Édouard Balladur intervient à nouveau : « Les structures politiques de la droite sont dépassées, oui à l'idée
de se fédérer... »

Michèle Alliot-Marie estime que « le vrai problème, c'est que 90 % des Français ne s'intéressent pas à nous, à nos questions sur nos structures ».

François Fillon se félicite de ce débat et ajoute : « Notre situation est d'une très grande faiblesse… Que veut Bayrou ? Le groupe ne peut pas se séparer du mouvement. La crise est politique. Si la logique va au bout, le RPR pèsera peu… une partie de ses troupes ira avec les souverainistes, une autre avec les européens. »

« La cassure du RPR est bien là et elle a eu lieu le 13 juin (élection du Parlement européen). Espérons qu'elle n'est pas définitive », considère Alain Juppé. Il suggère de faire monter de la base l'idée d'une union des députés.

Et, alors que la salle se vide, Renaud Muselier se demande ce qu'il reste du gaullisme et déplore une « logique de la destruction ».

7 septembre

J'annonce aux membres du bureau que, le 1er octobre, nous aurons à examiner le projet de loi sur le Pacs.

Une discussion s'engage sur ce projet et, dès ce moment, bien des nuances apparaissent.

Nicolas Sarkozy fait part de son opposition, mais ne souhaite pas le dépôt d'une motion de renvoi. Il suggère que nous nous adressions à tous ceux qui se sont sentis humiliés par ce projet. Par un hochement de tête, François Fillon approuve sa position.

Thierry Mariani, député du Vaucluse, souhaite quant à lui que nous défendions une motion. Philippe Auberger le rejoint et suggère que nous préparions un recours devant le Conseil constitutionnel. C'est aussi le souhait de Bernard Accoyer, appuyé par Hervé Gaymard, député de Savoie.

J'indique, compte tenu de la majorité qui se dégage, qu'il conviendra de préparer une motion de procédure sur ce projet de loi.

24 et 25 septembre

Journées parlementaires à Marseille.

En décembre, les adhérents du RPR éliront au suffrage universel, pour la deuxième fois en deux ans, le président du parti. Cette échéance est au centre des préoccupations de nos parlementaires.

Michèle Alliot-Marie est déjà sur la ligne de départ, d'autres semblent s'y préparer et effectuent leur tour de chauffe à Marseille.

Il se murmure que le candidat de l'Élysée pourrait être le président de l'Association des maires de France, Jean-Paul Delevoye. Je préfère, sans en avoir parlé avec lui, placer Chirac en dehors de cette compétition interne et déclare : « Nous avons un devoir de fidélité et d'imagination pour aider le chef de l'État, le soutenir dans sa mission nationale… mais aussi le devoir de protéger Jacques Chirac… Prenons garde de ne pas l'impliquer dans la vie quotidienne de notre mouvement. Le président de la République doit pouvoir s'appuyer sur nous. À nous de relayer son action… Il ne peut pas, il ne doit pas y avoir de candidat officiel privilégié, chacun doit bénéficier des mêmes droits et des mêmes moyens pour convaincre les militants.» Ce «recadrage» démocratique et politique m'a semblé absolument nécessaire.

5 octobre

À la rentrée parlementaire, l'ambiance au sein du groupe n'est toujours pas excellente. Les rivalités de clans ne sont pas totalement apaisées. Dans ce monde-là tout finit par se savoir. Ce matin, Sarkozy a rencontré les six députés de sa garde rapprochée. Il leur a raconté que Jacques Chirac lui aurait promis de le nommer à Matignon en cas de victoire en 2002.

Nous avions rendez-vous à 9 h 30 rue de Lille, il est en retard. Comme je n'ai pas l'intention de poireauter, je retourne à mon bureau du Palais-Bourbon. Vers 9 h 45, il débarque dans les locaux du groupe parlementaire. Il est détendu. Nous faisons le point sur l'état d'esprit des députés en cette rentrée. Je ne lui cache pas mon inquiétude, insiste sur la nécessité de ne pas se contenter d'écouter seulement les parlementaires qui font du bruit dans les médias, mais d'entendre aussi ceux ou celles qui n'y ont pas accès, lesquels ont souvent des idées intéressantes et positives et ne dénigrent pas systématiquement tout le monde. J'espère que la prochaine campagne pour l'élection du président du RPR n'entraînera pas trop d'affrontements internes ni de nouvelles fractures.

6 octobre

Alain Juppé renonce à assister à la réunion du groupe. Il faut dire que ses récentes déclarations au *Monde* n'ont pas été comprises par tous les députés. Il a en effet estimé que « compte tenu de sa démographie », l'Europe va « avoir besoin d'apports de main-d'œuvre étrangère », réfutant ainsi l'idée d'une immigration zéro. Peut-être craint-il une contestation des députés dont une grande partie est très sensible sur ce sujet.

16 novembre

Je rends compte aux membres du bureau du rendez-vous que je viens d'avoir avec la garde des Sceaux Élisabeth Guigou sur le projet de réforme de la justice.

Sur la question de la mobilité des magistrats, il est prévu dans le projet gouvernemental que les chefs de juridiction ou de cour devront changer au bout de cinq ans, les juges spécialisés dont les juges d'instruction ne pourront demeurer à la même place que sept ans, plus trois ans s'ils le souhaitent, mais dix ans sera la durée maximale. Tout changement de grade entraînerait un changement de poste.

En ce qui concerne la responsabilité des magistrats, la ministre envisage une saisine plus large du Conseil supérieur de la magistrature, et de l'ouvrir aux citoyens.

Nicolas Sarkozy est catégorique : « Voter ce texte, c'est donner une victoire à Élisabeth Guigou. Les officiers de police ne sont pas avec nous et on permettra l'utilisation d'affaires contre nous… Dans les notes attribuées aux magistrats, il faut intégrer le nombre de fois où leurs décisions ont été cassées en appel. »

J'estime quant à moi que les propositions de la garde des Sceaux sont trop imprécises. Elles risqueraient, si elles étaient appliquées, de déstabiliser des juridictions et de favoriser « une contestation permanente des juges. Elle va mettre le "feu", dis-je, à l'institution judiciaire en ouvrant trop grandes et trop facilement les portes du CSM pour contester les juges. La mise en jeu de la responsabilité des juges ne doit pas devenir un moyen de défense, une procédure de déstabilisation de la justice ». Je recommande de présenter des propositions précises et d'organiser notre réplique sur un contre-projet avant de nous aventurer sur le « terrain politique ».

Le soir, pour rendre plus divertissant le traditionnel dîner des députés RPR au restaurant de l'Assemblée nationale, j'ai invité Jacques Mailhot, chansonnier de talent, à venir nous présenter sa vision de la politique. Belle soirée pour la plupart des députés présents. Mais l'humour n'est pas le bien le mieux partagé par les politiques. Le lendemain, j'ai droit à un drame de la part des balladuriens et des sarkozystes. Ces pissevinaigre finissent par me donner la migraine. Mais peu m'importe si certains sont assez bornés pour ne pas accepter de rire de la politique, d'eux-mêmes et des agissements de leurs « héros ». J'ai bien l'intention d'inviter les députés à assister prochainement à une représentation au théâtre des Deux Ânes.

1er décembre

Devant l'ensemble du groupe, je rends compte de la réunion organisée par les députés RPR sur le projet « responsabilité des maires » et j'ouvre un débat sur cette question. En fin de réunion, Marie-Jo Zimmermann, députée de Moselle, demande qu'on fasse le point sur le projet de loi concernant la parité hommes-femmes. J'attire alors l'attention de mes collègues sur les problèmes politiques que posent les attitudes maximalistes et toute position de principe hostile. Jean-Claude Guibal, député des Alpes-Maritimes, ajoute qu'il conviendrait d'étendre cette parité à l'administration.

Avant que je lève la séance, Jacques Godfrain, Bernard Accoyer et Philippe Auberger tiennent à redire que la distribution de la pilule abortive du lendemain est un grave sujet de société et font part de leurs réserves.

4 décembre

Michèle Alliot-Marie est élue présidente du RPR.

À plusieurs reprises, pendant la campagne électorale pour la présidence du RPR, j'ai recommandé à Jacques Chirac de ne pas trop s'en mêler, même indirectement, et d'ordonner à ses collaborateurs qui rencontraient des parlementaires de ne pas prendre parti entre Alliot-Marie et Delevoye, mais Chirac cachait à peine sa préférence pour ce dernier.

Il ne fallait absolument pas que l'échec prévisible de Delevoye puisse apparaître pour lui comme une nouvelle défaite.

Le militantisme ancien d'Alliot-Marie, son chiraquisme proclamé, certes prudent et calculé pendant la présidentielle, son gaullisme affiché ont séduit les militants. Son discours martial, compatible avec les différentes sensibilités politiques, a plu. Elle était restée proche de Chirac sans être hostile à Balladur. Elle a fait une bonne campagne, devançant au premier tour le candidat des séguinistes, François Fillon, et Patrick Devedjian qui sortait des rangs sarkozystes. Elle remporte l'élection au second tour et succède ainsi à Séguin, après un intérim de Nicolas Sarkozy.

En un an, que d'événements politiques pour le RPR ! En décembre 1998, après la modification du statut du mouvement décidée en janvier, Philippe Séguin avait été élu avec 95 % des suffrages exprimés par les militants. Il avait démissionné quatre mois plus tard, à cause de divergences avec Chirac. À « titre intérimaire », Nicolas Sarkozy l'avait remplacé. Mais à la suite de son échec aux européennes, il abandonna à son tour la présidence du RPR.

Pendant toute cette période de grande instabilité, le bureau du groupe est demeuré une instance de délibération et de décision essentielle, sur des projets ou questions qui ont donné lieu à des débats animés : l'organisation de l'opposition, le Pacte civil de solidarité, la réforme de la justice et du Conseil supérieur de la magistrature.

7 décembre

Débat au bureau sur la réforme de la justice. Il est programmé pour le lendemain une réunion de travail entre nous, sur la question de la responsabilité des magistrats.

Michèle Alliot-Marie souhaite une réunion du groupe dans son ensemble pour en délibérer.

Édouard Balladur affirme qu'« il convient de faire attention, la responsabilité des juges n'est pas un bon préalable compte tenu de l'actualité. Je suis favorable à une modification du code de procédure pénale ».

Nicole Catala demande « s'il est encore temps de revenir sur la présomption d'innocence » et Patrick Devedjian fait remarquer que le problème de l'évaluation des carrières des magistrats n'est pas résolu.

Nicolas Sarkozy précise que « la responsabilité des élus est sans commune mesure avec celle des magistrats et il faut tenir compte de la qualité de leur travail, il faut faire attention à la désunion du RPR sur cette question et à ne pas donner un succès au gouvernement ».

Michèle Alliot-Marie insiste : « Attention à l'union de l'opposition », et suggère sur cette question une réunion de l'intergroupe.

Je lui indique que je suis de son avis, mais je pense aussi que nous devrions commencer par arrêter notre propre position, en avoir une claire de la part de notre groupe, fixer notre attitude, cela évitera une cacophonie.

14 décembre

Deux sujets sont à l'ordre du jour des discussions du bureau.

Sur la réforme du Conseil supérieur de la magistrature, j'interroge les membres du bureau du groupe.

Michèle Alliot-Marie rappelle que nous devrons avoir la même position que les sénateurs.

Je lui réponds : « Tu as certes raison, mais notre réponse, pour être comprise, doit être lisible donc politique. Sur ce sujet, le groupe fixera sa position courant janvier. Il est prévu aussi une réunion de l'opposition à l'Assemblée nationale avec l'ensemble de la majorité sénatoriale. »

Nicolas Sarkozy approuve : « La méthode jusqu'à maintenant est la bonne. Tout le monde est contre ce projet qui commence à sortir du bois. Je suis favorable à une rencontre des bureaux du RPR de l'Assemblée nationale et du Sénat. »

Deuxième sujet : le projet du président de l'Assemblée, Laurent Fabius, de créer une chaîne parlementaire. Je marque mon opposition, non à la création d'une chaîne de télévision qui rendrait compte de l'activité des députés, mais au projet préparé par Fabius, en ce sens qu'il ne garantit ni la neutralité ni l'objectivité politique qui doivent être la règle. Il ne doit pas être un organe au service du président de l'Assemblée nationale, ni un moyen de propagande pour le PS, mais rendre compte des diversités politiques.

Je précise que lors d'une réunion autour de Laurent Fabius avec José Rossi et Philippe Douste-Blazy, ceux-ci ont été, à mon grand regret, très nuancés dans leurs critiques.

Henri Cuq attire notre attention sur la volonté de Fabius de « diviser l'opposition » pour faire admettre une idée « qui manque totalement de transparence ».

Le bureau du groupe rejette le projet de chaîne parlementaire tel qu'il nous est présenté.

21 décembre

Le Congrès du Parlement doit se tenir le 24 janvier 2000. Deux sujets sont à l'ordre du jour, celui relatif au Conseil supérieur de la magistrature et celui sur la Polynésie française.

Certains députés souhaitent un report de la date du Congrès. Cela peut être une solution. Si c'est le sentiment de la majorité du bureau, il conviendra que j'adresse une demande en ce sens au Premier ministre. Comme sur tout sujet qui met directement en cause le président de la République et l'équilibre subtil de la cohabitation, je recommande que nous évitions les déclarations intempestives. Devant les difficultés qui s'annoncent, j'indique que je demanderai en réunion de groupe que chacun se détermine sur ces projets.

Le texte constitutionnel – qui prévoit de renforcer le rôle du CSM et de modifier sa composition – doit recueillir au moins trois cinquièmes des suffrages exprimés. Si les 897 parlementaires se déplacent et mettent leur bulletin dans l'urne, il faudra 538 oui pour que la révision du CSM, clé de voûte de la réforme de la justice, soit approuvée définitivement. Or nous en sommes loin. Il manque une centaine de voix pour que cette réforme puisse être votée. Son adoption est dans la main de l'opposition et notamment du RPR. On ne peut pas compter sur les centristes pour résister.

Sur le fond du texte, certains s'y opposent pour ne pas favoriser la « République des juges », d'autres affirment qu'il n'est pas question de faire un « cadeau » politique au gouvernement même si cette réforme a été initiée par Jacques Chirac. Je rappelle que je ferai voter l'ensemble du groupe et que chacun devra donc déterminer sa position. J'insiste une fois de plus sur l'obligation que nous avons de rester unis et de ne pas nous diviser publiquement sur cette question.

2000

18 janvier

Le bureau du groupe est sur le point de se réunir. Alors que nous nous rendons dans la salle, Lionel Jospin, très souriant, ce qui n'est pas si fréquent, passe dans le couloir et s'approche de Michèle Alliot-Marie pour lui souhaiter une bonne année. Elle avait déclaré, il y a quelques semaines, qu'elle le « détestait »…

Très détendu, il serre la main des députés et des collaborateurs du groupe RPR, à vrai dire peu habitués à tant de familiarité de la part du Premier ministre.

À quelques jours de la réunion du Congrès de Versailles, prévue pour le 24 janvier, la réforme du CSM paraît toujours aussi mal engagée.

Je n'ai cessé d'avertir l'Élysée et le Président de la République lui-même, depuis le début du mois, que la majorité des trois cinquièmes ne pourrait vraisemblablement pas être réunie et qu'il fallait absolument reporter la tenue du Congrès. Je n'ai pas été entendu. Pourtant, au départ, cette réforme de la justice semblait pouvoir être approuvée par une majorité de parlementaires de l'opposition. C'était Jacques Chirac, président de la République, qui en avait lancé l'idée avant l'arrivée de la gauche. C'est d'ailleurs avec le soutien de l'opposition qu'ont été votés en janvier dernier par les deux chambres les articles concernant le Conseil supérieur de la magistrature.

Comme ils concernent le texte même de la Constitution, le Congrès doit, par les trois cinquièmes des votants, modifier celle-ci le 24 janvier prochain. Il doit remplacer les anciennes dispositions par celles qui ont été approuvées en termes identiques, par les députés et les sénateurs.

Il manque une centaine de voix pour que le projet de loi constitutionnelle soit adopté.

Michèle Alliot-Marie, la nouvelle présidente du RPR, a réaffirmé il y a peu de temps qu'« en l'état actuel », le texte sur le CSM n'était pas acceptable pour les élus gaullistes bien que la réforme ait été initiée par Jacques Chirac.

À l'opposition quasi générale des parlementaires RPR, s'ajoute le refus exprimé par ceux de Démocratie libérale d'adopter en l'état cette réforme voulue par le gouvernement Jospin. Seuls les élus de l'UDF semblent avoir quelques hésitations.

Devant le risque d'échec, certains députés voudraient demander à Lionel Jospin de reporter la réunion du Congrès, alors que cette décision revient en fait au chef de l'État. De la convocation du Congrès ou de son report, « c'est le président qui décide et lui seul », a récemment réaffirmé la ministre de la Justice, citant l'article 89 de la Constitution.

Cette question du report est posée lors de la réunion du Bureau par Didier Quentin, député de Charente-Maritime, et donne lieu à un long débat.

Alain Juppé intervient le premier : « J'ai dit qu'en l'état, la réforme n'est pas facile à voter… Depuis j'ai réfléchi… Je me pose des questions. Attention, cela ne doit pas aboutir à un désaveu du président de la République. Sur le texte lui-même, la réforme va plutôt dans le bon sens. Toutefois, nous n'avons aucune garantie de bonne foi du gouvernement. Mais avons-nous eu raison de globaliser ? Faut-il répondre à une seule question ? Je suis ébranlé par l'attitude des magistrats. »

Nicolas Sarkozy : « L'État doit impulser une politique pénale… attention au transfert de l'État vers les syndicats pour les nominations des parquetiers… Les vraies questions sont délaissées, pénalisation de notre droit, détention préventive… Il faut renforcer les droits des individus. Si nous votons oui, nous construisons le succès de Lionel Jospin. »

« Je partage l'opinion de Nicolas Sarkozy, indique François Fillon. Il s'agit d'une question de principe. Nous avons besoin d'une vraie réforme de la justice. Le président de la République doit être mis à l'écart de cette affaire », ajoute-t-il.

Michèle Alliot-Marie insiste sur la nécessité d'une réforme globale de la justice « dans le plus grand consensus ». Elle précise alors sa position politique sur le vote de cette réforme : « (…) Il ne faut pas entrer dans le jeu du gouvernement et lui faire confiance, ne pas se coucher devant lui, il faut s'opposer. Le président de la République est dans une position qui le met à l'abri des conséquences du scrutin des parlementaires… »

Alain Juppé interrompt Michèle Alliot-Marie : « Au bout de quinze jours on ne parlera plus de succès pour le gouvernement. C'est nous qui faisons de ce vote le nec plus ultra de la réforme de la justice. »

Édouard Balladur qui, sans broncher, a écouté les différentes interventions des membres du bureau et l'échange entre Juppé et Michèle Alliot-Marie intervient à son tour : « (…) Il nous est proposé une réforme partielle alors que le problème de la justice est beaucoup plus vaste… Nous devons nous situer dans la défense des droits de l'homme. »

Michèle Alliot-Marie reprend la parole : « La modernisation de la vie politique est un problème plus vaste que les micro-textes du gouvernement… »

Le député d'Indre-et-Loire Philippe Briand précise alors sa position : « Nous ne devons pas donner une image "ringarde". Je pourrai voter oui ou non. Mais il ne faut pas se diviser car ce serait affaiblir le chef de l'État. Si on vote contre, il nous faudrait des arguments simples pour que nous soyons compris des Français. »

Compte tenu de ces divisions et incertitudes sur le vote des députés RPR, le bureau décide qu'au Congrès, je serai l'orateur du groupe sur le CSM.

Dès la fin de la réunion, je confirme à Chirac, par téléphone, que le vote des trois cinquièmes n'est toujours pas acquis, qu'il serait souhaitable de ne pas prendre le risque d'un échec dont il serait tenu pour responsable, dans la mesure il serait dû à la défaillance de nombre de députés de l'opposition et notamment du RPR. Vers midi et demi, j'apprends que Giscard posera une question d'actualité l'après-midi en faveur du report. Je préviens l'Élysée. Finalement et heureusement, à la suite d'une réunion restreinte à l'Élysée en fin d'après-midi, Chirac décide de surseoir à la réunion du Congrès.

Peu après, Patrick Ollier, par une dépêche de l'Agence France-Presse, salue une victoire de Michèle

Alliot-Marie. On n'est jamais mieux mis en valeur que par son propre compagnon.

19 janvier

Scène de la vie parlementaire.

Vers 14 h 55, juste avant le début de la séance des questions d'actualité, Lionel Jospin est assis sur une banquette de velours rouge de la salle de Bronze, à gauche du bas-relief. Il lit une note. Édouard Balladur rejoint l'hémicycle. Leurs regards se croisent, Lionel Jospin hésite un instant, se lève, très courtois : « Bonjour, monsieur le Premier ministre. » Édouard Balladur lui répond sur le même ton cérémonieux : « Bonjour, monsieur le Premier ministre. » Ils ne se serrent pas la main. Rencontre de deux personnalités aussi chaleureuses l'une que l'autre !

Lors des questions au gouvernement, j'interroge au nom du RPR le Premier ministre, après la décision de report du Congrès. Sachant que les socialistes vont reprocher à Chirac cette décision, il me faut montrer qu'elle n'est pas due à une volte-face du président de la République, mais à la responsabilité du gouvernement qui n'a pas voulu ou su dialoguer avec les députés ni entendu notre vœu d'améliorer le texte du gouvernement.

Je dois aussi, pour devancer les critiques de l'opposition, marquer notre volonté persistante d'une vraie réforme de la justice, rappeler qu'elle a été souhaitée par le chef de l'État. Elle est espérée par les Français qui portent un jugement négatif sur son fonctionnement actuel. Mais surtout, il importe de ne pas être agressif dans la forme pour ne pas brouiller notre message politique.

25 janvier

Tenace et acide, Balladur me demande quand la réforme de la justice sera inscrite à l'ordre du jour de l'Assemblée. Il prévient qu'il redépose ses amendements. Il insiste sur l'opportunité de procéder à une vraie réforme de la procédure pénale.

Il esquisse une rapide moue de satisfaction lorsque le Bureau accepte, à ma demande, que sa proposition de loi sur l'épargne salariale soit présentée au nom de l'ensemble du groupe RPR.

Nuit du 25 au 26 janvier

Séance sur le projet de loi relatif à la parité entre hommes et femmes. Présent dans l'hémicycle, j'insiste auprès de Nicole Catala, présidente de séance, pour que l'examen de ce projet soit achevé cette nuit même. Il est adopté à main levée, à 2 heures du matin.

Je ne comprends pas pourquoi les socialistes n'ont pas demandé un scrutin solennel – et donc nominatif – pour le mardi suivant, comme c'est le plus souvent la règle pour les textes importants. Sans cette adoption nocturne avec une quinzaine de députés pour la plupart favorables au texte, la réunion du groupe le mardi suivant aurait pu encore remettre en cause le vote favorable du RPR.

J'ai dû me démener pour forcer un peu la main de nombre de mes collègues, dont beaucoup étaient récalcitrants. Et il suffisait d'un rien, comme l'adoption de l'amendement qui abaissait l'application de la parité aux communes de 3 500 à 2 000 habitants, pour remettre le feu aux poudres.

Il y a quelques mois, alors qu'il était encore président du RPR, Philippe Séguin reçoit rue de Lille un député du Limousin, volontiers contestataire et connu pour son verbe provocateur : « Pas question de voter la parité, quelle connerie… Et de toute façon, les femmes ne veulent pas être sur les listes ! » C'en était trop, à ces mots, Séguin s'emporte et pour être bien compris, reste sur le même registre : « Ça suffit tes conneries ! Tu as trouvé des cons la dernière fois, eh bien tu trouveras des connes la prochaine fois ! »

Peu après, ce même député est venu me voir, m'a raconté son entrevue avec Séguin et m'a lancé dans ce même langage : « Vous allez en finir avec vos conneries à la con, j'en ai ras le bol. » J'ai tenté de le convaincre qu'il faisait fausse route, mais il n'a pas voté le texte [1].

29 janvier

Comité politique du RPR, ouvert à la presse. Peu de députés sont présents. Arrivé peu avant le déjeuner, on me rapporte la séance du matin. Avant une intervention

1. La loi relative à l'égal accès des femmes et des hommes aux mandats électoraux et aux fonctions électives, dite « loi parité hommes-femmes », sera définitivement adoptée le 6 juin 2000.

sans grand relief de Michèle Alliot-Marie, Alain Juppé a rappelé le devoir de fidélité à Jacques Chirac. Dans le même état d'esprit, j'insiste sur le « soutien politique au président de la République, avant même la fidélité de l'affection ».

1er février

J'ai appris qu'Alain Juppé multiplie depuis un certain temps les contacts avec les députés et songe à reprendre toute sa place dans la vie politique. Beaucoup l'encouragent, tout en se demandant, *in petto*, si un jour Juppé aura l'art et la manière de séduire, de conquérir et de mobiliser. En politique, l'intelligence des choses n'est pas suffisante.

2 février

Mondanités parlementaires. Dîner offert par Laurent Fabius au bureau du groupe à l'hôtel de Lassay. Il sait recevoir, être aimable, mais il paraît las de tout.

Ce grand bourgeois, qui avait vainement tenté de s'échapper vers le FMI en décembre 1999, semble mourir d'ennui à la présidence de l'Assemblée nationale. Certes, il parle de « nos collègues », mais comment le croire vraiment ? Sommes-nous des « collègues » pour lui ?

Sans trop d'espoir, Laurent Fabius tente de lancer un sujet de conversation sur l'importance des nouvelles technologies. Bien vite, devant les silences, il change de registre et opte, plus classiquement, pour les vins de

Bordeaux, ce qui ne semble guère intéresser Michèle Alliot-Marie. Avant le dessert, délicieux, l'ennui a envahi toute la tablée, à commencer par notre hôte.

Tout au long de ce dîner, je me suis amusé à rechercher les ressemblances entre Juppé et Fabius. Deux intelligences évidentes, brillantes, une semblable urbanité, plus évidente chez Fabius que chez Juppé, un même ego, un identique détachement à l'égard des autres, un égal visage qui n'exprime que peu d'émotions, plus exactement un même réflexe à cacher ses sentiments derrière le paravent de l'indifférence. Un semblable refus de percevoir l'image négative qu'ils diffusent d'eux-mêmes.

8 février

Le projet de loi sur la présomption d'innocence qui doit être examiné le lendemain en deuxième lecture fait l'objet d'un nouveau débat au bureau. Patrick Devedjian, l'orateur du groupe, plaide pour une « abstention positive ».

Henri Cuq, député des Yvelines, demande « ce qu'il advient de la présence de l'avocat dès la première heure de garde à vue ». Je lui réponds que c'est une question essentielle sur laquelle il convient de ne pas céder : « Il faut pouvoir se défendre avec l'assistance d'un avocat dès le début de la garde à vue, j'entends les arguments de la police, mais quand on prive quelqu'un de liberté, il doit pouvoir se défendre. » J'ajoute : « C'est d'ailleurs l'intérêt de la police, elle sera moins mise en cause. »

« Cela aboutira à rendre la détention préventive plus difficile », précise René André, député de la Manche.

Patrick Devedjian affirme que « le texte comporte des avancées pour la défense des individus, mais est nuisible pour les procédures de défense de la société ».

Répondant à René André, je précise que « le problème n'est pas d'abord, ni seulement, celui de la mise en détention préventive mais trop souvent aussi celui de la durée de cette détention ».

Bernard Accoyer, député de Haute-Savoie, demande quels sont les arguments en faveur de l'abstention. Et que se passera-t-il pour la petite délinquance ?

Alain Juppé entend « remettre les choses en place ». Il rappelle que « la protection des libertés individuelles est au cœur de notre projet. Le vrai problème se situe en aval, si les petits délinquants ne vont pas en prison, où iront-ils ? Voilà une vraie question à laquelle nous devons répondre ». Dominique Perben, député de Saône-et-Loire, lui rétorque : « Il ne faut pas chercher dans la justice les solutions aux problèmes des banlieues. Ne nous trompons pas de sujet. Soyons les hérauts de la société moderne. »

Michèle Alliot-Marie conclut ce débat en indiquant qu'« un problème de tactique se pose. L'abstention est la sagesse. Mais dans ce projet de loi, il y a des manques qu'il faut combler par des propositions ».

23 février

En réunion de groupe, Michèle Alliot-Marie ne souhaite pas parler de la nouvelle équipe qu'elle est en train de constituer rue de Lille. Mais à la fin de nos travaux – après un échange assez vif entre Jean-Michel Dubernard, député du Rhône, et moi, qui regrette le peu de députés intéressés par les débats sur la bio-éthique – Michèle Alliot-Marie reprend la parole et propose de préparer tous les deux ou trois mois un « coup d'hémicycle ». La veille, la majorité s'était divisée en séance et l'opposition avait frôlé la victoire, à deux voix seulement, sur les conditions d'exercice du droit de chasse…

29 février

En réunion du bureau du groupe, Balladur en aparté, mais audible par tous, annonce à Sarkozy la nomination de Maurice Ulrich au Conseil constitutionnel. Très proche de Chirac, dont il a été directeur de cabinet à Matignon de 1986 à 1988, Ulrich est depuis le 18 avril 1993 sénateur de Paris. Réponse prompte de Sarkozy : « On sera débarrassés. »

Mais fausse joie : l'information s'avère inexacte.

14 mars

Michèle Alliot-Marie commente les résultats après le premier tour de trois élections législatives partielles. Elle constate que « nous n'avons pas fait de mauvais résultats ». « Et à Paris que va-t-il se passer ? » lance Jacques Godfrain. « Le problème, c'est la médiatisation », rétorque Michèle Alliot-Marie pour éviter de répondre sur l'affrontement entre Tiberi et Séguin aux municipales parisiennes. « Tout ne sera pas résolu rapidement… Il ne faut pas s'essuyer les pieds sur Jean Tiberi… Qui choisissons-nous ? Voilà la seule question », déclare Nicolas Sarkozy. Il ajoute, suscitant des sourires : « Je demande le silence vis-à-vis de la presse. »

7 mai

Réunion entre Michèle Alliot-Marie, Josselin de Rohan, président du groupe RPR au Sénat, et moi. Alliot-Marie présente son projet de discours pour les assises de juin, centré sur les « classes moyennes ».

Reste à savoir ce que sont les classes moyennes et si une approche par classe sociale est bien dans la tradition gaulliste.

11 mai

Le débat sur le quinquennat est relancé avec le dépôt d'une proposition de loi par Giscard cosignée par Douste-Blazy, Alain Madelin, José Rossi et qui, dit-on, pourrait l'être aussi par Édouard Balladur… Dans l'exposé des motifs, les auteurs écrivent : « Compatible avec la conception que l'on pouvait avoir du rôle du chef de l'État sous les régimes précédents, ayant aidé aussi à la mise en place et à l'affermissement des institutions nouvelles, la règle du septennat ne correspond plus au rôle que le président de la République joue dans la définition des orientations générales de la politique nationale.

« Les événements et leur évolution doivent permettre désormais aux Français de se prononcer sur ces orientations à intervalles plus fréquents. Aussi est-il souhaitable de ramener le mandat présidentiel à l'avenir à cinq ans, sans pour autant lier la date des élections présidentielles à la date des élections à l'Assemblée nationale, ce qui remettrait en cause l'esprit même des institutions et l'équilibre des pouvoirs publics.

« Enfin, dans le souci d'assurer un renouvellement régulier des hauts responsables de notre pays, il convient de limiter à deux le nombre de mandats successifs qui peuvent être exercés en tant que président de la République. »

Je veille à dissuader de possibles nouvelles signatures. La presse parle de celle d'Alain Juppé, qui, bien vite, dément formellement. De toute façon, l'influence de Giscard ou de Balladur sur les députés RPR est singulièrement faible.

Robert Pandraud, député de Seine-Saint-Denis, surpris, ironique et peut-être déçu – mais sa personnalité est parfois difficile à déchiffrer – me demande : « Alors, on n'a pas le droit de signer la PPL de Giscard ? »

15 mai

Réunion de travail sur le quinquennat à l'Élysée. Autour du président de la République, le secrétaire général, le directeur de cabinet, Maurice Ulrich et Henri Cuq. Chirac est clair : « Je relance le dossier mercredi matin avec le Premier ministre. Je veux le projet "sec" : cinq ans, c'est tout. Je n'agirai pas sous la pression. Il faut au moins un mois de débat. Si demain, pendant la séance des questions au gouvernement, le Premier ministre sort de l'épure de notre accord, on verra bien… »

Dans *Le Parisien* du jour, François Fillon se prononce pour une présidentialisation de la Ve République et préconise que la question du quinquennat soit tranchée par référendum : « Il devra être accompagné d'aménagements de l'actuelle Constitution. » Il ajoute : « Lesquels ? D'abord, le renforcement du rôle du Parlement… Ensuite, une nouvelle définition du rôle du Premier ministre dont l'action sera beaucoup plus effacée. Personnellement, je crois qu'il faudra, tôt ou tard, supprimer cette fonction… La Ve République est morte en 1986 lorsque nous avons accepté la cohabitation. Depuis, la pratique de la Constitution a été dévoyée… Je rappelle aux gaullistes que la seule idée de la cohabitation aurait provoqué, au minimum, le fou rire et, plus sûrement, la colère du général. »

Chirac m'indique qu'il a eu un échange téléphonique un peu vif avec Fillon au sujet de ses déclarations. Il les a peu appréciées.

16 mai

À l'ordre du jour de nos débats, la réforme de la durée du mandat présidentiel.

Ce projet de réduction de sept à cinq ans est une initiative du président Pompidou. Il fut adopté par l'Assemblée nationale puis par le Sénat en 1973. Mais la majorité des trois cinquièmes n'étant pas assurée,

240

Georges Pompidou préféra renoncer à convoquer le Congrès pour réformer la Constitution.

François Mitterrand reprit l'idée d'une modification de la durée du mandat présidentiel, pour le réduire à cinq ans. Lors de sa campagne de 1981, son programme comportait cent dix propositions dont la quarante-cinquième était ainsi rédigée : « Le mandat présidentiel sera ramené à cinq ans, renouvelable une fois, ou limité à sept ans sans possibilité d'être renouvelé. »

Tenant compte de la situation engendrée par la première cohabitation (1986-1988), Mitterrand, pour enterrer cette réforme, crée la commission Vedel le 2 décembre 1992, chargée de proposer des réformes de nos institutions.

En ce qui concerne la durée du mandat du chef de l'État, le rapport de la commission Vedel, rendu en 1993, évoque parmi d'autres hypothèses, sans être très explicite, le quinquennat. Cela permet à Mitterrand d'oublier son engagement électoral.

Lors du débat de l'entre-deux-tours de la présidentielle de 1995, Lionel Jospin se dit à son tour favorable au quinquennat, tandis que Jacques Chirac, qui l'emportera, ne s'aventure pas sur ce sujet.

La question réapparaît à l'occasion de la deuxième cohabitation (1993-1995), puis de la troisième (1997-2002).

Lors de son entretien télévisé du 14 juillet 1999, Jacques Chirac se prononce contre : « Le quinquennat serait une erreur, et donc je ne l'approuverai pas. » En fait, cette réponse vise surtout l'hypothèse de la coïncidence temporelle avec le mandat parlementaire. Il semble aussi que le président craigne d'être dans l'obligation d'approuver une réforme qui écourterait son premier mandat.

C'est la raison pour laquelle l'ancien président Valéry Giscard d'Estaing propose d'instaurer le quinquennat par la voie parlementaire et non par la voie du référendum.

En mai 2000, en vue de la prochaine présidentielle, Jacques Chirac, pour avoir le bénéfice de cette réforme, sachant qu'il trouvera l'appui implicite du Premier ministre Lionel Jospin qui s'est engagé dans le même sens lors de la campagne législative précédente, la fait sienne.

Ce 16 mai, les membres de notre bureau débattent donc du quinquennat.

« Nos responsables ont évolué sur cette question, observe Alain Juppé. Le temps politique a changé… le risque de cohabitation existe. Faut-il compliquer le débat avec la question de la présidentialisation des institutions ? Dans le contexte actuel, non… Je ne signerai pas la proposition de Giscard qui veut court-circuiter le président de la République. » Il précise ne pas avoir d'avis sur le calendrier.

Édouard Balladur indique qu'il est « partisan depuis longtemps du quinquennat et d'un régime présidentiel. Le président de la République ne perd pas ses pouvoirs s'il perd sa majorité à l'Assemblée… ». Il trouve que le recours à une proposition de loi pour cette réforme comme le souhaite Valéry Giscard d'Estaing n'est pas « convenable ». Cela entraîne une « compétence liée du président de la République ». Édouard Balladur se rallierait à un projet de loi.

En ce qui concerne le calendrier de la réforme, Balladur se demande « pourquoi attendre ». Et recommande de « ne pas donner l'impression de ne pas faire cette réforme volontiers ». Il s'interroge, sans donner de réponse, pour savoir s'il faut utiliser exclusivement la voie parlementaire ou organiser un référendum, comme le prévoit l'article 89 de la Constitution.

Henri Cuq, député des Yvelines, redoute, si on ouvre le débat sur la présidentialisation, que ce soit « la cacophonie ».

Pour Éric Raoult, député de Seine-Saint-Denis, il convient de « laisser le Premier ministre et le président de la République préparer le projet de loi, en attendant il est inutile de débattre plus avant ».

Philippe Briand, député d'Indre-et-Loire, recommande que le groupe n'apparaisse pas divisé sur un tel sujet et d'attendre l'« initiative du président de la République ».

Pour Jacques Godfrain, « la proposition de loi de Giscard est indigente, il faut réfléchir aux pouvoirs du Premier ministre ». Cette dernière affirmation suscite des réactions de désapprobation de la part de plusieurs membres du bureau.

Michèle Alliot-Marie : « L'équilibre des institutions ne doit pas aujourd'hui être modifié, mais le temps "cinq ans" n'est plus adapté au monde moderne. Toutefois, la proposition de loi de Giscard dessaisit le président de la République sur l'opportunité de cette réforme. Attention aux amendements qui pourront être déposés et à ne pas jumeler l'élection présidentielle avec une autre élection. »

La présidente du RPR souhaite harmoniser les positions du groupe avec celles du mouvement et nous informe qu'elle a chargé François Baroin, député de l'Aube, d'animer un groupe de travail sur cette question. Ses conclusions seront connues dans deux ou trois semaines.

François Fillon, député de la Sarthe, indique que « le quinquennat est une avancée. Je suis prêt, précise-t-il, à mettre mon mouchoir sur ma conviction en faveur d'un régime présidentiel ».

Lors des questions d'actualité, trop heureux de mettre Jacques Chirac en contradiction avec lui-même, Valéry Giscard d'Estaing, s'adressant à Lionel Jospin, déclare sous les applaudissements des députés UDF et les rires des socialistes, des radicaux et des communistes : « Vous avez pris connaissance de la proposition de loi constitutionnelle déposée par un certain nombre de mes collègues et par moi-même, visant à ramener de sept à cinq ans la durée du mandat présidentiel et à limiter à deux le nombre de mandats successifs que pourrait exercer un président de la République.

« Pourquoi maintenant ? Pourquoi la voie parlementaire ? Maintenant parce qu'il était difficile de le faire plus tôt car se posait alors l'irritante question de savoir si le président de la République devait se l'appliquer à lui-même – d'autant que cette question était moins irritante pour nos collègues que pour le président de la République…

« Ce choix tient à plusieurs raisons.

« D'abord, seule cette voie est ouverte, car l'autre voie prévue par l'article 89 de la Constitution nécessite une initiative du président de la République sur proposition du Premier ministre.

« Or le président de la République avait exprimé publiquement son hostilité au quinquennat sous toutes ses formes et, en période de cohabitation, il était difficile au Premier ministre de présenter une proposition contraire à la position prise par le président de la République… »

24 mai

Tristes scènes de la vie parlementaire. Élection de sept députés au comité politique pour treize candidats. Arrivé bon dernier, Jacques Baumel raconte aux journalistes – sceptiques – que le scrutin n'a pas été organisé dans la transparence.

Compagnon de la Libération, grand résistant au sein du mouvement Combat, il siégea à l'Assemblée consultative provisoire. Élu en 1945, battu en 1946, Jacques Baumel réapparut au Sénat de 1959 à 1967, avant de revenir à l'Assemblée en 1967. Il a été une personnalité marquante du mouvement gaulliste.

Dans la salle des Conférences, à côté de l'hémicycle, un de nos anciens élus parisiens, député de 1961 à 1988, qui a quitté l'Assemblée depuis plus de dix ans, continue à hanter les lieux. De moins en moins de parlementaires le connaissent. Chaque jour ou presque, il s'installe à une table et tue le temps en faisant des mots croisés. Devant lui, il pose soigneusement deux portables qui, l'un comme l'autre, se refusent à sonner.

Chaque fois que je l'aperçois, un souvenir remonte à ma mémoire. C'était en 1986, à la suite de ma première élection comme député. Allant déjeuner au restaurant de l'Assemblée je m'assois à la première table libre. Un maître d'hôtel me demande d'en changer.

– Pourquoi ? lui dis-je.

– C'est la table du ministre, me répond-il.

– Quel ministre ?

– Je ne connais pas son nom, je suis un nouveau. C'est un ancien ministre et il veut toujours la même table.

J'obtempère et peu après je vois arriver un personnage, visiblement d'un âge certain, mais dont le visage ne me dit rien. Quelques jours plus tard, revenu au restaurant, je m'assois volontairement à la « table du ministre ». Lorsqu'il arrive, il me demande de choisir une autre table, je refuse.

– Qui êtes-vous ? me demande-t-il sur un ton courroucé.

– Jean-Louis Debré, député de l'Eure… Et vous ?

– Je suis ancien ministre…

Et sans lui laisser le temps de décliner son identité, je lui précise qu'« en politique, il est préférable d'être un futur ministre plutôt qu'un ancien ministre ». Stupéfait, il va s'asseoir à une autre table, sous le regard amusé des maîtres d'hôtel, qui manifestement ont du mal à supporter ses caprices.

Plus tard, j'ai appris qu'il fut secrétaire d'État pendant quelques mois sous la IVe République et que depuis lors, plusieurs fois par semaine, il profitait du restaurant du Palais-Bourbon.

30 mai

Au bureau du groupe, l'examen de l'ordre du jour des travaux parlementaires n'a pas suscité de longs débats. Vers 11 h 45, la réunion du bureau est terminée. Les sujets qui fâchent, comme le quinquennat ou les municipales à Paris, ont été soigneusement évités.

Le RPR, qui réunit ses assises le 17 juin suivant, a malencontreusement choisi le même slogan que Bertrand Delanoë, candidat socialiste à la mairie de Paris. Non content de ce pas de clerc, le RPR en rajoute en allant le claironner sur tous les toits, comme s'il fallait souligner l'indigence qui conduit le RPR et le PS à partager un slogan identique : « Changer d'ère ».

6 juin

Chirac a finalement décidé d'appeler les Français à approuver le projet de loi visant à réduire le mandat présidentiel. Ce texte diffère de la proposition déposée par Valéry Giscard d'Estaing qui prônait un quinquennat renouvelable une seule fois.

Conformément à l'article 89, Jacques Chirac, en accord avec le Premier ministre Lionel Jospin, a recours à un projet de loi. Après l'adoption du texte en termes identiques par l'Assemblée nationale et le Sénat, dès la première lecture, un référendum aura lieu à l'automne.

Jacques Chirac a privilégié la consultation directe du peuple français plutôt que le vote à la majorité des trois cinquièmes du Parlement réuni en Congrès à Versailles.

Au début de la réunion du bureau, Édouard Balladur demande malicieusement ce qu'il en est du choix entre le référendum et le Congrès pour la réforme du quinquennat. Alain Juppé et Michèle Alliot-Marie sont pour le recours au référendum.

Nicolas Sarkozy, toujours perfide : « Attention à un deuxième changement d'avis du président de la République. »

Jérôme Monod a rendez-vous avec moi à 18 heures. Il arrive à 17 h 55, une voiture de la présidence de la République le dépose dans la cour d'honneur du Palais-Bourbon, devant les marches de l'entrée du groupe RPR.

Son autorité, son énergie tiennent dans sa poignée de main et son regard bleu de glace. En un instant, froidement, il vous jauge, vous juge, sans beaucoup de bienveillance sans doute. Ou bien vous obéissez, ou bien vous ne comptez plus. Il ne fait pas de sentiment. Notre entretien dure environ trois quarts d'heure.

Ce n'est pas une prise de contact. Il a été un collaborateur de mon père à Matignon, puis directeur du cabinet de Chirac lorsqu'il était Premier ministre de Giscard.

Depuis son arrivée à l'Élysée il y a quelques jours, Jérôme Monod tient le même discours à ses nombreux interlocuteurs, que ce soit de vive voix ou par petites notes : « Sur les conseils du président, voyons-nous bientôt. Je n'ai d'autre souci que d'aider Chirac. »

Il évoque la situation du RPR, l'union de l'opposition et la nécessité d'une grande formation unique pour soutenir Chirac en vue de sa réélection. Il me fait un numéro de charme, tant il me sait prudent sur un tel projet.

Ma réponse est simple : « Une formation unique de la droite et du centre ne peut durer, compte tenu du mode de scrutin et de ses conséquences politiques sur les partis, des caractéristiques politiques françaises. On peut présenter l'union comme un slogan, politiquement c'est aujourd'hui nécessaire, mais ne nous faisons pas d'illusions. Et puis, cette union, cette formation unique de l'opposition, cela risque d'être un moyen pour empêcher Chirac de se représenter en 2002.

« Elle permettra aux Sarkozy, Pasqua, Balladur, Madelin, Bayrou… et autres centristes de prendre leur revanche, ce sera le "cartel des non" à Chirac, une machine contre lui, qui finira par exploser à la première crise, étalant un peu plus nos divisions… Ou Chirac s'impose en 2002 et alors il sera élu. Dans le cas contraire, les forces de la discorde s'exprimeront car aucune personnalité ne s'impose à droite et ce n'est pas cette formation unique qui empêchera sa défaite.

« Jamais personne à droite n'a fait l'unanimité, pas même le général de Gaulle. En 1965, il a dû affronter Lecanuet, cela n'a pas empêché sa réélection, pas plus que Poher pour Pompidou en 1969. Pour le deuxième tour, ils avaient une réserve de voix… Mitterrand a été réélu en 1988 en ayant contre lui à gauche un communiste et un vert. Le plus important aujourd'hui est qu'à l'intérieur du RPR, Chirac retrouve une autorité qui s'est considérablement effritée, que sa politique soit plus lisible et mieux expliquée. Si les Français considèrent que son septennat a été positif et qu'il s'est bien sorti de la cohabitation avec Jospin, alors il sera réélu. Et il faut arrêter ce désespérant "bal des prétendants"… »

Jérôme Monod a la politesse de m'écouter.

27 juin

Dîner autour de Chirac rassemblant députés et sénateurs de l'opposition. J'ai choisi le restaurant qui se
trouve au dernier étage de la Samaritaine. En cette soirée d'été, le ciel est immaculé, la vue est magnifique
sur la Seine. Le cadre a de l'allure sans être luxueux, et
j'espère qu'il sera propice à une rencontre sereine. Je
tente à ma manière de faire progresser l'idée de l'union
autour de Chirac, d'accréditer sa volonté de se représenter en 2002.

Difficile début de soirée pour éviter que le maire de
Paris, Jean Tiberi, ne croise le prétendant à sa succession, Philippe Séguin, et qu'un drame ne vienne perturber la rencontre.

Pas de journalistes, le dîner est à huis clos. Mais on
ne peut empêcher que certains attendent dans la rue
l'arrivée des parlementaires. L'un d'entre eux demande
à Séguin ce qu'il attend de ce repas. Philippe Séguin,
toujours acide, grincheux, critique, rarement dans le
positif, réplique : « Une entrée, un plat de résistance et
un dessert. »

La soirée se déroule bien. Chirac, qui arrive de
Berlin, reste un peu plus d'une heure, serre chaleureusement les mains des parlementaires, prend la parole
au moment de l'apéritif, dit sa reconnaissance aux
députés et sénateurs pour leur action, évoque la nécessité de l'union de l'opposition...

Il est applaudi, mais beaucoup des élus présents
peinent à croire qu'il pourrait l'emporter contre Jospin
dans moins de deux ans. Certains considèrent même, et
le disent à mi-voix, que le problème n'est pas l'union,
mais de choisir un bon candidat.

24 septembre

En pleine cohabitation sous le gouvernement Jospin, le peuple français est consulté sur l'instauration du quinquennat, à l'initiative de Jacques Chirac. Il est adopté à une large majorité (73,21 % des suffrages exprimés), dans un contexte de forte abstention (69,81 %). Je l'ai dit à Jacques Chirac, je ne peux approuver cette réforme. Elle introduira une instabilité à la tête de l'État, là où nous avons besoin pour agir de stabilité.

28 et 29 septembre

Journées parlementaires au Croisic.

« (…) Les Français ne croient plus vraiment dans le gouvernement, ils ne croient pas encore dans l'opposition. L'opinion peut donc, dans les deux ans qui viennent, évoluer dans un sens ou dans l'autre : se tourner vers nous si nous savons la convaincre, ou reconduire Jospin par défaut d'alternative. » Tel est l'avertissement que je lance à mes collègues. Et je précise : « C'est dire combien notre responsabilité est grande et combien nous devons mesurer – tous autant que nous sommes – la portée de nos propos, de nos initiatives, de nos actes. Que la diversité de nos familles, de nos sensibilités soit enfin une richesse, cela ne dépend pas des structures – qui ont bon dos ! –, cela dépend de notre état d'esprit. »

Le microcosme politique, et en particulier celui de l'opposition, commence à frissonner dans la perspective de la présidentielle. Les armes se préparent au cas où Chirac ne briguerait pas un second mandat. Certains l'espèrent et y travaillent. Dès lors, ce ne serait pas le vide mais le trop-plein : Séguin, Sarkozy, Alliot-Marie, voudront se disputer la succession de Chirac… Et ce serait la chance de Jospin.

Ces journées parlementaires sont marquées par les déclarations de Jean Tiberi contre Philippe Séguin, absent justement parce que Tiberi est là. Séguin a été investi par le RPR, l'UDF et DL pour briguer la mairie de Paris. Tiberi est toujours membre du groupe RPR mais suspendu du mouvement. Situation compliquée à gérer, d'autant que certains amis de Séguin reprochent à Michèle Alliot-Marie de ménager un peu trop Tiberi. Ils y voient une volonté de Chirac.

Dès son arrivée, Jean Tiberi déclare aux journalistes, évoquant Séguin : « Je crois qu'il est ancien maire d'Épinal, une ville qu'il a abandonnée, qu'il a gérée avec un endettement considérable alors que nous, à Paris, on a diminué les impôts et l'endettement. » Et comme si ce n'était pas suffisant, il qualifie Séguin de « parachuté », quelqu'un, ajoute-t-il, « qui a été président du RPR et qui en pleine guerre a abandonné le RPR, qui a exigé la tête de liste aux européennes et qui a ainsi empêché l'union avec l'UDF et qui, au dernier moment, s'en va. Je crois qu'il est mal placé pour donner des leçons ».

Le climat tempéré de Bretagne ne souffle pas sur nos journées parlementaires qui ont pour thème l'environnement et cela d'autant moins que Chirac m'a demandé d'inviter à s'exprimer, devant les députés et sénateurs, la jeune Nathalie Kosciusko-Morizet, en tant que spécialiste de ces questions.

Je lui donne la parole au début de la séance consacrée à ce thème. La salle est bien loin d'être comble.
Dehors, Xavière Tiberi, tout à ses excentricités, attire
plus de curiosité et de journalistes.

L'exposé de Nathalie Kosciusko-Morizet est brillant
et intéressant. Mais elle ne se rend pas compte qu'elle
semble sous-entendre fortement que les députés et
sénateurs présents n'y connaissent pas grand-chose.
Naturellement, certains d'entre eux me manifestent,
par des regards et haussements d'épaules, leur agacement aux propos péremptoires de cette donneuse de
leçons.

Elle ne perçoit pas que les députés ou sénateurs,
lassés de cet interminable cours magistral, quittent la
salle, exaspérés. Après deux rappels discrets mais
restés vains, je suis contraint de l'interrompre un peu
rudement.

3 octobre

Ce bureau débute par un incident avec Sarkozy et
une grosse colère de sa part.

Tout a en réalité commencé en juin 1997. Philippe
Séguin est alors président du groupe et président du
RPR, Nicolas Sarkozy secrétaire général du mouvement. Compte tenu de cette particularité, il siège au
bureau du groupe. Seul en principe le président du
parti y assiste de droit.

En juin 2000, lors du renouvellement des membres
du bureau, je décide de revenir à une application stricte
des statuts qui font du président du RPR et de lui seul
un membre de droit. J'indique alors à Nicolas Sarkozy

que, s'il souhaite en faire partie, n'étant plus ni secrétaire général ni président par intérim depuis l'élection de Michèle Alliot-Marie, il devra comme tout un chacun se présenter aux élections qui ont lieu, comme chaque année, en fin de session avant les vacances d'été. Il ne se présente pas aux suffrages de ses compagnons députés (on peut penser qu'il estimait être au-dessus de ces procédures) et naturellement j'en tire les conséquences : il ne siégera plus au bureau du groupe.

La liste du nouveau bureau diffusée en juillet 2000 ne mentionne pas son nom, ni naturellement parmi les membres élus ni parmi les membres de droit. Tout est clair : il ne sera plus convoqué à partir de la rentrée aux réunions du bureau du mardi matin.

La première réunion se tient à l'Assemblée ce 3 octobre à 11 heures.

Nicolas Sarkozy tente alors un coup de force dans l'espoir de me mettre devant le fait accompli ; il se présente, comme si de rien n'était, à l'entrée de la salle où nous nous réunissons. Je lui rappelle qu'il ne fait plus partie du bureau et refuse qu'il rejoigne les autres membres. Nous débutons notre réunion sans lui.

Dans le couloir, Nicolas Sarkozy entre dans une violente colère et, pointant son doigt vers le collaborateur du groupe, crie : « Dites à Debré que je m'en souviendrai ! » Il ajoute : « Je n'oublierai pas ! » Cette scène se déroule sous le regard, pas plus vif que d'habitude, de Frédéric Lefebvre, son fidèle collaborateur. Sarkozy obtempère… et s'en va furieux.

Après la réunion, je m'assure que Marie-Paule, la collaboratrice chargée des convocations, ne l'a pas convoqué par mégarde… Aucune erreur n'a été commise. Il est possible que le secrétariat de Nicolas

Sarkozy ait inscrit sur son emploi du temps, par habitude, le bureau du groupe. Peut-être a-t-il voulu, ce qui lui ressemble bien, s'imposer par la manière forte.

Quelques jours après cet incident, je le croise dans la cour du Palais-Bourbon. J'ai droit à une nouvelle colère menaçante : « Tu m'as humilié, tu me le payeras très cher. Je ne l'oublierai jamais. » Et il s'éloigne avec la démarche d'un petit caïd. Cela ne m'inquiète pas outre mesure. Je suis habitué à sa façon d'agir, et je sais qu'il est essentiel de ne jamais céder à ses menaces. Il n'a jamais osé revenir au bureau.

Après cet incident, les autres membres n'ont pas bougé. Ils n'ont rien dit et m'ont laissé faire. Nous examinons le projet de loi relatif à la contraception d'urgence. J'indique que le RPR ne déposera pas de motion de procédure à ce sujet. Je précise que les députés de Démocratie libérale ont décidé de s'abstenir et que l'UDF a laissé la liberté de vote à ses représentants. Seule Christine Boutin, à titre personnel, soutiendra une motion de renvoi en commission. Quant à moi, je fais savoir que je voterai pour le projet de loi.

10 octobre

Réunion exceptionnelle du groupe. Jacques Chirac peut-il être entendu par la justice avant la fin de son mandat ? Cette question, relancée par l'affaire Méry sur le financement occulte du RPR, concerne le statut pénal du président de la République.

Le principe de l'immunité du chef de l'État pour des actes commis durant son mandat résulte de l'article 68 de la Constitution de la Ve République : « Le président de la République n'est responsable des actes accomplis dans l'exercice de ses fonctions qu'en cas de haute trahison. Il ne peut être mis en accusation que par les deux assemblées statuant par un vote identique au scrutin public et à la majorité absolue des membres les composant ; il est jugé par la Haute Cour de justice. » En revanche, la Constitution ne dit rien sur les actes remontant à une période antérieure à son entrée en fonctions, ni sur les crimes et délits qu'il pourrait avoir commis dans sa vie privée.

L'article 68 de la Constitution n'a jamais été explicité clairement par le Conseil constitutionnel avant le 22 janvier 1999. Saisi du traité relatif à la Cour pénale internationale, le Conseil en avait profité pour instituer une forme d'immunité pendant la durée du mandat présidentiel, quels que soient les crimes et délits en cause, considérant que « le président de la République, pour les actes accomplis dans l'exercice de ses fonctions et hors des cas de haute trahison, bénéficie d'une immunité ». Toutefois le Conseil constitutionnel avait affirmé que « le statut pénal du président de la République ne confère donc pas une "immunité pénale", mais un privilège de juridiction pendant la durée du mandat. Ainsi est assuré, selon la tradition constitutionnelle française, le respect des principes républicains ».

Confirmée le 15 avril 1999 par le juge chargé de l'enquête sur les emplois fictifs du RPR, qui s'était déclaré « incompétent » pour poursuivre le chef de l'État, la question de l'immunité présidentielle n'a toujours pas été tranchée par la Cour de cassation.

La ministre de la Justice Élisabeth Guigou et le procureur général de la Cour de cassation ont refusé de saisir la Cour sur cette délicate question. Le procureur général estime que le chef de l'État n'est « certainement pas » un justiciable ordinaire : « Sa fonction exige qu'il soit consacré entièrement aux intérêts de la France et qu'il n'ait pas à se préoccuper des détails de la vie quotidienne », a-t-il affirmé le 11 octobre sur Europe 1.

Une autre hypothèse, évoquée ces derniers jours par le président de l'Assemblée nationale Raymond Forni, porte sur la possibilité pour la justice d'entendre le chef de l'État comme « témoin assisté » par un avocat. Mais on ignore si cette procédure, étendue par la loi du 15 juin 2000 sur la présomption d'innocence, peut concerner le président de la République.

Le député Noël Mamère a donc annoncé son intention d'interroger le gouvernement sur cette problématique. Avant la séance des questions d'actualité, j'ai organisé cette réunion exceptionnelle du groupe, pour mettre au point notre attitude face aux probables provocations du député. Le matin même, une réunion s'est tenue dans le bureau de Jacques Chirac pour arrêter notre position. C'est de celle-ci que je veux discuter avec l'ensemble des députés présents.

« Nous avons plusieurs options. Nous quitterons l'hémicycle dignement si Noël Mamère injurie le président de la République. J'ai obtenu que les autres groupes de l'opposition aient la même attitude. Ils en sont d'accord, du moins en principe… S'il ne cite pas le nom de Jacques Chirac et demeure sur le terrain du droit, nous devrons rester… De toute façon, j'ai demandé à Roselyne Bachelot d'intervenir pour poser une question au Premier ministre… Forni a dépassé les bornes, les trois présidents de l'opposition le lui ont fait savoir par lettre déposée à son bureau. »

Alain Juppé demande la teneur de la question de Bachelot. Dominique Perben s'interroge « sur le fondement de l'immunité pour le chef de l'État ». Alain Juppé répond : « Le président n'est pas au-dessus des lois. Il y a la Haute Cour… La protection ne vaut que pour la durée de sa fonction. » Patrick Devedjian précise que « l'arme du délit d'offense au chef de l'État n'est plus utilisée depuis Giscard… Il ne faut pas soumettre le président de la République aux fantaisies des juges ».

18 octobre

J'adresse à Jean Tiberi, à sa demande, les statuts du groupe.

Depuis qu'il s'oppose à lui pour les élections municipales parisiennes, Philippe Séguin a exigé de moi l'exclusion de Tiberi du groupe parlementaire. Ce n'est pas la première fois dans notre histoire qu'une telle situation se présente. La question à laquelle je dois répondre est la suivante : une exclusion du mouvement entraîne-t-elle automatiquement celle du groupe ? À ceux qui m'interrogent ou font pression sur moi pour que je tranche le cas Tiberi, je rappelle la jurisprudence juridique et politique qui est la clé de voûte du groupe, celle de son indépendance vis-à-vis du mouvement. Je précise aux membres du bureau que « je maintiendrai le groupe de l'Assemblée nationale en dehors de ces débats municipaux… » comme je l'ai fait pour les régionales. À chacun sa fonction, à chacun son rôle.

Tous ceux qui, en 1997, ont rejoint le groupe et en respectent les règles peuvent s'y maintenir. Mon rôle n'est pas d'exacerber les querelles. C'est dans cet esprit que le bureau continuera à travailler, laissant au mouvement l'entière responsabilité de l'organisation des élections municipales, dans toutes les villes de France… J'ai été élu pour garantir l'intégrité du groupe, pas pour exclure ».

Naturellement, plusieurs séguinistes patentés me disent qu'ils ne partagent pas ma position. Mais elle a toujours été celle du groupe gaulliste de l'Assemblée nationale, je n'ai pas l'intention de la modifier au gré des humeurs des uns et des autres ou de l'air du temps. D'ailleurs il n'y a pas qu'à Paris que le RPR a des problèmes avec des candidatures dissidentes.

31 octobre

Je propose aux membres du bureau de réfléchir ensemble à la proposition de loi que le groupe RPR déposera le moment venu dans sa « niche » parlementaire.

Bernard Accoyer souhaite que notre proposition aborde un problème de société, mais il insiste pour que les députés du RPR soient unanimes : « Nous ne pouvons pas avoir un porte-parole pour et un autre qui serait contre, cela nuirait à notre visibilité et lisibilité. Attention au jeunisme ou à l'opportunisme qui nous éloignent de nos électeurs. »

Je lui réponds que « je ne veux pas d'un procès en "ringardisme". Notre image lors du Pacs a été mauvaise. Je souhaite que nous ayons une discussion libre et pas de sujets tabous ».

Philippe Briand, député d'Indre-et-Loire, réplique à Accoyer qu'au contraire, il est « bien d'être multiples sur ces sujets de société. Je regrette de ne pas avoir suivi Roselyne sur le Pacs ».

Jacques Godfrain, député de l'Aveyron : « La dépénalisation du cannabis sera le prochain sujet de société… » Il s'attire vite cette réaction d'Accoyer : « Sur les questions de société le monolithisme intellectuel en face de nous est écrasant. Il est désolant d'assister à une mise au pilori systématique de nos idées… Je regrette le suivisme… Sur l'IVG je suis pour proposer une certaine adaptation de la loi Veil. Le nouveau texte du gouvernement est inacceptable. Être contre le texte du gouvernement, ce n'est pas être contre les évolutions… »

28 novembre

Je fais le point sur l'évolution de la proposition de loi concernant la contraception d'urgence, examinée par l'Assemblée nationale le 5 octobre dernier. Françoise de Panafieu s'est alors exprimée au nom du groupe. Le Sénat, avec comme rapporteur Lucien Neuwirth, a étudié la proposition. La commission mixte paritaire a trouvé un accord le 7 novembre.

D'initiative socialiste, cette proposition de loi, qui sera examinée dans le cadre de l'ordre du jour réservé aux groupes parlementaires, vise à compléter la loi du 28 décembre 1967 sur les points suivants : possibilité de délivrer des contraceptifs d'urgence sans prescription médicale en pharmacie ; suppression de l'autorisation parentale pour la prescription par les médecins d'un contraceptif d'urgence aux mineurs ; autorisation de délivrance à titre exceptionnel d'un contraceptif d'urgence par les infirmières scolaires.

Je rappelle notre position arrêtée lors d'une réunion organisée au groupe le 20 septembre dernier. Ce texte ne concerne que les contraceptifs d'urgence et non les pilules abortives. Il ne doit pas traiter de l'allongement de la durée légale de l'IVG, qui devrait faire l'objet d'un projet de loi à part entière et qui a été examiné en Conseil des ministres le 4 octobre. La contraception d'urgence ne doit en aucun cas se substituer à une contraception classique et ne doit être utilisée qu'à titre exceptionnel…

Édouard Balladur souligne le caractère « fumeux et vague » des déclarations de Mgr Lustiger à ce sujet. Il insiste sur le fait que « la société a évolué », nous sommes marqués par l'expérience Pacs.

Bernard Accoyer regrette la méthode du gouvernement pour faire adopter ce texte. Il précise qu'il votera contre la proposition en ce qu'elle lui apparaît comme une réponse inadaptée. Même position de René André. Enfin, Juppé fait part de sa « perplexité » face à ce texte.

5 décembre

J'explique à la tribune le vote du RPR sur le projet de loi relatif à l'IVG. Une règle est essentielle pour nous, la liberté de vote de chaque député quel que soit le sujet abordé. Et sur celui-ci, il n'y a pas unité des élus

RPR. Pour ne favoriser aucun camp, le président de groupe doit s'exprimer et expliquer les positions différentes des membres de son groupe. Je m'en explique à la tribune de l'hémicycle : « À la question posée par ce projet de loi, allonger de dix à douze semaines le délai autorisé pour une IVG, peut-il y avoir une réponse satisfaisante ? Je ne le crois pas. Face au problème douloureux de l'IVG et de la prolongation du délai légal de dix à douze semaines, il n'y a pas une vérité qui s'impose à nous, quelle que soit notre place dans cet hémicycle. J'envie du reste ceux qui, à aucun moment, n'ont été habités par le doute ou les interrogations. L'IVG n'a jamais été une solution de facilité ou de confort. Elle n'est que l'ultime réponse à une situation de détresse souvent vécue dans la solitude et toujours dans le désarroi… Certains adopteront le projet de loi, considérant que même s'il ne répond que partiellement à son objectif, il permettra à de nombreuses femmes, actuellement dans l'illégalité, d'interrompre leur grossesse dans la sécurité. D'autres choisiront l'abstention, estimant qu'elle correspond le mieux, à ce stade de la discussion, aux graves questions qui se posent et auxquelles ce texte n'apporte pas de réponses en l'état. D'autres, enfin, voteront contre le projet de loi tel qu'il a été amendé. Alors que tous les amendements élargissant les interruptions médicales de grossesse ont été rejetés, ils estiment que la solution retenue laisse sans aucun soutien une partie des femmes qui ont dépassé le délai de douze semaines et qu'elle engendre de nouveaux problèmes familiaux, médicaux qui n'ont pas été suffisamment réfléchis.

« Au-delà de ces différences d'appréciation, expression de réflexions personnelles qui méritent toutes le respect, les députés du groupe RPR, au terme de la première lecture, réaffirment tous que la loi Veil ne doit pas et ne peut pas être remise en cause et que la priorité doit être donnée à la contraception et à l'éducation sexuelle des enfants… »

2001

8 janvier

Michèle Alliot-Marie, dans ses vœux aux membres du bureau du groupe, souhaite que cette nouvelle année nous permette de donner une « image de l'amitié et du compagnonnage ».

Pas évident à Paris entre Séguin et Tiberi. Cela a commencé à l'automne dernier quand Tiberi a comparé Séguin à Kim Jong-il, le dictateur nord-coréen. Ambiance.

16 janvier

Peu de temps après qu'Édouard Balladur a imaginé publiquement la création d'un parti unique de l'opposition, l'Union pour la réforme, Alain Juppé vient de créer France Alternance, un projet de fusion des partis de droite, conçu depuis l'Élysée par Jérôme Monod, supervisé par Juppé avec la complicité de Renaud Dutreil (UDF), d'Hervé Gaymard (RPR) et de Dominique Bussereau (DL).

Un appel à l'union, signé par 337 parlementaires de l'opposition, et un texte fondateur ont été publiés dans *Le Figaro* du 14 janvier 2001. Ce texte n'a cependant pas été paraphé par les présidents des trois principaux partis de l'opposition, Michèle Alliot-Marie (RPR), François Bayrou (UDF) et Alain Madelin (DL). Il prône notamment la construction d'une société de « liberté » et de « confiance » et fait des propositions pour « mieux vivre ensemble ».

Je demeure prudent sur ce projet, j'y vois toujours un moyen habile pour, le moment venu, contourner Chirac et mettre en avant un autre candidat à la présidentielle, même si les protagonistes affirment le contraire.

Au bureau, je réitère ce que j'ai dit en présentant mes vœux de président du groupe aux journalistes parlementaires : « Pourquoi mettre en place des structures alors qu'on ne sait pas ce qu'on va vendre ? Les Français attendent de nous que nous apportions des solutions concrètes aux problèmes qu'ils se posent et non pas d'abord de nous préoccuper de nos structures. Il faut proposer un certain nombre de réformes et les porter ensemble, après le reste viendra. Ainsi, rassemblons-nous sur des propositions précises... Toute initiative en ce sens aura mon consentement... »

Michèle Alliot-Marie marque ses réserves sur l'appel des parlementaires : « Toutes les initiatives sont bonnes, mais attention à la désunion dans l'union... Je ne signerai pas n'importe quel texte... Le RPR doit être le moteur de l'union... »

Alain Juppé se réjouit naturellement du texte publié dans *Le Figaro* : « C'est un texte de fond, une initiative collective… Il faut aller de l'avant, convaincre l'opinion publique, nos partenaires… »

28 mars

À l'Assemblée, réunion à huis clos des parlementaires de l'opposition. Il s'agit de savoir si nous voulons la constitution d'un groupe unique de l'opposition, prémices d'une grande formation de la droite et du centre unifiés.

La moitié seulement des députés et sénateurs est présente. Parmi les absents, deux candidats déclarés à la présidentielle : Alain Madelin, président de DL, et François Bayrou, patron de l'UDF. À la fin de cette réunion extraordinaire, plagiant de Gaulle, je précise : « L'union, ça ne se décrète pas. Il ne suffit pas de sauter comme un cabri et de dire : "Groupe unique, groupe unique." »

Officiellement, les députés présents sont pour l'union. Quant à la manière d'y parvenir, l'unanimité de façade est bien lézardée, d'autant que la proximité entre présidentielle et législatives est dans beaucoup d'esprits. Certains, centristes ou libéraux, partisans des candidatures Bayrou ou Madelin, ne veulent pas voir leur label passer aux mains des chiraquiens. Ils sont minoritaires. À la sortie de la réunion, Hervé de Charette (UDF) est clair dans son constat : « Je ne crois pas que la création d'un quatrième parti contribuerait à la clarification des choses. Que les adversaires de la pensée unique de 1995 (les chiraquiens) n'aillent pas réinventer la pensée unique de 2002. » François Goulard (DL), partisan d'Alain Madelin, est encore plus critique sur la réunion : « C'était grandiose et comique. Au fur et à mesure que l'idée de fusion avançait, le visage des présidents de groupe se décomposait. Ça montre bien toute la vanité de l'opération. On ne peut pas gommer d'un trait tout ce qui existe, les partis… »

En définitive, c'est « je t'aime, moi non plus ».

Mais les partisans de la fusion donnent de la voix pour faire entendre leur petite musique. Le maire UDF de Marseille, Jean-Claude Gaudin, à la suite de Dominique Perben, plaide pour des investitures rapides et un « projet sympa pour gagner les législatives ». Le centriste Jacques Barrot réclame « de l'ordre dans la diversité : le devoir d'union est assorti du devoir d'organisation. Les investitures doivent être données sans tarder et la qualité du candidat doit l'emporter sur l'étiquette des partis. L'alternance doit prendre un visage simple avec quelques grands axes ».

Pour Pierre Lellouche qui se dit, aujourd'hui, proche de Fillon, « la machine à perdre a été enclenchée. Elle continue aujourd'hui avec quatre groupes de droite au Conseil de Paris. Donnons l'exemple d'un groupe unique à l'Assemblée et, le 4 avril, donnons le signe que nous allons vers un parti unique de droite ».

Confronté à ce concert où chacun des membres suit une partition différente, voire divergente, le chef d'orchestre Alain Juppé ne cesse de rappeler qu'il est d'accord pour une « union dans le respect de la diversité, mais avec une obligation de résultats ». Cependant il persiste et signe sur ce qu'il souhaite pour son projet « Alternance 2002 » : « Mise en place d'une structure qui porte un nom, associe les partis et s'ouvre aux adhérents directs… Organisation des débats décentralisés en région. Ratification ensuite de notre projet pour les législatives… Investitures avec label commun. » Tout cela « passe par la mise en place d'un groupe unique de l'opposition dès aujourd'hui ».

3 avril

J'indique aux membres du bureau que je soumettrai aux députés RPR le choix entre un groupe commun, c'est-à-dire un intergroupe, la fusion des groupes de l'opposition ou le statu quo.

Je précise que dans ce groupe commun notre identité politique serait maintenue, mais que nous publierons une lettre d'information commune à nos trois formations, qu'une réunion commune aurait lieu tous les quinze jours, qu'un site Internet serait mis en place et que nous organiserons des journées parlementaires communes à Strasbourg en septembre.

Je signale avoir reçu de nombreuses lettres de députés refusant la fusion. « Je précise qu'il n'y aura pas de vote secret pour décider de l'avenir de notre groupe. Nous n'avons pas à nous cacher vis-à-vis de nos compagnons de nos choix concernant l'avenir, nous devons être capables d'assumer nos responsabilités. Je précise cela par avance, vis-à-vis de ceux qui auraient préféré que nous nous déterminions à bulletin secret. » Je leur fais remarquer que je respecte ainsi les statuts du groupe.

Juppé : « Pas d'ironie. Veut-on progresser ? Je soutiens tes propositions. »

4 avril

Pour que les choses soient claires, je déclare dans *Le Figaro* que je suis opposé au groupe unique mais favorable à un intergroupe commun.

Les députés se prononcent pour la constitution d'un groupe commun RPR-UDF-DL à l'Assemblée nationale.

24 avril

En vue de l'examen en séance publique les 25 et 26 avril d'un projet de loi sur la sécurité quotidienne, j'indique aux membres du bureau qu'une réunion commune des députés intéressés est programmée pour le 25 à 11 h 30. Il sera proposé que les trois orateurs de l'opposition puissent cosigner, au nom de leurs groupes, des amendements communs. Ils pourraient porter sur l'ordonnance de 1945 concernant les mineurs et abaisser à dix ans l'âge à partir duquel une sanction pénale pourrait être prononcée, étendre le régime de la retenue à disposition d'un officier de police judiciaire applicable aux mineurs de dix à treize ans aux infractions punies d'au moins cinq ans d'emprisonnement (contre sept ans actuellement), interdiction sur décision du maire, pour les mineurs de moins de treize ans, de circuler entre minuit et 6 heures du matin et, en cas de récidive, possibilité de prononcer une suspension des prestations familiales pour une période maximale de six mois...

Le gouvernement a déposé le 21 février 2001 un projet de loi relatif à la Corse. Les principales dispositions portent sur les points suivants :

– l'exercice, par la collectivité territoriale de Corse, de nouvelles compétences, l'État conservant dans tous les cas la capacité de mettre en œuvre les politiques nationales et d'exercer les missions de contrôle ;

– un dispositif permettant à la collectivité territoriale de Corse, par délibération de l'Assemblée, dans les domaines de ses compétences, d'adapter des textes réglementaires et certaines dispositions législatives aux spécificités de la Corse ;

– un statut fiscal appelé à succéder à la zone franche à compter du 1er janvier 2002, orienté vers le développement économique par une incitation à l'investissement, le dispositif existant en matière de fiscalité indirecte étant par ailleurs maintenu ;

– une réforme de la fiscalité des successions, l'exonération totale puis partielle des droits de succession accompagnant l'obligation de déclaration de succession et la reconstitution des titres de propriété ; à l'issue de cette période transitoire de quinze ans comprenant elle-même deux étapes, le régime fiscal alors applicable fera l'objet d'une concertation entre la collectivité et l'État ;

– l'enseignement de la langue corse à tous les élèves des écoles maternelles et élémentaires, sauf volonté contraire des parents…

Il est clair que le gouvernement a cédé aux exigences des indépendantistes. C'est le sentiment exprimé par la plupart d'entre nous, notamment par Alain Juppé qui déclare que «ce texte a une approche politique, c'est une tentative d'entente avec les indépendantistes, je n'ai pas confiance…». Édouard Balladur marque sa différence. Il précise qu'il a conscience que son «point de vue est minoritaire… L'unité de la République, est-ce l'uniformité des règles? Je suis plutôt porté à ne pas empêcher ce processus» d'autonomie, notamment administrative et fiscale, de se poursuivre.

Alain Juppé lui réplique sèchement: «Un vote pour serait un signal politique négatif.» Et François Fillon, qui a été désigné pour défendre l'exception d'irrecevabilité, précise sa position: «Oui au profil bas, mais non au vote pour».

Je fais remarquer qu'il y a d'abord dans ce projet de loi une approche technique et juridique. Nous devons bien montrer les dispositions qui sont pour nous inacceptables, à savoir la délégation du pouvoir législatif et la langue corse qui progressivement remplacera le français. Il y a aussi une approche politique et elle est dangereuse. Elle consiste en une tentative d'arrangement, sans contrepartie, à sens unique, avec ceux qui ne veulent qu'une chose, l'indépendance de la Corse. Nous sommes loin d'une simple décentralisation.

22 mai

Sur le projet de loi relatif à la Corse, le bureau se prononce contre.

26 juin

Le projet de loi relatif à la sécurité quotidienne, examiné à l'Assemblée nationale le 27 avril, revient, après examen par les sénateurs, devant les députés.

Au Sénat, le gouvernement a présenté un amendement qui soumet notamment les « raves parties », ou « free parties », à déclaration préalable en préfecture et invite les organisateurs à prendre toute mesure utile à la sécurité du rassemblement. Si le préfet estime que ces mesures sont insuffisantes, la police judiciaire pourra saisir le matériel et les organisateurs pourront être sanctionnés pénalement.

Je demande au bureau sa position sur cet amendement. Je précise que je suis favorable à un encadrement strict de ces manifestations pour éviter qu'elles s'installent n'importe où et deviennent des occasions où des trafiquants de drogue ou d'alcool profitent des jeunes.

Philippe Briand suggère qu'on ne s'occupe pas de cela à neuf mois des élections. Renaud Muselier demande de faire attention à notre image auprès de tous les jeunes. Il appuie l'exception d'irrecevabilité qui sera soutenue sur ce projet par l'orateur du groupe, mais propose d'« en dire le moins possible ». D'un avis contraire, Philippe Auberger souligne « l'intolérance de la population locale où ont lieu ces rassemblements ». Il dénonce une « situation de non-droit ». Briand insiste : « Comment faire passer notre message sans recevoir des coups ? Attention à la solidarité des jeunes entre eux, même de la part de ceux qui ne vont pas dans les raves parties. »

Michèle Alliot-Marie précise que « nous ne sommes pas contre la fête, il y a des dérives de toutes sortes qu'il faut sanctionner » et dénonce « les carences répétées des ministères de l'Intérieur et de la Justice ».

24 septembre

Nous décidons, Philippe Douste-Blazy et moi, d'annuler la journée parlementaire commune RPR-UDF-DL, qui devait se tenir à Toulouse, en raison de la catastrophe qui vient de se produire à l'usine AZF. De même que celles du RPR, prévues à Brive-la-Gaillarde.

2 octobre

Au bureau du groupe, Michèle Alliot-Marie semble assez absente. Elle n'intervient qu'une seule fois au sujet d'un projet de loi sur les chambres régionales des comptes, dont, à l'évidence, elle ignore tout.

Édouard Balladur présente son intervention du lendemain sur la situation internationale. Son exposé est très construit. Il ne prononce qu'une seule fois le nom de Chirac, pour rappeler qu'il avait été l'orateur du groupe en janvier 1991, alors que lui-même l'avait été en août 1990… À demi-mot, avec d'hypocrites précautions oratoires au miel empoisonné, Balladur rappelle qu'au moment du vote en janvier 1991, « le groupe n'avait pas été, à proprement parler, unanime ». Il souhaite évidemment que tout le monde se souvienne bien que j'avais alors voté contre, avec notamment Jean de Gaulle et Georges Gorse. Il s'agissait de décider de l'entrée en guerre de la France en Irak.

Bref échange sur le changement du président de la commission des lois au Sénat. Jacques Larcher a été invité à quitter son poste, après vingt ans de présidence. Commentaire d'Édouard Balladur, conseiller d'État : « C'était un juriste malcommode. Or Napoléon disait que les juristes devaient être commodes… »

3 octobre

Après l'exposé d'Édouard Balladur devant l'ensemble des députés RPR, Christian Jacob intervient pour indiquer qu'il serait bon de rappeler le rôle du président de la République sur les sujets de politique étrangère. Piqué, Balladur reprend la parole, d'un ton sec, pour « rassurer Jacob », qui n'a droit ni à son prénom ni même à « notre collègue ». Le vernis de la courtoisie tombe bien vite chez Balladur quand il s'agit de Jacques Chirac ou de ses proches.

9 octobre

À la réunion du bureau, Édouard Balladur défend une position libérale sur le divorce : « Nous ne sommes pas, nous ne sommes plus au temps de Feydeau ! On peut le regretter, mais c'est ainsi… » Il rappelle « notre erreur au moment de l'examen du Pacs ».

22 octobre

Je demande sur France 2, au nom des députés RPR, une modification de l'ordonnance de 1945 sur les mineurs et que soit entièrement revue la loi sur la présomption d'innocence. Je fais une telle déclaration à la suite de l'interpellation d'un récidiviste en liberté après un sanglant braquage commis en 1998 à Athis-Mons, dans l'Essonne, qui s'était soldé par un quadruple meurtre.

2002

L'élection présidentielle des 21 avril et 5 mai s'annonce difficile pour Jacques Chirac. Je ne suis pas optimiste. Je ne le vois pas facilement réélu. Lors des réunions auxquelles j'assiste dès la fin février à son quartier général de la campagne, baptisé le « tapis rouge », rue du Faubourg-Saint-Martin, dans le Xe arrondissement de Paris, l'ambiance n'est plus celle que j'ai connue en 1995. Certes les militants sont là, toujours aussi dévoués et dynamiques, mais j'ai le sentiment que la bataille va être rude. Jospin n'est pas Balladur.

La suite de la campagne ne corrige pas ma première impression.

Mais, surprise, au premier tour Jacques Chirac arrive en tête (19,88 %), suivi de Jean-Marie Le Pen (16,86 %). Lionel Jospin est troisième avec 16,18 % des suffrages exprimés.

La division de la gauche avec les candidatures de Jean-Pierre Chevènement, Noël Mamère, Christiane Taubira, et les bons scores réalisés par l'extrême gauche expliquent ce résultat inattendu. C'est la deuxième fois, après l'élection de 1969, qu'un candidat de gauche n'est pas présent au second tour sous la

Ve République et la première fois qu'un candidat d'extrême droite y figure.

Au second tour de scrutin, Jacques Chirac l'emporte avec 82,21 % des suffrages exprimés, grâce au soutien de la gauche, qui applique le concept du « front républicain » face au candidat du Front national.

Les élections législatives ont lieu les 9 et 12 juin. La droite, regroupée sous le nom nouvellement créé d'Union pour la majorité présidentielle (baptisée peu après Union pour un mouvement populaire), avec l'UDF et DL, remporte 398 sièges de députés, soit la majorité absolue à l'Assemblée nationale. Les députés issus du RPR sont de loin les plus nombreux au sein de cette nouvelle majorité parlementaire.

25 juin

Élection à la présidence de l'Assemblée nationale. J'annonce rapidement ma candidature au perchoir et Balladur fait savoir qu'il postule lui aussi à la présidence de l'Assemblée nationale.

Depuis un certain temps, ce n'est un secret pour personne, il est clair que Balladur, compte tenu de la haute idée qu'il a de lui-même, ne se résout pas à n'être qu'un simple parlementaire. Il espère sa « restauration » au sein de la hiérarchie du pouvoir. Il se verrait bien en marquis de Lassay, régnant sur le Palais-Bourbon. Édouard Balladur, marquis de Lassay, ça serait classe !

Mais la restauration, en République, suppose une élection, et celle du président de l'Assemblée nationale n'est pas un droit divin mais le fait des représentants du peuple et uniquement d'eux. Contrairement à ce qui avait cours à une époque révolue, celle où la république avait pris le pas sur la monarchie, aujourd'hui ce ne sont plus les notables qui décident de tout et font l'élection.

Il n'y a que Balladur et sa cour pour croire l'élection acquise d'avance. Pour nous départager, des primaires sont prévues au sein de l'UMP, afin de présenter, le 25 juin, un candidat unique.

Chirac s'est laissé convaincre, au nom de la grande illusion de la réconciliation et de l'union de la majorité, et sur les conseils de Jérôme Monod, qu'il serait politiquement souhaitable que Balladur soit promu. L'heure serait venue de le faire sortir de son purgatoire politique et même de le remercier d'avoir expié sa trahison. Après avoir espéré être candidat à la mairie de Paris, n'a-t-il pas abdiqué sans rechigner et ne s'est-il pas rangé derrière Philippe Séguin ? Lors de la dernière élection présidentielle, il a même dirigé le comité des élus parisiens pour la réélection de Jacques Chirac.

Chirac n'approuve donc pas mon initiative d'être candidat. Mais il ne me le dit pas directement, se borne à me le faire comprendre. J'ai beau lui expliquer que Balladur au perchoir lui rendra la vie impossible, qu'il le trahira à nouveau, et voudra prendre sa revanche, je n'arrive pas à le convaincre. Je lui indique qu'il a plus intérêt à me soutenir qu'à laisser faire Balladur. Il ne vaut pas mieux que l'image qu'il véhicule. Tout sonne faux chez lui.

Mais l'influence de Monod l'emporte sur la mienne. Pour lui, tout doit être mis en œuvre afin d'éloigner ceux qui se montrent sceptiques sur la réalité durable de l'union de la majorité. Monod a tout « vendu » à Chirac, Raffarin à Matignon, Jacques Barrot à la présidence du groupe unique de la majorité à l'Assemblée nationale, Juppé à la tête du RPR, et Balladur au perchoir.

Le gouvernement Raffarin comporte en grande majorité des partisans de la fusion de la majorité, dont certains ont été les complices de Monod dans cette entreprise. Je sais que j'ai été écarté du gouvernement Raffarin pour être trop anti-balladurien, trop ouvertement opposé à Sarkozy, et trop réservé sur cet amalgame des partis de droite.

À la fin de l'une de nos conservations téléphoniques où je comprends que Chirac n'imagine pas que je puisse battre Balladur qui a sa préférence, je lui pose cette question :

– Savez-vous quelle est la différence entre vous et Balladur ?

– Non ! me répond-il.

– Balladur n'oublie pas, ne pardonne jamais. Vous vous oubliez vite et pardonnez toujours.

Au fond de lui-même, il sait que j'ai raison. Mais certains de ses conseillers politiques, peu au fait de l'ambiance au Palais-Bourbon et empêtrés dans le rêve, utopique à mes yeux, d'un grand parti unique, l'ont probablement persuadé que je serais éliminé par mon rival. Il me recommande alors : « Surtout ne te bouffe pas le foie en cas d'échec. » C'est du Chirac. Il ne veut pas prendre le risque d'être une nouvelle fois, même indirectement, considéré comme ayant subi une défaite politique. Mais connaissant mieux les députés RPR et les militants qui le soutiennent que ces conseillers qui échafaudent des stratégies depuis leurs bureaux dorés de l'Élysée, je suis persuadé qu'ils n'apporteront pas majoritairement leurs suffrages à l'ancien Premier ministre.

Celui-ci a généré bien peu de sympathie. Il ne connaît pas ses collègues députés, que ce soient les nouveaux ou ceux qui viennent d'être réélus. Chaque fois qu'il en croise un, ce dernier a droit à un « cher ami », mais Balladur est incapable de mettre un nom sur le moindre d'entre eux, à part une poignée d'« aficionados » et de personnalités connues.

De toute façon, et cela se ressent, il n'a aucune empathie pour les députés de base. Il n'est probablement jamais entré à la buvette de l'Assemblée pour les écouter, discuter ou partager un repas avec eux. Il n'est pas fait comme eux, comme nous.

Il veut être président de l'Assemblée nationale pour faire oublier son échec face à Chirac, il a besoin d'une « restauration » pour exister. Sans quoi il sait qu'il finira dans les oubliettes de la politique.

Si je suis convaincu que Balladur n'a que peu de chances d'atteindre le perchoir, j'ai du mal à le faire admettre aux « observateurs » politiques qui le voient déjà élu. Il est vrai, alors que je fais campagne auprès des députés, que mon concurrent passe son temps à rencontrer les journalistes et laisse ses fidèles leur dire tout le mal qu'ils pensent de moi. Et c'est sans limite.

Mais craignant d'être mis en minorité par les députés issus du RPR, Édouard Balladur refuse de participer à la primaire, présente sa candidature devant l'ensemble des députés et tente une dernière manœuvre.

Il fait en sorte que les vingt-sept députés qui ont l'étiquette UDF ne présentent aucun candidat pour le perchoir, afin de bénéficier de leurs voix dès le premier tour et ainsi me distancer. Cette dérobade, la peur des primaires, cette combine avec l'UDF lui seront fatales et révèlent sa personnalité à ceux qui ne l'avaient pas encore perçue. Je me souviens de ce que m'avait dit Chirac pendant la campagne présidentielle : « Balladur, c'est comme les poteries chinoises, cela supporte les décorations et pas le feu. »

À l'issue du premier tour, avec 217 voix, je distance largement Édouard Balladur qui n'en recueille que 163. Il se retire de la compétition. Je suis élu, avec 342 voix sur 531, président de l'Assemblée nationale.

Chirac sera le premier à me féliciter : « Tu vois, j'avais bien dit que tu serais élu. » Sa mauvaise foi, dont il n'est pas dupe, me fait rire. Je lui réponds, avec autant de malice que lui : « C'est vrai, vous ne m'avez pas dissuadé de me présenter. »

III
Vu du perchoir
(2002-2007)

Dès le début, je n'ai pas été convaincu de la pertinence d'une réduction à cinq ans de la durée du mandat présidentiel. Je l'ai dit dès 2000 à Jacques Chirac, quand il a décidé d'initier cette modification constitutionnelle, mais ils étaient nombreux autour de lui à plaider en ce sens et notamment Alain Juppé pour qui, selon son expression, « l'art de gouverner doit évoluer ». Or l'art de gouverner n'a pas évolué avec Raffarin, malgré l'instauration du quinquennat.

Beaucoup de politiques voyaient dans la quasi-concomitance entre élections présidentielle et législatives un moyen d'éviter toute cohabitation. Pour d'autres, cette réforme mettrait Lionel Jospin et le Parti socialiste dans une position difficile : elle les contraindrait à soutenir, lors du référendum qui en déciderait, la proposition du président de la République.

Parmi les défenseurs de cette évolution, il y avait aussi ceux qui contestaient la pratique institutionnelle de la Ve République et militaient pour l'avènement d'un véritable régime présidentiel tel qu'il fonctionne aux États-Unis.

Alain Juppé avait, lui, me semble-t-il, convaincu Jacques Chirac que le quinquennat, c'était la modernité, thème qui serait au cœur de la prochaine présidentielle. Si Chirac voulait l'emporter, il devait selon lui incarner le changement, notamment dans le domaine institutionnel. Bref, le quinquennat était alors une idée à la mode. Je ne suis pas loin de penser aussi que pour certains prétendants à l'Élysée, cinq ans, c'était moins insupportable à attendre que sept ans si Chirac se représentait.

Nous avons été bien peu nombreux à exprimer nos réticences. La campagne référendaire fut bien terne.

Désormais, le quinquennat va rythmer toute notre vie politique. Le résultat se fera très vite sentir. Malgré les efforts de Jacques Chirac, la bonne volonté du Premier ministre Jean-Pierre Raffarin, la détermination de Dominique de Villepin, l'action gouvernementale durant ce premier mandat de cinq ans donnera parfois l'impression de patiner, pour se contenter trop souvent de vœux pieux et d'incantations.

Aujourd'hui, les élections, nationales ou locales, s'enchaînent à un rythme trop rapide. Et comme en France elles donnent toutes lieu, y compris les scrutins partiels, à des interprétations politiques nationales, il devient difficile aux dirigeants d'avoir du temps pour agir, réformer, adapter, modifier notre organisation sociale, et faire face dans la sérénité aux crises intérieures ou étrangères.

Quant à la dernière année – si ce n'est les précédentes –, elle est stérilisée par la préparation de l'échéance présidentielle. Tout cela nuit à la cohérence de l'action. Le gouvernement au final a moins de quatre ans pour réformer. Et la démagogie, le compromis, l'emportent sur le sérieux et la rigueur quand des ambitions concurrentes apparaissent au sein du gouvernement.

Certains ministres sont désormais plus préoccupés par leur positionnement politique à l'égard des éventuels candidats que par la maîtrise de leurs dossiers et la gestion de leur administration. Les députés sont ballottés et succombent aux pressions des différents prétendants potentiels à l'Élysée ou de leurs représentants qui hantent les salles attenantes à l'hémicycle de l'Assemblée nationale. Phénomène observable aussi bien à gauche qu'à droite, ce qui sème un climat de tension et de fébrilité au Palais-Bourbon.

À mes yeux, le quinquennat n'a donc fait qu'accélérer le rythme politique, réduire le temps de l'action et introduire de l'instabilité dans un pays où l'on parle tant de réformes et où il est si difficile d'en faire.

On peut se demander si, en fin de compte, cette réforme a ou non renforcé la fonction présidentielle. La légitimité et par conséquent l'autorité du chef de l'État proviennent d'abord de son élection au suffrage universel direct. Il est depuis l'instauration de la Ve République la clé de voûte de nos institutions.

Pour les constituants du nouveau régime, l'important était de donner au président un statut lui permettant d'assurer avec autorité la continuité de l'État, notamment en matière de politique étrangère, même s'il y avait non-concordance entre majorités présidentielle et parlementaire. Il se devait d'assurer par son arbitrage le fonctionnement des pouvoirs publics. L'autorité du gouvernement devait provenir de la confiance qu'il lui accordait.

Avec l'arrivée de François Mitterrand à l'Élysée en 1981, on pouvait craindre une autre lecture de notre Constitution et certains espéraient une réforme constitutionnelle qui aurait restreint la liberté d'action du président de la République et l'aurait soumis à un pouvoir surveillé ou contrôlé par le gouvernement. Mon père, Michel Debré, préoccupé d'un tel risque de dérive, m'a dit avoir écrit à François Mitterrand pour le mettre en garde. Je ne sais si celui-ci lui a répondu mais il apparaît clairement que Mitterrand a finalement trouvé dans notre Constitution les outils juridiques lui permettant, pendant quatorze ans, de conduire la politique de la France même lorsque la majorité à l'Assemblée nationale ne lui était pas favorable.

La question aujourd'hui est de savoir si le quinquennat peut mettre fin aux risques de cohabitation et donc à une lecture parlementaire de nos institutions. Force est de constater que ce n'est pas le cas. L'élection législative qui suit l'élection présidentielle donnera-t-elle automatiquement une majorité à l'Assemblée nationale de la même tendance que le président de la République ?

Même si on en restreint la possibilité en théorie, ce n'est pas forcément ce qui se passera. Si en cours de mandat le président décède ou démissionne, il faudra procéder à son remplacement et il peut y avoir cohabitation. De même si le président procède à la dissolution de l'Assemblée nationale et provoque des élections législatives anticipées. Le président court donc toujours le risque d'être fragilisé.

Une des premières conséquences de cette réforme est d'entraîner une redéfinition du rôle du Premier ministre. Aux termes de notre texte constitutionnel, le Premier ministre « détermine et conduit la politique de la nation ». Aujourd'hui avec le quinquennat, il serait plus exact de dire que la politique voulue par le président de la République est appliquée par le gouvernement dirigé par le Premier ministre. Le président a été élu sur ses engagements simplement quelques jours avant sa majorité à l'Assemblée (sauf incroyable versatilité des électeurs). Il n'est donc pas possible que le gouvernement détermine une politique différente.

Faut-il dès lors revoir la Constitution de la Ve République ? Nous avons une fâcheuse tendance en France à ne jamais nous satisfaire de nos institutions. Je me souviens que peu de temps après leur adoption, un éminent constitutionnaliste, le professeur Duverger, publiait un ouvrage intitulé *La Ve République et le régime présidentiel*.

Malgré le quinquennat, ma conviction est que les institutions de la Ve République restent adaptées à notre époque. Veillons plutôt à ce qu'elles fonctionnent correctement. Ne modifions surtout pas le mode de scrutin pour les élections législatives. L'un des acquis de la Ve République est le phénomène majoritaire qui permet au gouvernement d'appliquer sa politique.

1

Jean-Pierre Raffarin
ou le changement sans risque

Pourquoi Jacques Chirac a-t-il choisi au lendemain de sa réélection, en 2002, Jean-Pierre Raffarin comme Premier ministre ? La réponse est assez simple, me semble-t-il. Pour Jacques Chirac, c'était la meilleure des solutions parmi les candidats possibles.

Connaissant trop bien Nicolas Sarkozy, il n'arrive pas alors à se résoudre à le nommer à Matignon.

Le choix d'Alain Juppé, pour d'autres raisons, n'était pas, lui non plus, envisageable. C'eût été prendre le même chef du gouvernement qu'en 1995 et recommencer comme s'il n'y avait pas eu ni la dissolution, ni la défaite de 1997, ni le premier tour de l'élection présidentielle de 2002. On imagine le slogan : « On reprend les mêmes et on recommence » ! De plus, je ne suis pas certain que Juppé le souhaitait, en raison de sa prochaine comparution en justice.

Il y avait aussi Philippe Douste-Blazy qui, depuis cinq ans, se préparait à cette fonction. Il a fait croire, laissé entendre qu'il n'était pas impossible que Chirac fasse appel à lui. Cela faisait sourire tout le monde. Il ne savait pas que se proclamer Premier ministre est la meilleure façon de ne pas l'être. Il n'était pas crédible pour cette fonction mais ne s'en rendait pas compte.

Chirac a donc choisi Raffarin. Peut-être pense-t-il qu'après le choc de la présidentielle et la nécessité de la réconciliation, celui-ci est le mieux adapté aux circonstances immédiates.

Est-ce à dire que Raffarin est devenu Premier ministre un peu par défaut ? Non, car d'une certaine manière Raffarin représente la nouveauté. Certes, il n'est pas très connu du grand public, à part de celui de Poitou-Charentes, dont il préside le conseil régional, des grands électeurs du département de la Vienne qui l'ont élu sénateur, et des militants de l'UDF.

C'est une nouveauté sans risque, acceptable aussi bien pour les chiraquiens que, naturellement, pour les libéraux et les centristes. Les chiraquiens se souviennent que, lors de la campagne présidentielle de 1995, Raffarin a rallié Chirac dès le mois de décembre 1994. Certes, il a attendu, avant de se déclarer, que Giscard d'Estaing renonce à se présenter. Mais il n'a pas rejoint le clan de Balladur, faisant preuve alors de perspicacité et de courage tant les pressions des balladuriens ont dû être insistantes. Il en fut récompensé par un portefeuille ministériel dans le gouvernement Juppé.

Ministre des petites et moyennes entreprises, il a défendu avec efficacité les artisans boulangers, les petits commerçants contre la grande distribution. Cela lui a permis de rappeler à la classe politique qu'il était le fils du secrétaire d'État ayant recommandé dans les années cinquante à Pierre Mendès France de faire distribuer du lait dans les écoles.

Les libéraux et les centristes de l'UMP, eux, se réjouissent que sa nomination à Matignon mette dans l'embarras les Bayrou, Madelin et autres qui misaient sur la nomination d'un gaulliste pour affirmer leur autonomie, voire leur opposition, et ainsi préparer l'élection présidentielle de 2007. Artisan discret de la création de l'UMP, Raffarin était par conséquent un Premier ministre fédérateur.

Mais d'autres raisons expliquent aussi le choix du président. Durant la campagne, Jean-Pierre Raffarin avait eu des formules qui avaient certainement plu à Jacques Chirac, même si elles n'étaient pas nouvelles. À chaque consultation électorale majeure, elles réapparaissent maquillées, habillées de mots originaux. Pour Raffarin, il s'agissait de la « nouvelle gouvernance » de « la République d'en bas et de la proximité »... C'était la vraie-fausse rupture de l'époque, des mots assez bien trouvés pour exprimer le changement dans la continuité. De même, il a joué la carte de l'humilité. Face à des politiques qui ne sont traversés par aucun doute, surtout pas sur eux-mêmes, Raffarin est apparu comme un modeste. Un homme comme les autres. Ce qui a séduit Jacques Chirac.

Je me souviens qu'en 1995, ce dernier avait demandé à ses ministres qu'ils fassent preuve de modestie, afin que son septennat soit placé sous le signe de cette qualité. Je me rappelle une conversation d'alors avec lui dans sa voiture. Il venait d'être élu mais n'était pas encore en fonction. Il m'avait dit : « Les ministres devront avoir un autre comportement. Les Français ne supportent plus la prétention. Terminé les motards et les gyrophares ! Comme tout le monde, ils (les ministres) devront s'arrêter au feu rouge et ne pas se promener avec des cortèges à n'en plus finir. Tout cela n'est plus supportable. La République et ceux qui la servent doivent avoir un comportement humble. » Sept ans plus tard, Raffarin illustre parfaitement la théorie chiraquienne de la modestie. Il apparaît comme la revanche de la province sur Paris, la restauration de l'humilité sur la vanité et la prétention. C'est le retour du bon sens et d'un « ordre juste ».

Un dernier argument, et non des moindres, a plaidé en sa faveur. Chirac trouve en Raffarin, qui n'a pas affirmé ou proclamé d'ambitions politiques trop voyantes, un surintendant loyal, sympathique et chaleureux avec lequel il est persuadé de n'avoir jamais d'affrontements brutaux. La cohabitation entre le président de la République et le Premier ministre devient paisible. Quel contraste avec ce qu'avait dû endurer Chirac face à Jospin pendant cinq ans !

Avant sa réélection, Jacques Chirac ne m'avait rien dit de ses intentions ; mais j'avais pressenti sur qui se porterait son choix. Entre les deux tours de l'élection présidentielle, j'avais organisé à Évreux une grande réunion publique et invité soit Raffarin, soit Sarkozy, selon leurs disponibilités respectives. En cette fin de campagne, ils étaient l'un et l'autre très sollicités, mais ils sont venus tous les deux. Le problème s'est donc posé de savoir lequel parlerait en dernier.

Question délicate pour l'organisateur de la réunion. J'ai posé la question à Raffarin, arrivé le premier à Évreux. Il m'a répondu : « Laisse-le terminer, cela n'a aucune importance pour moi mais pas pour lui. Évitons le drame. » Cela m'arrangeait. Raffarin montrait la décontraction de ceux qui n'ont pas d'inquiétude sur ce qui se passera par la suite. Il fit un discours très significatif. Plus chiraquien que lui, cela n'existait pas. Puis de façon assez banale, avec des effets oratoires limités, il dressa l'image de la France de ses rêves.

Sarkozy, avec talent, conviction, détermination et compétence, parla de lui, de ses ambitions, évitant soigneusement de trop évoquer le nom de Chirac.

Les deux dirent, en revanche, tout le bien qu'ils pensaient de moi, l'un par sympathie, je le crois, cela m'a semblé manifeste ; l'autre par opportunisme, c'était tout aussi patent. L'un a pris le temps de s'attarder après la réunion ; l'autre a filé rapidement. Le premier était assuré de son avenir, le second courait derrière son destin.

Pour autant, le choix de Raffarin a-t-il été le bon ? J'ai de l'estime pour l'homme. Il est sympathique et honnête. Premier ministre, il a été courageux en menant des réformes repoussées pendant des années, sur les retraites, l'assurance maladie…

En revanche, comme je l'ai fait savoir à l'époque, il s'est montré trop replié sur son pré carré à un moment où les Français espéraient plus d'ouverture. Il s'est montré trop libéral, dans un pays qui attend de l'État un minimum de protection et non la dérégulation. Il a laissé la frange libérale de la majorité, où il comptait nombre d'amis, trop parler et donner l'impression que nous nous étions tous convertis à leurs idées.

Au lendemain du 21 avril 2002, son gouvernement n'était pas suffisamment ouvert à des personnalités proches de la gauche qui étaient prêtes à nous rejoindre pour peu que l'on fasse quelques gestes. Chirac avait été élu par des voix de droite et de gauche. Pour moi, il a raté un tournant historique en n'essayant pas de mettre en place un grand gouvernement d'union nationale.

Rapidement, je me montre assez critique sur l'action de Jean-Pierre Raffarin et notamment son projet de décentralisation...

Dès l'automne 2002, le gouvernement prépare un projet de loi constitutionnelle sur ce sujet. J'en ai connaissance début octobre et je fais part au Premier ministre et au président de la République des observations et critiques que m'inspire le projet. Déjà pendant sa campagne présidentielle, Chirac avait à Rouen prononcé un discours sur ce thème qui m'avait un peu inquiété.

Si je suis persuadé qu'il est urgent de donner ou de redonner à l'échelon local une liberté qui lui fait défaut et d'apporter ainsi à nos concitoyens la rapidité, l'efficacité et la proximité qui manquent trop souvent à l'action publique, je pense surtout que la solution passe d'abord par un effort de déconcentration des services de l'État.

Pour qu'elle soit complète et acceptée, cette nouvelle étape doit donc impérativement aboutir à une simplification et à une clarification de notre organisation administrative, non à une complexification de celle-ci et à la confusion. Elle ne doit en aucun cas conduire à un affaiblissement de l'État et à une altération de sa légitimité, faute de quoi c'est toute la structure de notre édifice républicain qui serait menacée. Mais je constate avec regret qu'installé à Matignon, Raffarin présente cette réforme comme un démembrement de l'État dont la capacité d'intervention et l'efficacité sont contestées sans nuance.

Le 14 octobre, je lui adresse donc une longue note à ce sujet. Deux jours plus tard, je fais parvenir à

Jacques Chirac une note identique. Mon intention est de profiter des assises des conseillers généraux qui se réunissent à la fin du mois d'octobre à Strasbourg pour préciser ma pensée, sauf si j'ai reçu entre-temps du gouvernement l'assurance que son texte serait plus équilibré. J'ajoute dans les notes au président et au Premier ministre certaines remarques critiques sur la notion d'expérimentation qui ne doit pas entraîner une confusion dans nos structures administratives. Je leur écris également que ce projet de loi constitutionnelle ne saurait justifier une remise en cause de l'équilibre établi par la Constitution de 1958 entre l'Assemblée nationale, seule détentrice de la légitimité populaire que confère le suffrage universel, et le Sénat. Mais je ne reçois aucune réponse, aucun commentaire. Ni de l'Élysée ni de Matignon.

À Strasbourg, devant un auditoire peu sensible à mes propos, je prends la parole le matin vers 9 h 30. Raffarin n'est pas encore arrivé et, dans un réquisitoire sévère, je stigmatise certains aspects de la décentralisation. Je déclare qu'elle peut être la meilleure et la pire des choses et précise que si elle crée des féodalités irrespectueuses de la loi, si elle aggrave les distorsions entre les territoires, si elle entraîne des doublons et des gaspillages, si au final elle creuse des inégalités entre les régions, ce ne sera évidemment pas une réforme positive pour la France. J'exhorte à ne pas sortir d'un jacobinisme exacerbé pour tendre vers un intégrisme décentralisateur, à ne pas abandonner l'égalité des chances en renonçant au centralisme, à ne pas mettre en danger la cohésion nationale sous prétexte de lutter contre un étatisme trop tatillon. Et je poursuis mon réquisitoire en expliquant que la décentralisation ne

doit pas être le bazar, ni une grande braderie qui laisserait la République en morceaux.

Les applaudissements sont mesurés et les débats
continuent en attendant le Premier ministre qui doit
venir conclure les travaux de ces assises. À peine
arrivé, ce dernier vient s'asseoir à mes côtés et me dit :
« Tu vas voir, je vais faire du Debré ! » J'en suis heureux, bien que très surpris. Je sais que nous ne parta-
geons pas exactement les mêmes convictions. Il monte
à la tribune, prononce un discours effectivement, pour
lui, mesuré mais assez éloigné de mes craintes, qu'il ne
partage pas. Nous rentrons à Paris. Mon discours prononcé le matin est passé totalement inaperçu ; mais
Le Monde du lendemain lui consacrera un large écho.

Raffarin, furieux, me fait porter un petit mot exprimant sa colère. Chirac m'appelle en me disant que le
Premier ministre fulmine, que j'aurais dû le prévenir.
Je lui rappelle que je n'ai pris personne par surprise
et lui précise que le Premier ministre et lui-même ont
reçu le 14 octobre une note explicite, dont mon discours n'est finalement qu'une modeste déclinaison.
Le ressentiment de Jean-Pierre Raffarin durera un certain temps. Je le voyais jusque-là chaque lundi soir à
Matignon. Pendant presque deux mois, il refusera de
me recevoir.

Je récidive régulièrement, avertissant un peu plus
tard le président de la République que la politique du
gouvernement manque, selon moi, de lisibilité… Rien
de surprenant quand on connaît nos relations : j'ai toujours dit à Jacques Chirac ce que je pensais.

C'est ainsi que le 23 mars 2003 je lui adresse une
nouvelle note pour la mettre en garde sur le danger
qu'il y aurait à se contenter de la gestion du quoti-

dien. Il convient, selon moi, de préciser l'ordre du jour du Parlement pour donner plus de clarté politique à l'action gouvernementale. Il importe de tracer une grande ambition pour la France, d'engager des réformes pour transformer la vie quotidienne. À mon grand étonnement, cette note adressée au président de la République et au Premier ministre fuitera dans la presse sous forme d'indiscrétion. Je n'y ai été pour rien.

Il est vrai, en revanche, que j'ai qualifié publiquement Raffarin de « petit boutiquier ». Je lâche ce mot dans *Paris-Match* à un moment où le gouvernement est en conflit avec les chercheurs. Naturellement, je n'ai rien contre les boutiquiers, ni les petits commerçants. Je sais combien ils sont essentiels à la survie de nos villages. Mais je suis stupéfait quand je découvre que le gouvernement s'apprête à distribuer des subventions aux patrons de café, tandis que l'on refuse des crédits importants pour soutenir la recherche scientifique. Comment préparer la France à l'avenir sans investir massivement dans la recherche médicale, technologique et technique ? Comment le TGV, Ariane, Concorde auraient-ils pu voir le jour si vingt ans plus tôt des moyens financiers massifs n'avaient pas été mobilisés ?

Raffarin me donne le sentiment de ne s'intéresser qu'à l'accessoire en négligeant l'intérêt général, le grand souffle qui favorisera le retour à l'optimisme des Français, leur redonnera la fierté de l'être. C'est pour cela que j'ai comparé son comportement à celui d'un « petit boutiquier ».

L'AFP, avant même la parution de *Paris-Match*, révèle mon propos en une dépêche, portée au Premier ministre alors qu'il se trouve dans l'hémicycle lors d'une séance de questions d'actualité. Je suis alors au perchoir. Il m'envoie un mot : « Tu as été déloyal à mon égard. C'est inadmissible. » J'ai gardé ce petit mot, écrit à l'encre vert-bleu…

Jacques Chirac ne m'a reproché à aucun moment mes critiques ni demandé d'arrêter de malmener le chef du gouvernement. Ayant horreur des conflits de personnes, il s'efforça d'arranger les choses à sa manière. Un dimanche après-midi, alors que je suis dans son bureau à l'Élysée, il me dit qu'il doit appeler Raffarin à la Lanterne, la résidence du Premier ministre. Je lui demande de ne pas lui signaler ma présence « Vu nos relations actuelles, cela va encore faire des histoires. Restez en dehors de tout ça, je me débrouillerai seul. » Chirac l'appelle et, sans tenir aucun compte de mes recommandations, lui dit d'entrée de jeu : « Je suis avec Jean-Louis dans mon bureau. Il t'envoie ses amitiés… »

Au printemps 2004, la majorité essuie un très sérieux revers lors des élections régionales, cantonales et européennes. Au bout de deux années, Raffarin apparaît usé. La question se pose de son départ de Matignon. Pourtant Chirac rechigne à se séparer de lui, en dépit des pressions de son entourage.

Un dimanche soir, j'évoque cette question avec le chef de l'État. Je suis très préoccupé par la dégradation accélérée de la situation politique. Raffarin n'assiste plus à aucune réunion du groupe parlementaire et lorsqu'il vient dans l'hémicycle de l'Assemblée, lors des questions d'actualité, non seulement il essuie les quolibets de l'opposition mais il doit aussi faire face au désamour croissant que l'on perçoit dans les rangs de la majorité.

Celle-ci est divisée, inquiète. Les députés de la majorité étaient déjà tiraillés entre des rivalités qui s'exacerbent. Villepin laisse entendre qu'il pourrait très vite succéder à Raffarin. Sarkozy montre un énervement évident. Borloo n'est pas en reste. Douste-Blazy laisse toujours dire qu'il est partant pour le poste. Et il se murmure que Michèle Alliot-Marie pourrait être sur les rangs des favoris pour Matignon. Elle multiplie d'ailleurs les rencontres avec les parlementaires et son compagnon Patrick Ollier, président de la commission des affaires économiques, m'a à plusieurs reprises fait savoir qu'il serait bon que je la voie pour évoquer l'avenir.

Mais Chirac ne veut rien entendre. La présence de Raffarin à Matignon lui va parfaitement. Et plus on se rapproche de l'échéance présidentielle de 2007, plus Raffarin convient à Chirac. C'est lors des périodes pré-électorales que les trahisons politiques se trament, les calculs politiciens s'organisent, les alliances d'ambitions, pourtant contradictoires, se scellent, les premières lâchetés des fidèles se perçoivent et les conspirations discrètes ou les conciliabules secrets prennent forme.

Parce que le personnage est ainsi fait, Raffarin reste loyal envers Chirac. Il ne participe pas à ces complots plus ou moins souterrains. Il ne les approuve pas. La traîtrise ne fait pas partie de sa personnalité. Comme je l'ai rappelé, il n'a rejoint Chirac en 1994 qu'une fois que Giscard eut publiquement annoncé qu'il renonçait à se présenter à l'élection présidentielle. Au surplus, il n'affiche pas d'ambition politique, et se consacre exclusivement à sa tâche de Premier ministre. Il réunit bien de temps à autre ses propres amis, mais même dans ce cénacle particulier, où tout se sait toujours, il tient des propos d'une correction et d'une fidélité exemplaires à l'égard du président de la République. Il dit d'ailleurs à qui veut l'entendre qu'il est devenu chiraquien et même gaulliste. J'ai été surpris d'entendre Raffarin me dire à l'Assemblée en deux occasions, le 18 mars 2004 et le 17 février 2005 : « Nous sommes frères en Chiraquie. »

Cela ne veut pas dire qu'il ait abdiqué toute ambition personnelle, ni qu'il n'aspire pas à un avenir politique plus important – désir au demeurant légitime –, mais Jacques Chirac, à juste titre, sait qu'il ne trahira pas sa confiance. Cette loyauté participe d'ailleurs d'un calcul très habile chez Raffarin. Il a compris très vite que le président était son seul allié. Il n'en a pas d'autre. Il est bien conscient que l'objectif premier des Juppé, Sarkozy, Villepin et autres Alliot-Marie est d'être en situation pour la présidentielle de 2007. Il sait donc qu'aucun d'entre eux ne lui fera le moindre cadeau. Jean-Pierre Raffarin, qui pense lui aussi à l'Élysée, voit dans l'exemplarité de son comportement l'occasion d'ajouter à son image de libéral et de giscardien l'étiquette de chiraquien.

2

Dominique de Villepin, une ambition manquée

Le 31 mai 2005, Jacques Chirac se résout finalement à changer de Premier ministre. Il nomme Dominique de Villepin à Matignon.

Quelques jours avant le référendum du 29 mai 2005 sur le projet de Constitution européenne, Jacques Chirac m'interroge : « Comment vois-tu les choses ? » Je me souviens lui avoir répondu ceci : « Maintenant, il convient de changer de Premier ministre, les mois qui s'annoncent vont être difficiles. En mars et juin 2004, nous avons subi une lourde défaite. Les résultats du référendum seront vraisemblablement médiocres. L'opposition retrouvera une pugnacité perdue. Le choix à faire pour succéder à Raffarin sera entre Sarkozy, Villepin, Alliot-Marie et peut-être Borloo. Les autres candidats ne sont pas sérieux. »

Le président me demande mon avis sur les avantages et les inconvénients de chacun d'entre eux. Voici ce que je lui dis et que je retrouve au fil des notes rédigées après l'entretien.

Je commence par Sarkozy. Je suis réservé sur lui en raison de son image trop libérale. Ce n'est pas ce qu'attend la France, selon moi. « Il assurera, par son positionnement politique, le retour de l'unité de la gauche, dis-je à Chirac. Le slogan de l'opposition sera : "Tous contre Sarkozy". En voulant séduire l'extrême droite de manière trop évidente afin d'éliminer d'éventuels candidats de la droite au premier tour de l'élection présidentielle de 2007, il s'est placé dans une situation délicate : celle de ne pas apparaître comme un bon candidat de deuxième tour. On ne peut pas être à la fois le candidat de l'extrême droite, de la droite et du centre et espérer recueillir au second tour des voix de gauche. Il a pris une posture différente de celle qui avait été la vôtre lors de l'élection de 1995 où, du fait notamment de la présence de Balladur, vous vous étiez situé plus au centre. »

Au surplus, je me permets d'indiquer à Jacques Chirac, qui m'écoute sans broncher, que Sarkozy à Matignon, c'est la fin de son quinquennat. Il ne respectera même pas sa fonction et n'aura de cesse que de le mettre à l'écart. « La politique de la France, ce ne sera plus votre politique, mais la sienne. En contrepartie, c'est vrai, Sarkozy arrivera à préserver l'unité du groupe parlementaire qui lui est acquis. – Et s'il rentre au gouvernement dans un grand ministère ? » m'interrompt Chirac. Je me souviens de ma réponse, je l'ai aussi notée : « Vous avez déjà eu tellement de mal à l'en faire sortir ! Il a commis suffisamment de dégâts, ce n'est pas la peine de recommencer. S'il redevenait ministre, il aurait a fortiori un grand ministère, tout en gardant l'UMP. Il se construirait une citadelle politique et rendrait la vie impossible au prochain Premier ministre. »

Nous en arrivons à Villepin, sur lequel je lui donne aussi mon opinion : « Villepin n'est pas classé antilibéral ou libéral, il est capable du meilleur et du pire, il s'emporte facilement… – Oh, je connais parfaitement sa personnalité », me coupe Chirac. Je continue en lui indiquant que, selon moi, « sa fidélité sera plus assurée qu'avec Sarkozy et qu'en tous les cas, il respectera la fonction présidentielle ». Je nuance toutefois : « Vous conserverez une marge de manœuvre politique, je crois qu'il pourra donner un nouveau souffle à l'action gouvernementale, mais il sera difficile à imposer au milieu parlementaire. Il a eu trop tendance dans le passé à mépriser les députés et les sénateurs. »

Quant à la nomination de Michèle Alliot-Marie, elle ne pourrait être crédible, à mon avis, que dans une optique de quasi-partage entre les oui et les non au référendum. Mais Michèle Alliot-Marie, qui est un bon ministre de la Défense, manque de personnalité. Malgré ses apparences cassantes et autoritaires, même si elle bénéficie d'un certain charisme, aura-t-elle la capacité de s'imposer face à Sarkozy et Villepin ? Je n'en suis pas certain. Je l'explique au président. « Comme toujours, tes remarques sont pleines de bon sens », conclut Chirac en regardant sa montre pour m'indiquer que l'entretien est terminé.

Il ne s'est pas dévoilé de son côté, ne m'a pas confié ce qu'il comptait faire. Pendant toute notre rencontre, je l'ai attentivement observé. Nous étions dans son bureau. Il était assis presque en face de moi. Il n'a montré aucun signe d'approbation ou de désapprobation à mes propos. Il est resté impassible. Il n'a manifesté ni impatience ni irritation. Il m'a interrompu seulement deux fois. Quand je lui ai parlé de la relation entre Villepin et les parlementaires, il m'a révélé lui avoir expliqué à plusieurs reprises qu'il n'était pas assez attentif aux députés et qu'il convenait de ne pas les négliger. Quand nous avons parlé du sujet de la Défense, je lui ai dit que si Alliot-Marie était effectivement estimée des militaires, cela venait du fait que le budget des armées avait fait l'objet, de sa part à lui, de bons arbitrages : « Si vous n'aviez pas été là, je ne suis pas certain qu'il aurait été aussi favorable à la modernisation des armées. – Tu n'as pas tort », a-t-il reconnu.

En remontant dans ma voiture que j'avais laissée dans la cour de l'Élysée, satisfait de ma conversation avec le président qui a duré près d'une heure trente, et a été comme toujours sympathique, chaleureuse, amicale et directe, je repense à son exceptionnelle qualité d'écoute. Je détecte très bien, à force de le rencontrer en tête à tête depuis de nombreuses années, quand elle est feinte, lorsqu'il pense à autre chose, ou n'a vraiment rien à faire de ce que je lui raconte. Cette fois-ci, rien de tout cela. Il a été particulièrement attentif, vraiment désireux de savoir ce que je pensais. Mais au sortir de l'Élysée, sur le nom de celui qui devait remplacer Raffarin, je n'ai rien appris.

Certes, j'ai une intuition, fruit de cette conversation et de celles qui ont précédé. Je commence à connaître son opinion sur les principaux personnages de notre République. Mais cette fois-ci, volontairement, il n'a pas voulu me livrer l'état de ses réflexions personnelles et me donner le nom du futur Premier ministre. Cela dit, je suis sceptique sur les chances de Sarkozy d'être nommé à Matignon, et je ne crois absolument pas à celles d'Alliot-Marie.

En rédigeant le compte rendu de cette rencontre, je note sur mon cahier que mon pronostic est en faveur de Villepin, mais que je n'en suis pas certain non plus.

D'autres sont possibles. Thierry Breton ? Je n'y crois pas. Borloo ? Je perçois les avantages et inconvénients de sa nomination, mais je n'y crois pas davantage. Même si je sais qu'il a des partisans à l'Assemblée, et peut-être même à l'Élysée.

J'apprends la désignation de Dominique de Villepin la veille de sa promotion. Chirac m'appelle au téléphone rapidement : « Tu le gardes pour toi, Villepin sera Premier ministre demain. Tu devras l'aider et Sarkozy entre au gouvernement. » Il ne m'en dit pas plus. Ni ne me laisse le temps de lui faire des commentaires.

Pour « aider » le nouveau Premier ministre, comme me l'a recommandé le chef de l'État, j'organise, à peine sa nomination connue, un déjeuner à l'hôtel de Lassay entre lui et les députés de la majorité. Cette rencontre restera dans mes annales. D'emblée, je me rends compte qu'un grand nombre d'entre eux boudent, sont furieux et ne veulent pas venir. Ils sont traumatisés par le résultat du référendum européen, qui s'est soldé par un échec annonciateur pour eux d'une réélection très difficile. Ils refusent d'entendre parler de Villepin. Je prends moi-même mon téléphone pour appeler une quinzaine de « copains », à qui je suis obligé de dire : « Si vous ne venez pas pour Villepin, venez au moins pour moi. Je vous ai toujours aidés. Chaque fois que vous avez eu un problème, j'étais là. Hier comme aujourd'hui. C'est la première fois en l'espace de quinze ans que je vous demande quelque chose… »

Au final, le nombre de députés présents est correct mais l'ambiance détestable. J'ai fait venir un photographe pour qu'ils puissent avoir un cliché en compagnie du nouveau Premier ministre. D'habitude, ils aiment beaucoup cela. Mais là je me rends compte que certains refusent ou rechignent à se faire photographier. D'autres disent bonjour à Villepin en lui tournant la tête ou en ne se levant pas pour le saluer. Je n'avais jamais perçu autant d'hostilité affichée à l'égard d'un tout récent chef de gouvernement. Je suis en revanche assez agréablement surpris par le savoir-faire de Villepin. Il serre les mains, dit bonjour avec un sourire sans oublier personne, embrasse les députées. Le seul problème est qu'il ne connaît pas la majeure partie des convives, même si cela ne se voit pas trop : je lui souffle les noms et les départements d'élection. Il n'en reste pas moins que le déjeuner se termine dans une atmosphère lourde et artificielle, pleine de sous-entendus.

Après le repas, je retourne dans mon bureau, enlève mes chaussures, prends un cigare et me sers un vieux calva. La tension de ce déjeuner a été si forte que j'en ai besoin pour me remonter le moral. Chirac m'appelle. « Alors, comment cela s'est passé ? » me demande-t-il. Je lui réponds : « Beaucoup plus difficile que je ne le pensais. Les députés sont remontés contre vous et contre la terre entière. – Mais quel est l'état d'esprit des députés ? Mauvaise humeur passagère ? » insiste-t-il. Je lui explique que, « pour résumer, un grand nombre de députés est carrément hostile à Villepin. Ils voulaient Sarkozy. D'autres sont furieux que Sarkozy ait accepté le principe de revenir au gouvernement simplement comme ministre. Ils considèrent qu'il les a trahis. Ils sont donc aussi de mauvaise humeur. Tous en tout cas sont remontés contre vous. À part cela, tout va bien. Il y a du boulot en perspective… ». Il m'interrompt : « Ça, ce n'est pas grave. Débrouille-toi, aide Dominique au maximum. Nous en reparlerons. » Il raccroche, me laissant seul avec mon cigare éteint, déjà à moitié consumé et mon verre de calva vide.

Le reste de l'après-midi s'annonce délicat. Je vais faire un tour au Palais-Bourbon. À la buvette les commentaires vont bon train, identiques : « Tout cela est absurde, la machine à perdre s'est mise en route. Chirac n'a rien compris. Villepin, c'est ridicule, Sarkozy est inconséquent... » Je préfère ne pas trop m'attarder. Cela risquerait de miner mon moral. À peine suis-je revenu à mon bureau que Chirac m'appelle de nouveau sur mon portable. Il me demande de passer le voir en fin d'après-midi, mais d'entrer par le jardin de l'Élysée, pour être discret. Je me retrouve donc une nouvelle fois dans son bureau.

Il commence comme toujours avec cette alliance d'optimisme et d'humour : « Tout va bien : Villepin m'a dit que tu avais été parfait au déjeuner. » Il m'interroge ensuite sur ma vision de l'architecture du gouvernement. Je lui indique qu'il devrait, selon moi, ne comprendre qu'un nombre restreint de ministres. Villepin, en quittant l'Assemblée après le déjeuner, m'avait demandé d'insister sur ce point auprès de lui. Chirac me cite ensuite certains noms pour simplement connaître ma réaction, sans d'ailleurs me préciser quel sera leur ministère, mais pour certains, je m'en doute. Il me demande de réfléchir d'ici demain à des noms de parlementaires femmes pour faire partie du gouvernement.

L'entretien cette fois-ci est rapide. À peine une demi-heure. Jacques Chirac est tendu, préoccupé. En me raccompagnant à la porte de son bureau, il m'interroge pour savoir où je serai le lendemain. Je lui dis que je dois passer la journée à la mairie d'Évreux. « Il faudra, si nécessaire, que je puisse te joindre. »

De retour à mon bureau, Dominique de Villepin m'appelle pour me remercier : « Tu as été formidable. » Premier compliment du nouveau Premier ministre. Il a parfaitement conscience que l'accueil qui lui a été réservé par les députés n'a pas été débordant d'enthousiasme. Il veut surtout savoir si j'ai bien insisté auprès du président sur la nécessité d'un gouvernement resserré. Je le lui confirme...

Il y a de nombreuses raisons au rejet de Villepin parmi les parlementaires de la majorité élus en 2002. Cinquante d'entre eux étaient des revenants : ils avaient été battus en 1997. Quand on sait combien certains députés sont accrochés à leur siège et prêts à tout pour se faire réélire, on mesure le degré de détestation qui se focalise sur le nouveau Premier ministre. Beaucoup ne lui ont pas pardonné d'avoir été l'un des instigateurs de la dissolution. Pendant la cohabitation puis comme ministre des Affaires étrangères et de l'Intérieur, il n'a pas fait d'efforts particuliers pour gagner leurs faveurs. Il n'est pas attiré par le monde parlementaire. Comme de nombreux hauts fonctionnaires, il lui arrive de manifester un mépris profond et sincère vis-à-vis des élus. Enfin, certains sarkozystes pendant cette période ne se sont pas privés de le dénigrer, en rappelant si besoin qu'il lui arrivait de traiter les parlementaires de « connards ».

À cela s'ajoute que Villepin dénote dans le milieu politique. Il ne fait pas partie de cette famille. Il n'a jamais montré d'empressement pour l'intégrer. Il

dérange et inquiète. Il est à tous égards atypique…
Longtemps, je n'ai éprouvé pour lui aucune sympathie
particulière. À vrai dire, il m'indifférait.

Quand j'ai été, de 1995 à 1997, ministre de l'Intérieur, je crois ne jamais avoir eu en lui un véritable
allié. Pendant la période difficile des attentats islamistes, il ne m'inspirait pas grande confiance. Je refu-
sais de passer dans son bureau de secrétaire général de
l'Élysée avant d'aller voir le président dans le sien :
mon histoire avec Chirac me le permettait.

Pendant la cohabitation, je n'ai pratiquement pas eu
de rapports avec Villepin. Je n'aime pas les personnalités qui ne sont habitées que par des certitudes. Je me
souviens d'une conversation à ce sujet avec un ami,
professeur de médecine et député. « Le problème de
Chirac, m'a-t-il dit, c'est qu'il est entouré d'un mégalo
– Sarkozy – et d'un parano – Villepin. » Son diagnostic ne me paraissait pas dénué de fondement.

Et puis, pour dire la vérité, j'ai changé d'opinion sur
Dominique de Villepin après son entrée à Matignon.
Je l'ai vu régulièrement, souvent seul à seul. Il ne se
livre pas volontiers, fait peu confiance aux autres ;
mais j'ai découvert une personnalité attachante, pas-
sionnée, cultivée. Ce n'est pas un homme de cour, un
courtisan docile, prêt à toutes les courbettes pour
plaire. Ses héros – Bonaparte plus que Napoléon,
Clemenceau, de Gaulle – me conviennent. Il a une
vision authentique et pas feinte de notre pays. Il se
retrouve dans une certaine idée de la France, forte,
fière, conquérante. Il n'est pas homme à se résigner
facilement. Je comprends parfaitement celles et ceux
qui ont peur de sa passion. Moi, elle ne m'inquiète pas.

Certes, c'est un personnage difficile à saisir, car secret. Il va vite, parfois trop vite, mais il assume ses responsabilités. Il n'est pas homme à les fuir. Naturellement, comme toute forte personnalité, il est parfois insupportable. Mais j'ai eu l'occasion aussi de mesurer lors de nos déjeuners qu'il est capable d'entendre des vérités, même lorsqu'elles ne sont pas agréables.

Un jour, parlant avec lui, je traite à mon tour certains parlementaires de «connards». Il est surpris de me voir employer ce mot vis-à-vis de collègues députés et ne comprend pas qu'on puisse lui reprocher ce terme alors que je me permets de l'utiliser – et dans ma bouche il ne paraît pas scandaleux. Je lui explique pourquoi : «La différence avec toi, c'est que je suis parlementaire depuis vingt ans. J'ai été élu, réélu constamment ; j'ai conquis un canton et une ville tenus par la gauche et même par les communistes. J'ai galéré dans l'opposition à l'Assemblée pendant cinq ans. Quand j'emploie ce mot, il a une tonalité affectueuse. Les députés font partie de mon monde, même s'ils n'appartiennent pas à ma famille politique. Ce n'est pas ton cas. – Tu as raison», reconnaît-il.

Reste aussi fortement gravé dans ma mémoire ce moment passé dans son bureau, à Matignon, en décembre 2006, juste après qu'il avait été entendu par les juges dans l'affaire Clearstream. Moments où se révèlent les caractères et les véritables natures.

Oui, j'ai changé d'opinion sur Villepin, mais il n'a rien fait pour qu'il en soit ainsi.

Pourquoi a-t-il échoué au final ? Après des débuts flamboyants, il a traversé des crises incroyables : celles des banlieues, du CPE, l'affaire Clearstream, les rébellions à répétition au sein de la majorité parlementaire… Une véritable descente aux enfers !

À partir de la crise du CPE, le climat dans la majorité est devenu insupportable par sa violence. Chaque camp s'observe. Il y a des arrière-pensées partout. Le combat pré-présidentiel produit des ravages. À plusieurs reprises, les sarkozystes font tout pour tenter de déloger Villepin de Matignon. Celui-ci passe régulièrement de l'abattement complet à l'excitation totale. Il comprend d'autant moins que les autres ne l'aiment pas qu'il a le sentiment d'être courageux, de prendre les mesures qui conviennent, de se battre sans répit. Pendant tout ce temps, Chirac, lui, ne veut pas trancher, ménage les uns et les autres. Il déteste ces situations où il n'est pas dans le jeu, ne contrôle rien. Résultat : on va ainsi, tel un bateau ivre, de crise en crise, jusqu'au naufrage.

On assiste alors au début de l'affrontement sans concession entre Villepin et Sarkozy. Les rapports entre les deux hommes deviennent exécrables et le climat au sein des députés de la majorité ne cesse de se détériorer, des clans rivaux se constituent.

En 2001, Nicolas Sarkozy avait pourtant fait l'éloge de Dominique de Villepin dans un livre : « Détestant les non-choix et les hypocrisies, travaillant plus qu'il n'est imaginable, voulant avoir raison sans toujours y croire, se trompant parfois, mais avec panache, il est une personnalité qui mérite beaucoup mieux que ce portrait déséquilibré souvent tracé. Il n'y a pas de petitesse chez ce guerrier[1]… » Je ne suis pas sûr que

1. *Libre*, Éditions Fixot-Robert Laffont, 2001.

Nicolas Sarkozy écrirait la même chose cinq ans plus tard. Alors, ils étaient alliés ; depuis, ils sont rivaux.

Villepin a-t-il échoué pour avoir trop pensé à la présidentielle de 2007 ? Pour s'être imaginé trop vite en situation de rivaliser avec Nicolas Sarkozy et de succéder à Jacques Chirac ? Il est vrai que ses ambitions élyséennes étaient claires dès le départ. Je l'ai vu régulièrement et il m'en a parlé fréquemment.

Je me souviens d'un de nos déjeuners. C'était le 6 septembre 2006, à Matignon. Nous sommes installés, en tête à tête, au fond du parc, près du Pavillon de musique. C'est lui qui est à l'initiative de cette invitation après la pause estivale. Sans attendre, dès que nous sommes assis, je l'interroge sur l'état de sa réflexion quant à la présidentielle. Il me répond : « À trop vouloir attendre, on finit par arriver trop tard. » Il m'explique qu'il a beaucoup réfléchi cet été, qu'il ne peut en conscience laisser Sarkozy – qui est pour lui tout sauf un homme d'État – diriger la France.

Alors je lui demande quand et comment il compte faire part aux Français de sa décision. Il ne sait pas et me retourne la question. Je lui réponds qu'il n'est pas simple de trouver la bonne date : Sarkozy sera investi en janvier, Chirac ne se prononcera que fin février et il ne peut prendre le risque de se fâcher avec lui. Avant ces deux dates, c'est difficile ; après, c'est un peu tard.

Je lui reproche ensuite d'en avoir trop fait quelques jours plus tôt à l'université d'été de l'UMP à Marseille vis-à-vis de Sarkozy. Dans son discours, il l'a remercié pour son action, qualifié de « ministre d'État courageux et volontaire ». Villepin en convient, mais il revient sur la question qui le préoccupe : à quel moment doit-il annoncer sa candidature ? En décembre, en janvier ou plus tard ? À ce moment-là, il me questionne sur les intentions du président. Je lui dis que je n'en ai aucune idée. Je lui pose à mon tour deux questions : en a-t-il parlé avec Chirac ? Quelle est la position de ce dernier vis-à-vis de Sarkozy ? Villepin m'assure n'avoir rien évoqué de cet ordre avec le président et m'interroge à son tour sur la relation Chirac-Sarkozy. Je lui livre le fond de ma pensée : « Il est difficile de décrypter la position de Chirac. Il nous balade. Il n'aime pas les conflits et les affrontements, donc il tergiverse. Sarkozy l'exaspère indéniablement. Mais que lui fait-il croire, à lui ? Comme toujours, Chirac cherche à anesthésier tout le monde, à semer de part et d'autre la confusion. C'est sa méthode. Je la connais bien et d'ailleurs lorsqu'il me parle de Sarkozy, il change, il ne me regarde plus, il agite ses pieds, il promène son regard dans son bureau. C'est le signe pour moi d'une situation qui lui paraît insaisissable et sur laquelle il ne veut pas se livrer. »

En nommant Villepin à Matignon, Chirac lui a donné sa chance. Il lui a offert l'occasion, à lui qui n'a jamais connu la moindre épreuve du feu électoral, de se donner une patine politique qu'il n'avait pas encore. Mais leurs relations, qui étaient faites d'une grande confiance, se sont nettement détériorées au cours de ces derniers mois de la présidence.

Le 21 novembre 2006, j'ai une conversation à l'Assemblée nationale avec Villepin. Il est ce jour-là exaspéré par Chirac qu'il sent vouloir rester maître du jeu jusqu'au bout, même s'il ne pense pas se représenter. « J'ai l'intention d'y aller, de démissionner de Matignon, car je pense que Chirac n'est pas capable de résister à Sarkozy », fulmine-t-il. Puis, parlant évidemment de la présidentielle, il poursuit : « Chirac préférera Alliot-Marie à Sarkozy, si elle peut y aller ; mais il préférera Sarkozy à moi. De toute façon, Chirac est tout seul. Juppé est animé d'un ressentiment à son égard. Mon intention est claire : j'y vais, je démissionnerai de Matignon. »

Je me souviens avoir écrit ce jour-là sur le carnet où je note tant de choses : « À écouter Villepin, je le trouve totalement déterminé mais je me demande s'il ne finira pas par caler. Il est seul, sans équipe. » Comme c'est un homme direct, je suis certain qu'il a fait part à Chirac de son amertume telle qu'il me l'a exprimée.

Le 16 novembre 2006, Jacques Chirac m'appelle et me demande ce que je pense de la situation. Je ne lui cache rien de mon inquiétude : « Je ne peux que vous confirmer ce que je vous ai déjà exposé. La situation est confuse. Sarkozy est agressif. Villepin est nerveux. Les relations entre vous et Villepin, me semble-t-il et d'après ce qu'il me dit, se tendent. Les déclarations de votre épouse au *Nouvel Observateur*[1] jettent un doute, une interrogation : pourquoi de telles affirmations maintenant ? On raconte que votre entourage roule pour Sarkozy dans votre dos, notamment Maurice Gourdault-Montagne qui a facilité le voyage de celui-ci en Algérie[2]. On dit même, ce qui n'est pas une tradition, qu'en plein Conseil des ministres, Sarkozy a remercié Gourdault-Montagne pour cela.

1. Paru le 16 novembre 2006. Bernadette Chirac y déclare au sujet de 2007 que « la messe n'est pas dite » et que « son mari est très en forme et très populaire ».

2. Nicolas Sarkozy, sous sa casquette de ministre de l'Intérieur, s'est rendu à Alger les 13 et 14 novembre 2006 pour un déplacement très médiatisé. Maurice Gourdault-Montagne est le conseiller diplomatique du président de la République à l'Élysée.

Michèle Alliot-Marie, elle, rentre dans le jeu. Elle occupe le terrain, ce qui énerve Dominique et encore plus Sarkozy. » Il me répond : « Tout cela est vrai. D'ailleurs comment sais-tu que Sarkozy a remercié Gourdault-Montagne ? » Je lui lance : « Eh bien parce que vos ministres sont bavards et que ce qu'a fait Gourdault-Montagne n'est pas conforme aux usages. – Oui, ce n'était pas bien et je n'aime pas ce genre d'intervention, me rétorque le président. J'ai accepté que Gourdault-Montagne prépare le voyage de Sarkozy à Alger pour mieux le contrôler. C'est vrai qu'il n'est pas habituel qu'en Conseil des ministres, un membre du gouvernement remercie un collaborateur du chef de l'État, mais Sarkozy l'a fait pour lui être agréable. Je trouve Dominique nerveux, je l'ai fait venir, je lui ai dit qu'il fallait qu'il garde son calme, son flegme. » Je poursuis : « Il est nerveux parce qu'il pense que vous roulez pour Sarkozy. – Il a tort de croire cela », m'affirme-t-il.

Les relations entre Chirac et Villepin m'ont semblé s'apaiser par la suite. Derrière la fougue de Villepin, il y a un homme profondément sensible. Gaulliste de conviction, serviteur de l'État, exigeant avec lui-même, je le crois fidèle en politique. Malgré la déception qu'il peut ressentir d'être confronté à la dureté d'un milieu qu'il croyait bien connaître et qui le rejette. Un monde cruel et versatile. Il doit en éprouver un sentiment d'injustice. La politique qu'il a voulue et dont il a pris la responsabilité porte manifestement ses fruits, mais il n'en a recueilli aucun dividende personnel. Au contraire, il a dû constater que ses ministres l'avaient lâché et qu'il se retrouvait isolé, écarté du destin qu'il ambitionnait à juste titre.

3

Nicolas Sarkozy
ou le problème du quinquennat

Travailleur, possédant parfaitement ses dossiers, doué d'une grande mémoire, orateur talentueux, toujours en alerte et en mouvement, ambitieux – mais peut-on le lui reprocher ? –, Nicolas Sarkozy, j'en conviens, ne laisse pas indifférent et je comprends parfaitement qu'il puisse séduire. Son savoir-faire est aussi remarquable et efficace que son faire-savoir. Sa capacité à retourner à son profit des situations qui, a priori, ne lui sont pas favorables est exceptionnelle, preuve d'une grande intelligence et d'une parfaite agilité d'esprit.

Malgré tout cela, je n'ai jamais pu m'entendre avec lui. Non pas seulement parce qu'il a trahi Chirac en 1994 – s'il avait fallu que je rompe avec celles et ceux qui à cette époque ont préféré Balladur à Chirac à qui ils devaient pourtant tout, j'aurais par la suite été bien seul dans ce monde politique ! La vérité est que je ne lui ai jamais fait la moindre confiance.

Pourtant, lorsque je suis arrivé à la présidence de l'Assemblée, j'ai cherché à améliorer nos rapports. Je l'ai rencontré seul à seul à plusieurs reprises, le 26 septembre 2002, à nouveau le 21 octobre de cette même année. Je l'ai revu au moins trois autres fois par la suite. À chacun de ces rendez-vous, il a fait des efforts, moi aussi, mais je ne suis pas arrivé à ne pas me méfier de lui et je crois lui non plus.

Quand je réfléchis à nos relations, je ne vois qu'incidents, agressions, échecs probablement dus à une incompréhension mutuelle.

Je me souviens, c'était en 1994. Il était ministre du Budget. Je m'occupais du RPR. Il m'avait invité à prendre un petit déjeuner à Bercy. J'y suis allé. Cela s'est mal terminé. Il m'a demandé de rallier Balladur. Je lui ai dit non. Il a été très pressant. Le petit déjeuner s'est achevé rapidement.

Pendant la campagne présidentielle de 1995, on a beaucoup évoqué sa façon d'agir. Je ne sais si les propos qu'on lui prêtait étaient exacts. Il n'en reste pas moins qu'il a mis beaucoup de zèle à « démolir » Jacques Chirac.

À l'époque du gouvernement Juppé, quand celui-ci a plaidé auprès de Chirac son retour en grâce, ce dernier m'a interrogé et je me rappelle m'être mis en colère dans son bureau à cette idée qui me semblait une erreur grave.

Lorsque, en 1997, je suis devenu président du groupe RPR à l'Assemblée, nos relations ne se sont pas améliorées. J'en veux pour preuve l'incident du 3 octobre 2000 où j'ai dû lui interdire l'entrée du bureau du groupe. Ce qui a naturellement contribué à dégrader nos relations par la suite.

Au cours de l'année 2002, en privé devant le président de la République, mais aussi publiquement dans la presse, à la radio et à la télévision, j'ai dénoncé certains de ses propos, critiqué son comportement, notamment vis-à-vis du chef de l'État. Je me suis interrogé sur ses convictions politiques, sur sa conception des rapports de la France avec les États-Unis. Je me suis demandé ce qu'il aurait fait en 2003 au moment de la guerre contre l'Irak, quelle aurait été, avec lui aux commandes, la position de notre pays au Conseil de sécurité des Nations unies.

Et puis, je n'ai cessé de me questionner sur sa conception de nos institutions. Je sais bien que, face à la complexité de notre société, les notions de droite et de gauche sont parfois bien élimées, mais veut-il incarner un libéralisme moderne ou au contraire, en économie, privilégier le réalisme ? Quel rôle l'État doit-il avoir pour lui dans notre organisation économique et sociale ? Il est difficile de savoir exactement où il se situe. C'est d'ailleurs peut-être dans cette ambiguïté que réside son talent politique. Finalement, quand j'observe Sarkozy, une phrase de Chirac me revient en mémoire, qui m'a toujours fait sourire : « Quand on n'arrive pas à creuser son sillon, il faut ratisser large. »

Si je me suis souvent opposé à Sarkozy, c'est parce que je n'ai pas les mêmes conceptions que lui de la politique, de la République et des institutions. Ses méthodes, ses positions, son comportement m'ont choqué à plusieurs reprises. Je comprends parfaitement que certains ne ressentent pas cela de la même façon. Je sais bien que, pour d'autres, en politique tout est permis. Mais il y a des convictions sur lesquelles je ne saurais transiger. Et j'estime qu'en politique tout n'est pas possible.

L'un des grands atouts politiques de Nicolas Sarkozy, ce qui en fait un adversaire redoutable, c'est d'avoir une force de réplique rapide. Dès qu'il est critiqué, contesté, immédiatement se met en marche une réplique médiatique destinée à le faire passer pour celui qu'on agresse. Jacques Chirac m'avait d'ailleurs prévenu un jour, le 11 décembre 2004, où je m'étais laissé aller devant lui à montrer le peu de sympathie que j'éprouvais pour Sarkozy : « Fais attention, je le connais bien, il veut apparaître comme une victime. » Il avait raison.

C'est ainsi que, face à la réaction timorée de l'Élysée à l'automne 2006, après son déplacement aux États-Unis, je décide de réagir vivement. Je ne peux admettre qu'un ministre critique la politique de son pays quand il est à l'étranger. Au surplus, être prêt à accepter n'importe quoi pour obtenir un cliché avec le président des États-Unis me semble être un manque de dignité absolu. À la suite de l'entretien que je donne au *Journal du Dimanche* du 15 octobre 2006 pour réprouver de tels agissements[1], je suis immédiatement vilipendé par le clan sarkozyste. J'y suis habitué. Mais que certains journaux acceptent d'être les complices de cette propagande me surprend. On oublie les provocations du ministre, ses propos indignes de la part d'un membre éminent du gouvernement. Qui est l'agresseur ? Qui a provoqué le président de la République ? Qui a donné une mauvaise image de la France ? Naturellement, le petit monde politique est en pleine ébullition. L'agresseur, c'est moi, et Sarkozy la victime d'une attaque présentée comme aussi injuste qu'inutile. C'est dans cet art de la réplique que réside le talent politique de son équipe et le sien. Du point de vue de l'efficacité médiatique, il a raison d'agir ainsi.

1. Jean-Louis Debré y fustige notamment le « dénigrement continu et insupportable » de Nicolas Sarkozy.

Avec quelle adresse il a occupé ce terrain médiatique et géré à son profit sous la présidence de Jacques Chirac des événements qui ne lui étaient pas forcément favorables ! Mais peut-être y a-t-il eu aussi beaucoup de faiblesse chez ceux qui ne partageaient pas ses convictions ou ses ambitions, et qui l'ont laissé agir à sa guise.

Le principal reproche que je lui fais est d'avoir mis à mal nos institutions. Que l'opposition critique l'action du chef de l'État et de sa majorité, rien de plus normal. Mais qu'à l'intérieur même de cette majorité, qu'au sein même du gouvernement une personnalité conteste en permanence le président élu par les Français, remette en cause sa légitimité et le fonctionnement de nos institutions est à mes yeux inacceptable. Est-il tolérable qu'un ministre de la République, en déplacement officiel aux États-Unis ou dans n'importe quel autre pays étranger d'ailleurs, critique la politique du gouvernement auquel il appartient ? C'est une question fondamentale qu'il fallait bien poser et je m'y suis employé. Jean-Pierre Chevènement avait eu, au moment de la guerre du Golfe de 1991 à laquelle il était opposé, à l'inverse de François Mitterrand, une phrase qui pour moi a gardé toute sa justesse : « Quand on est ministre, on ferme sa gueule ou on démissionne. » Sarkozy, lui, a fait le contraire.

On a pu se demander si Jacques Chirac n'aurait pas eu intérêt à accepter de nommer Nicolas Sarkozy Premier ministre et pourquoi il ne l'a pas fait. Partout ailleurs, c'est le chef du parti majoritaire qui est aussi le chef du gouvernement. L'explication me paraît assez simple : connaissant bien la personnalité de Sarkozy, il n'en a clairement jamais eu envie. Qu'est-ce que cela aurait changé ? Sarkozy aurait-il évité de critiquer en permanence le chef de l'État ? Aurait-il cessé de toujours vouloir se démarquer de lui ? Je ne le crois pas. Il y aurait eu une multitude de conflits. Cette situation aurait abouti soit à une nouvelle dissolution, soit à un départ du président de la République, soit à celui du Premier ministre en cours de mandat. La crise aurait risqué de mettre en cause l'autorité de l'État, mais ne réécrivons pas l'histoire. Comprendre celle qui s'est effectivement passée est déjà si difficile.

L'appréciation que l'on peut porter sur quelqu'un est susceptible de varier, d'évoluer, de se transformer au fur et à mesure du temps, surtout quand il s'agit d'action politique.

À la convergence d'intérêts peut se substituer une divergence d'ambitions. Je crois qu'il en a été ainsi entre Chirac et Sarkozy. En 1994, Chirac avait l'ambition présidentielle qu'on lui connaît et Sarkozy a considéré que son intérêt était de soutenir Balladur et de se détacher du premier. Partant de là et de cette cassure, la suite est facile à reconstituer. La tristesse de l'un d'avoir été trahi par un jeune homme talentueux et l'amertume de l'autre, dont l'ambition était grande, d'avoir fait le mauvais choix.

Sous ce quinquennat qui se termine, la volonté de Jacques Chirac de conduire à son terme son mandat, en accomplissant les réformes indispensables avec Raffarin ou Villepin, se heurte au ressentiment de Sarkozy de ne pas être Premier ministre et à la conviction qui est la sienne que, pour exister face à Chirac, Raffarin, Villepin et briser la possibilité pour le premier de briguer un troisième mandat présidentiel et pour les deux autres de se lancer à la conquête de l'Élysée, il faut se démarquer d'eux, prôner la rupture, le changement, promouvoir un ordre nouveau, forcément plus juste, plus démocratique. Et surtout ne pas laisser à ses adversaires politiques, en l'occurrence ceux de son propre camp, comme ses concurrents de gauche ou du centre, le monopole du thème du changement. Elles sont rares, les élections qui se gagnent sur le slogan : « Continuons ». Même de Gaulle, en 1965, a failli chuter lorsqu'il a prôné la continuité, la poursuite de son action politique, et pourtant la situation économique et sociale lui était favorable.

Le 9 novembre 2006, je prends place dans l'avion avec Dominique de Villepin, Michèle Alliot-Marie, Christian Poncelet et Hamlaoui Mekachera[1], pour Colombey-les-Deux-Églises à l'occasion de la pose de la première pierre, par Jacques Chirac, du mémorial érigé en l'honneur du général de Gaulle. Voici ce que j'écrivis dans mon carnet de notes à mon retour : « À écouter Alliot-Marie, je suis frappé par sa détermination froide mais aussi la haute idée qu'elle se fait d'elle-même et des "valeurs qu'elle porte". Je remarque qu'elle a pris beaucoup de plaisir à Colombey à serrer des mains. Elle a la conviction qu'elle va devoir affronter Villepin mais que celui-ci n'est pas difficile à contourner. C'est du moins l'impression qu'elle me donne. Elle croit à sa mission, à son rôle historique, elle apparaît persuadée que le temps de sa rencontre avec le peuple de France est venu. Elle veut absolument occuper l'espace politique que Villepin n'arrive pas à prendre. Très

---

1. Christian Poncelet est le président du Sénat. Hamlaoui Mekachera est ministre délégué aux Anciens Combattants.

sincèrement, je me demande si je ne me suis pas trompé sur sa personnalité. Je commence à la croire capable d'avoir un autre comportement qu'en 1994. » Mais mon espoir sera vite déçu… Et lorsque je l'entendrai parler au congrès de l'UMP du 14 janvier 2007, où Nicolas Sarkozy est désigné par son parti, candidat à l'élection présidentielle, je me rendrai alors compte qu'elle n'a pas changé.

À ce même congrès, Alain Juppé a exprimé son ralliement à Nicolas Sarkozy. Chaque personnalité politique peut choisir le candidat qu'elle souhaite soutenir et Juppé, comme les autres, a le droit de manifester son adhésion au président de l'UMP. Mais ce qui me choqua chez bon nombre de fidèles de Chirac, c'est que celui-ci ayant dit qu'il indiquerait au mois de mars ce qu'il comptait faire pour l'avenir, ils n'aient pas attendu ce moment-là pour se prononcer. Et Juppé le premier. Il fut l'adjoint de Jacques Chirac à la mairie de Paris, celui-ci lui a donné sa chance en politique, l'a aidé, nommé Premier ministre… Je crois encore sans doute naïvement que la reconnaissance et la fidélité peuvent aussi s'exprimer en politique. Je me suis trompé et c'est pour cela que je suis peiné par l'attitude de Juppé, en dépit du respect que je lui porte. Il a été un Premier ministre courageux. Il a une certaine idée de l'État. Au surplus, ayant été moi-même maire, je suis admiratif de son dynamisme à Bordeaux, ville qu'il a changée, transformée, modernisée, embellie.

Jacques Chirac a partagé cette même peine que j'ai éprouvée au vu du ralliement précipité d'Alain Juppé à Nicolas Sarkozy. Je m'en suis aperçu le 23 janvier 2007, lorsque je l'ai rencontré en fin d'après-midi, à l'Élysée. Chirac ne s'attendait pas à cette attitude de

Juppé qui ne cessait de se démarquer de lui. « C'est vrai, me confie-t-il ce soir-là, j'ai le sentiment qu'il ne se conduit pas bien à mon égard. C'est la vie politique. » Le connaissant, je sais ce qu'il ressent alors. Pour rester sur le même registre, je lui fais remarquer que l'attitude de Raffarin ne paraît pas non plus très digne. « Comme Juppé, il aurait pu attendre votre intervention pour prendre position. – C'est vrai », acquiesce-t-il. Et nous passons à un autre sujet après un petit moment de silence. Je comprends son amertume, mais il ne veut pas se livrer davantage.

4

Cinq années haut perché

Avant le premier tour de l'élection présidentielle, Jacques Chirac m'avait demandé à quel poste de responsabilité je souhaitais me consacrer en cas de victoire. Je lui avais répondu que je briguerais la présidence de l'Assemblée nationale. J'étais persuadé que dans la période qui allait s'ouvrir, son président aurait un rôle politique majeur à jouer. Il me conseilla alors de voir Alain Juppé car lui aussi convoitait cette fonction. Je profitai donc d'une réunion électorale que nous devions animer tous deux à Périgueux pour aller d'abord déjeuner avec lui à l'hôtel de ville de Bordeaux. Dans la voiture qui nous conduisait en Dordogne, je lui fis part de mes projets. Juppé me laissa entendre qu'il n'était pas indifférent à ce poste. Je lui ai alors expliqué qu'en ce qui me concernait, ma décision était prise et que je croyais mes chances de victoire réelles.

Au lendemain de la victoire de la droite aux législatives, ce fut à Édouard Balladur que je me trouvai confronté, lui aussi candidat au perchoir. Je me sentais prêt pour exercer cette fonction. De 1997 à 2002, pendant les cinq années où j'avais eu la responsabilité du premier groupe d'opposition, je n'avais jamais eu de

329

contacts réguliers avec le président de l'Assemblée nationale[1]. À l'exception de l'hebdomadaire conférence des présidents qui organise les débats, c'était une indifférence quasi totale. La gauche parlementaire avait alors un profond mépris pour l'opposition. Elle refusait de partager le pouvoir au sein de l'Assemblée. Il y avait deux camps opposés et qui devaient le rester. D'un côté la majorité de gauche, qui avait tous les droits, de l'autre une opposition de droite, qui ne pouvait rien revendiquer. Ce manichéisme m'avait profondément surpris, choqué, tant il allait à l'encontre de l'idée que je me fais de la politique et de la vie parlementaire.

J'étais persuadé que ce meilleur traitement de l'opposition parlementaire aurait une conséquence bénéfique pour les députés de la majorité. Ce serait toute l'Assemblée qui serait revalorisée. Et un rapport de travail plus étroit pourrait s'instaurer entre les ministres et les parlementaires de la majorité, notamment avant que les projets de loi ne soient déposés. Lors des débats, ces derniers les défendraient beaucoup mieux. J'ai toujours lutté contre la tendance des parlementaires à vouloir gouverner à la place des ministres et contre toute confusion des pouvoirs.

L'une des réussites de la Ve République est d'avoir restauré un véritable pouvoir gouvernemental autonome. Mais je crois qu'il est possible de faire mieux travailler ensemble gouvernement et majorité. Leur sort est lié devant les Français.

1. 1997-2000 : Laurent Fabius. 2000-2002 : Raymond Forni.

Voilà pourquoi, dès le jour de mon élection à la présidence, j'ai entrepris de changer du tout au tout la façon de faire, en organisant des déjeuners réguliers et conjoints avec les présidents des groupes de toutes tendances. J'ai institué un petit groupe de députés de gauche et de droite pour réfléchir ensemble aux réformes de la procédure parlementaire et moderniser ainsi notre façon de travailler…

Je décide alors d'interroger régulièrement les présidents des groupes parlementaires de la majorité et naturellement de l'opposition sur l'organisation de nos débats, en dehors même du formalisme de la conférence des présidents. Pour les nominations aux organismes extraparlementaires, je sollicite des candidatures aussi bien à droite qu'à gauche, et veille à un équilibre.

Je bouscule, certes, les usages. Mais mon objectif est clair : il s'agit d'obtenir que l'opposition bénéficie d'un statut permettant à ses députés de s'exprimer dans les mêmes conditions que ceux de la majorité. J'entends doter celle-ci d'une véritable fonction de contrôle du gouvernement. Je n'accepte plus que le groupe majoritaire, parce qu'il est le plus nombreux, puisse continuer à régner sans partage sur le Palais-Bourbon. C'est aussi pour moi un impératif politique après l'élection présidentielle très particulière de 2002 : cette Assemblée doit adresser un signe aux Français qui ont voté à gauche avant de soutenir Chirac au deuxième tour afin qu'ils ne se sentent pas de nouveau mis à l'écart. Il ne me paraît donc plus possible de privilégier la majorité.

Mon prédécesseur était manifestement resté un militant socialiste et donnait des gages en permanence à son parti. Dès mon arrivée, je décide de m'affranchir complètement de certaines contraintes partisanes. Je ne serai pas un président UMP, je n'ai plus d'« étiquette militante » dans mes nouvelles fonctions. J'aurai beaucoup de mal, il va sans dire, à le faire admettre par mes amis politiques de la majorité.

Je sais par ailleurs qu'il faut aller vite, car l'immobilisme rassurant et les rivalités politiques reviennent rapidement et paralysent toute velléité de changement. Je décide ainsi immédiatement que les commissions d'enquête et missions d'information seront désormais coprésidées par un député de la majorité et un député de l'opposition qui se répartiront les places de président et de rapporteur.

Cette révolution sera confirmée par une modification du règlement que je fais voter. Je me souviens de la réaction de certains députés de la majorité. Bon nombre d'entre eux étaient sidérés, considérant que cette évolution allait mettre le gouvernement dans une situation impossible. L'un d'entre eux, et non des moindres, fit passer un message à l'Élysée pour demander au président d'intervenir afin de me ramener à la raison. La réaction de Jacques Chirac fut sans ambiguïté, j'ai encore en mémoire ce qu'il m'a dit : « Il a tort, fais comme tu l'entends. Je ne peux que t'encourager dans la voie que tu as prise pour l'Assemblée. C'est la bonne… »

De même, je me suis fait un point d'honneur d'imposer à tous le respect des temps de parole. Les députés, quelle que soit leur appartenance, sont avant tout des élus du peuple et ils ont droit aux mêmes considérations de la part du président de l'Assemblée. Je décide de soumettre les ministres au même régime.

Je me souviens d'avoir interrompu, lors de sa réponse à une question d'un député, le secrétaire d'État aux Personnes âgées, Hubert Falco. Après lui avoir demandé en vain de terminer son exposé, car il avait dépassé son temps de parole, je lui ai coupé le micro et suis passé à une autre question. Après la fin de la séance, il a explosé de colère, m'injuriant pour l'avoir humilié en public.

Mais il n'est pas le seul, dans la majorité, à durement me reprocher la règle du temps de parole identique pour tout le monde. À chaque fois c'est la même rengaine : « Les socialistes ne se gênaient pas pour favoriser les camarades du parti. Alors fais comme eux. Ce sera un donné pour un rendu. » Je reste imperméable à ces critiques, tant je suis convaincu de la nécessité d'abandonner ces questions-fleuves qui n'en finissent pas, pour un échange rapide entre députés et ministres.

En ce qui me concerne, je me fixe comme règle de conduite de ne jamais prendre part à un vote dans l'hémicycle. Ce ne fut pas toujours l'attitude, il est vrai, des présidents de l'Assemblée. Ainsi mon prédécesseur a participé à pratiquement tous les votes solennels qui se sont déroulés sous sa présidence. Avant lui, Laurent Fabius et Jacques Chaban-Delmas avaient voté à plusieurs reprises. Si nous remontons dans notre histoire parlementaire, Léon Gambetta, Édouard Herriot, bien que présidents de la Chambre des députés, participèrent eux aussi à des scrutins.

Naturellement, au début les critiques sont vives sur ma façon de diriger cette maison. Un petit nombre de députés UMP a du mal à accepter que je ne sois pas d'abord leur président et que je ne les favorise pas dans la conduite des débats. Ils me reprochent de ne pas tenir compte du résultat des élections qui leur ont donné la majorité absolue et d'accorder trop d'importance aux perdants. Ces reproches, ce dénigrement orchestré par des membres de l'UMP, dans sa frange la plus libérale, sont pour moi pénibles à supporter.

L'argument qu'on m'oppose n'est pas, je le reconnais, sans fondement. « Nous, nous respectons la gauche quand nous sommes au pouvoir. Eux, lorsqu'ils accèdent aux responsabilités, font preuve d'intolérance à notre égard », s'agacent-ils. Ce n'est pas pour moi cependant un argument de nature à modifier la conception que j'ai de mon rôle, ni ma façon de diriger l'Assemblée.

Je n'ai pas réussi pour autant à réaliser toutes les réformes que je souhaitais pour améliorer le fonctionnement de l'Assemblée. Le statut de l'opposition, en particulier, n'a pu voir le jour. Certains, au sein même de la majorité, ont bloqué l'adoption de réformes importantes que je suggérais. Pour quelles raisons ? Elles sont multiples : manque de courage politique, proximité de l'élection présidentielle, corporatisme, conformisme.

J'ai proposé à Jean-Pierre Raffarin que ce soit lui, Premier ministre, qui réponde aux questions des députés. Nous aurions pu avoir, une fois par semaine, à la place des « questions au gouvernement », une séance de « questions au Premier ministre ». Il a refusé.

Le président du groupe UMP, Bernard Accoyer, a été l'un des plus réticents aux réformes. Pourquoi ? Il faudrait le lui demander. L'explication est, je crois, d'abord politique. Il avait depuis longtemps choisi de prendre parti dans la campagne préélectorale au sein de l'UMP et de soutenir Nicolas Sarkozy, contrairement à moi. Et il entendait se venger par rancœur, sachant que je n'ai pas pour lui une très grande sympathie. Mais peu importe. Tout cela n'était pas très brillant. C'est aussi cela la politique, hélas !

J'ai échoué dans mon souhait de regrouper les commissions des Affaires étrangères et de la Défense et de diviser celle des Affaires sociales en deux pour que l'une d'entre elles soit spécialisée sur les questions concernant l'Éducation nationale et l'université.

L'Assemblée nationale a la réputation d'être une « simple chambre d'enregistrement ». Pour effacer cette image qui n'est pas la réalité, la réponse est connue. Si l'on veut renforcer les pouvoirs du Parlement face à la prééminence de l'Exécutif, il convient de faire porter nos efforts sur la fonction de contrôle et d'accentuer notre activité dans ce domaine. Nous avons trop souvent tendance à penser qu'une fois que la loi est votée, le problème est réglé, alors que nos concitoyens attendent des résultats concrets, des mesures tangibles qui tardent parfois à venir en raison des délais mis à promulguer les décrets d'application prévus. C'est pourquoi nous devons apprendre à contrôler, à davantage exiger des comptes. Le Parlement comme le gouvernement, l'opposition comme la majorité y gagneraient.

Restaurer l'image du Parlement est une nécessité pour remédier à la crise de confiance qui existe depuis des décennies entre les Français et leurs élus. L'antiparlementarisme, le rejet global des politiques et des institutions sont malheureusement ancrés depuis fort longtemps dans l'opinion française.

Ce désamour s'est nourri d'un certain nombre d'attitudes et d'images… pas toujours très glorieuses pour les élus. Au-delà de l'impact de quelques affaires très largement médiatisées, il faut s'interroger sur les écarts qui ont pu exister entre les promesses électorales et la réalité de l'exercice du pouvoir. Bien sûr on ne peut pas se faire élire sans programme et donc sans promesses, mais peut-être faudrait-il se montrer plus lucide sur l'état de notre pays et plus encore sur celui du monde.

L'usage de plus en plus systématique des sondages en politique conduit inévitablement à la perte de légitimité des élus, lesquels sont soit en désaccord avec les idées présentées comme dominantes, soit en retard sur elles. Du côté des citoyens, l'égoïsme l'a petit à petit emporté sur tout sentiment d'intérêt général. La mondialisation a placé l'individu au cœur d'un maelström qu'il ne maîtrise plus et lui a donné le sentiment d'être rejeté du système.

À la tête de l'Assemblée, j'essaye de répondre à cette crise. Le renouveau du politique passe par les élus eux-mêmes, par une modification de leurs comportements, de leur façon de travailler. Revivifier le sentiment d'appartenance à la nation, redonner vie à la notion de fraternité, offrir aux plus jeunes les moyens de décrypter les phénomènes de notre monde sont à mes yeux les autres pistes à creuser pour répondre au désarroi moral et politique que nous traversons. La qualité et l'efficacité de la représentation nationale sont un des aspects du problème. Et bien des questions auxquelles je suis alors confronté restent posées sans avoir toujours abouti à des solutions satisfaisantes. Est-il nécessaire d'introduire une dose de proportionnelle pour les élections législatives ? Cette question induit celle de la finalité du mode de scrutin : doit-il d'abord permettre la représentation la plus fidèle de l'opinion publique ?

Si on répond par l'affirmative à cette interrogation, alors il faut opter pour la représentation proportionnelle et pour une durée de mandat courte afin que la composition politique de l'Assemblée nationale ne soit pas trop en décalage par rapport aux évolutions politiques de nos concitoyens. Si, au contraire, on considère que le mode de scrutin doit permettre aux électeurs de constituer par leurs votes une majorité qui soutiendra un gouvernement homogène, alors il convient de maintenir un scrutin capable d'assurer cette stabilité. C'est le système majoritaire.

En France, on a souvent hésité. Alors que les Anglais ont depuis longtemps opté pour un scrutin majoritaire uninominal à un tour, que les Allemands ont choisi de combiner les deux scrutins, nous, nous avons modifié de nombreuses fois nos lois électorales. Il a fallu attendre la Ve République, c'est-à-dire 1959, pour nous fixer – à une exception près, les élections législatives de 1986 – sur le scrutin majoritaire uninominal à deux tours.

Celui-ci élimine, il est vrai, les petits partis et par sa répétition entraîne une bipolarisation de notre vie politique. Mais après avoir beaucoup réfléchi et hésité, je reste persuadé qu'il est essentiel de ne pas chambouler notre mode de scrutin. Là où la représentation proportionnelle avait semé, sous la IVe République, les germes de l'instabilité gouvernementale

– les ministères ne duraient en moyenne pas plus de onze mois – le scrutin majoritaire a permis sous la Ve République une plus grande stabilité : les Premiers ministres ont exercé leurs fonctions pendant près de trois ans en moyenne. Il serait dangereux de remettre cela en cause.

Autre question : l'Assemblée est-elle suffisamment représentative de la société française telle qu'elle est ? En bref, compte-t-elle assez de femmes, de Blacks ou de beurs, de jeunes, d'ouvriers, d'artisans, d'agriculteurs ? Pour répondre à cette autre interrogation légitime, il faut d'abord s'entendre sur ce qu'est une élection. Choisit-on son représentant pour ce qu'il est – c'est un homme ou une femme, grand ou petit, blanc ou noir –, ou pour les idées qu'il défend ?

Dans la conception classique de la démocratie représentative, c'est bien entendu la deuxième hypothèse qui l'a toujours emporté puisque l'hémicycle est le lieu par excellence où les conceptions politiques s'opposent, et où les idées s'affrontent. Il me semble que pour tout républicain, ce qui compte, c'est que les idées auxquelles il tient soient défendues le plus efficacement possible. Qu'importe la personne qui les exprime.

Si l'on veut une représentation qui reflète avec exactitude la diversité sociologique de notre pays, alors il faut établir un système de quotas. Aucune des grandes démocraties n'est allée jusque-là. Nous nous sommes engagés dans cette voie avec les lois sur la parité homme-femme. Aller au-delà reviendrait à opter pour une logique communautaire totalement étrangère à ma conception de la République.

Contrairement à une idée reçue, la moyenne d'âge des députés est relativement stable depuis une quarantaine d'années (elle est comprise en début de législature entre cinquante et un ans et cinquante-quatre ans) alors que la population française ne cesse de vieillir. En 2002, cette moyenne était de cinquante-trois ans et neuf mois. Cela peut paraître élevé mais cela veut dire que sous chaque législature, l'Assemblée compte au moins une soixantaine de députés de moins de quarante ans.

En ce qui concerne le nombre de femmes, l'Assemblée nationale n'en a jamais autant compté. Il y en avait 9 seulement en 1958, 11 en 1967, 10 en 1978, 16 en 1981, 35 en 1993, 63 en 1997. En 2002, elles étaient 71 députées, soit 12,65 % des élus du Palais-Bourbon. Ce qui est un progrès mais pas encore suffisant.

Pour ce qui est de la composition sociologique, elle varie d'une législature à l'autre et surtout en fonction des majorités. Traditionnellement, les majorités de gauche comportent plus de fonctionnaires que les majorités de droite. Ainsi, le nombre des fonctionnaires a culminé sous la septième législature (1981-1986) où ils représentaient plus de 53 % des députés. Depuis, leur nombre diminue et en 2007, ils étaient 34 %. (Je rappellerai à cet égard qu'un emploi sur quatre dans notre pays est un emploi public.)

Enfin, après la décolonisation, la diversité de l'Assemblée nationale s'est indubitablement réduite et c'est essentiellement la représentation des DOM et des TOM qui l'incarne. Mais les partis politiques étant de plus en plus préoccupés par cette question, même si c'est difficile, les choses sont appelées à évoluer.

Un problème tout aussi important est celui de l'absentéisme qui nourrit l'antiparlementarisme. Contrairement à ce que beaucoup préconisent de mettre en œuvre, je ne suis pas convaincu que l'interdiction du cumul des mandats soit la solution, bien au contraire. Priver le député de l'enracinement local que lui donne son mandat, c'est l'amener à rechercher un surcroît de légitimité et à assurer son assise locale par un travail encore plus intense dans sa circonscription. Seule la volonté d'une profonde modification de nos habitudes et de nos comportements peut aboutir à plus d'assiduité au Palais Bourbon.

Il importe d'abord de changer nos méthodes de travail, c'est le sens des propositions de réforme du règlement que j'ai suggérées. Il faut que nos députés puissent avoir une visibilité suffisante sur l'ordre du jour et disposer d'un rythme de travail qui permette d'alterner selon une périodicité raisonnable travail à Paris et présence en circonscription. Mais nous ne parviendrons à ces changements que si nous acceptons de mettre en place des mesures coercitives. Contrairement là encore à ce que beaucoup pensent, le règlement de l'Assemblée permet d'infliger des sanctions financières aux élus qui ne se montreraient pas assez assidus. Jusqu'à présent, elles n'ont jamais trouvé matière à application car seule est prise en compte la participation aux scrutins solennels. D'autres Parlements mettent en œuvre de telles sanctions. Sans chercher à transposer chez nous ce que font le Parlement européen ou le Bundestag, on se doit de réfléchir à un système qui soit adapté à notre mode de fonctionnement, dès lors que celui-ci aura été modifié.

Parmi les critiques récurrentes que l'on fait aux députés, il y a aussi celle qui voudrait qu'ils soient sous influence, comme si le lobbying avait envahi l'Assemblée nationale.

Les groupes de pression existent depuis longtemps et rôdent autour de toutes les formes de pouvoir. Ce n'est pas un phénomène nouveau et propre à la France. La question est seulement de savoir si leurs actions arrivent à modifier le vote de certains parlementaires. Il ne serait pas exact d'affirmer que les élus français légifèrent sous influence, mais ce serait aussi nier la réalité de dire que certains de ces groupes de pression n'en exercent aucune. On a vu, lors des votes de certaines lois mémorielles, combien la pression de tel ou tel groupe devrait être décisive. Lors des débats concernant les questions agricoles ou fiscales, on peut constater le même jeu.

J'ai été contraint d'interdire en 2006, lors du débat relatif aux droits d'auteur, une démonstration de téléchargement de musique sur Internet organisée à la demande du ministre de la Culture, qui avait été manifestement imaginée par deux sociétés aux fins d'influencer les députés.

J'ai sèchement interrompu un député qui, lors d'une séance de questions d'actualité en mai 2003, débuta son intervention en disant : « Je m'exprime au nom de l'association Reporters sans frontières ». Alors qu'on ne saurait s'exprimer qu'au nom de la nation et des Français dans leur ensemble.

Lors d'un débat budgétaire, nous avons refusé, pour le motif qu'ils étaient hors délai, plusieurs amendements qu'un député présentait au nom d'une organisation syndicale, sans avoir pris la peine de les recopier sur son papier à en-tête. J'ai fait part à ce député de ma stupéfaction et de ma réprobation devant de tels agissements. Je lui ai fait remarquer qu'il n'était pas convenable qu'il se fasse ainsi le représentant d'une organisation professionnelle. Mais il n'avait pas le sentiment d'avoir commis une erreur !

De même, j'ai été contraint d'écrire à une députée qui, dans son interpellation d'un ministre lors d'une séance de questions d'actualité, avait expressément mentionné le nom d'une entreprise pharmaceutique et le médicament qu'elle produisait. J'ai également dû rappeler à l'ordre un député qui avait signé un article dans un document publicitaire d'une grande chaîne de magasins, en contradiction formelle avec les dispositions du code électoral.

Sans nier la réalité de l'action de certains groupes de pression, il ne faut pas l'exagérer pour autant. Quoiqu'il en soit, la vigilance s'impose. Nous avons alors à l'Assemblée cent vingt-quatre groupes d'études, qui sont parfois l'expression de ce qu'une profession souhaite. Les députés qui y participent sont, souvent pour des raisons locales, sensibles à certaines influences dont ils se font les porte-parole. Ces groupes d'études portent sur les sujets les plus divers. Cela va de la viticulture à la trufficulture, mais aussi de la tauromachie au scoutisme, en passant par la plasturgie, les fruits et les légumes, l'obésité ou la chasse… Un des vice-présidents de l'Assemblée nationale est spécialement chargé, par le bureau de l'Assemblée, de suivre l'activité de ces groupes. Un rapport a fait apparaître une situation très contrastée. Ainsi, sur les cent vingt-quatre groupes agréés en mars 2006, cinq ne s'étaient jamais réunis depuis le début de la législature, trente autres n'avaient pas eu d'activité en 2005 et seuls vingt pouvaient se prévaloir d'un travail soutenu, avec plus de cinq manifestations à leur actif en douze mois.

Je me suis inquiété du développement des colloques organisés par des agences de communication et, en fait, orientés par certains groupes de pression qui se servent de députés pour attirer du monde et obtiennent de ces mêmes élus que ces colloques soient organisés dans les locaux de l'Assemblée nationale. J'ai alerté mes collègues et leur ai rappelé la nécessité d'être vigilants. Mais je n'ai pas eu le sentiment d'être entendu par tous.

À plusieurs reprises durant ma présidence, la volonté de députés de légiférer sur des sujets historiques – la colonisation « positive », la reconnaissance du génocide arménien – aura provoqué de vives polémiques. Cela fait-il partie des missions de l'Assemblée nationale ? Clairement, non.

Ce n'est pas aux députés de réécrire l'Histoire. Ce n'est pas à eux de dire quelle est la vérité historique. C'est aux seuls historiens. Je déplore cette tendance constatée depuis quelques années. À chaque fois, c'est la source de controverses douloureuses et très subjectives de toutes parts. De telles interventions du législateur pour revoir des épisodes historiques sont plutôt l'apanage des régimes totalitaires.

La loi devient parfois illisible et le droit d'amendement, qui est constitutionnel, apparaît trop souvent comme une technique visant à bloquer le débat parlementaire et non améliorer un projet de loi.

Ainsi à l'automne 2006, lors de l'examen du projet de loi sur l'énergie, les groupes PS et PC avaient déposé 137 449 amendements. Pour en venir à bout, il aurait fallu 11 000 heures de débats. Si l'Assemblée nationale siégeait vingt-quatre heures sur vingt-quatre, cela aurait duré pendant 562 jours. Au rythme normal des séances parlementaires, cela aurait représenté huit ans et quatre-vingts jours ! On était en plein ridicule et en pleine dérive démocratique : la gauche cherchait à bloquer la machine parlementaire.

Alors que dans la majorité on agitait la menace du 49-3, j'ai réussi à ce qu'on trouve une issue. J'ai eu avec Jean-Marc Ayrault et Alain Bocquet, respectivement présidents des groupes socialiste et communiste, de nombreuses discussions. Je les ai pris à leur propre piège de la communication. Ils souhaitaient en déposant tant d'amendements montrer aux électeurs de gauche leur détermination. Je fis déposer sur la tribune de l'hémicycle pour les photographes et les caméras ce que représentaient en papier leurs 137 449 amendements, afin que les Français se rendent bien compte du gâchis et de l'absurdité de leur démarche. J'ai laissé commencer tranquillement la discussion, présidant moi-même les séances. Beaucoup pensaient que la situation était totalement bloquée. J'ai attendu le bon moment pour siffler la fin de la partie. Quand la situation a été mûre, que Jean-Marc Ayrault et Alain Bocquet se sont rendu compte que l'opinion, lassée par un débat qui durait, était indifférente à leur opposition, nous avons fini par trouver ensemble un terrain d'entente. Il n'y a eu à

344

aucun moment ni reniement, ni ralliement de leur part.

Avant de quitter la présidence de l'Assemblée et ce Palais-Bourbon que j'ai tant aimé, je noterai sur mon carnet, pour ne pas les oublier, quelques moments importants de mes cinq années au perchoir, le souvenir de quelques personnalités de l'Assemblée nationale.

Lors du discours de politique générale de Jean-Pierre Raffarin en juin 2002, un inconnu monta à la tribune pour lui remettre une coupe. Il y avait ce jour-là une belle pagaille ! S'ajoutant aux nouveaux députés, comme d'habitude de nombreux collaborateurs de ministres étaient venus assister au spectacle au pied de la tribune. Au milieu de cette cohue, grâce à l'irresponsabilité d'un député de l'opposition, un individu est arrivé à se faufiler dans l'hémicycle et à gagner la tribune afin de remettre cette fameuse coupe à Raffarin. Depuis lors, pendant les questions d'actualité, il n'y a plus personne au pied de la tribune. Et cet incident nous a incités à revoir tous les accès au Palais-Bourbon, ainsi que toute la sécurité du bâtiment.

Autres moments mémorables, le chant béarnais « Aqueras Mountagnas » entonné dans l'hémicycle en juin 2003 par Jean Lassalle, puis en 2006 sa grève de la faim, dans la salle des Quatre Colonnes, pour protester contre la délocalisation dans le chef-lieu de son département d'une usine installée dans sa circonscription.

Dans l'histoire parlementaire, deux députés avaient déjà par le passé organisé une grève de la faim. Mais c'est la première fois qu'un député agit ainsi dans l'enceinte même de l'Assemblée. Le matin du jour où il entreprit la sienne, je croisai Lassalle. Il m'annonça qu'il allait s'installer dans l'hémicycle même. Je lui répondis que c'était hors de question et que je ne le laisserais jamais faire. Il décida alors de faire sa grève de la faim salle des Quatre Colonnes, là où attendent les journalistes. J'allai le voir à peu près tous les deux jours. Je demandai au médecin de l'Assemblée de le suivre quotidiennement. Lassalle était encouragé par de nombreux députés, dont François Bayrou qui l'a comparé au Mahatma Gandhi.

Cette action ne restera pas, néanmoins, parmi les grandes heures de notre histoire parlementaire. L'exemple que nous avons donné ne fut pas positif. C'est le vent de l'intérêt général qui devrait souffler au Palais-Bourbon. Nous devrions être les défenseurs de la nation avant d'être ceux d'une circonscription. Il faut le rappeler aujourd'hui où trop souvent les parlementaires donnent le sentiment de n'être plus les porteurs que d'intérêts ou revendications particuliers et locaux.

Je me souviens de l'une de mes premières questions d'actualité, je n'étais pas encore président, je venais d'être élu député. Il m'avait été demandé d'interpeller le gouvernement sur la crise de la banane de la Martinique qui, du fait d'une concurrence étrangère particulièrement rude, risquait de ruiner l'économie de plusieurs de nos départements d'outre-mer.

Étant élu de l'Eure, mais me considérant d'abord comme l'un des représentants de toute la nation, j'ai accepté d'intervenir. Lors de la séance des questions, j'ai entendu l'un de mes collègues de l'opposition s'écrier : « Depuis quand y a-t-il des bananes dans l'Eure ? » Et quelques jours après, un tract était distribué par les communistes dans ma circonscription faisant remarquer que j'étais bien un « parachuté » puisque je ne savais pas que l'on ne cultivait pas de bananes en Normandie ! Souvent, au perchoir, je me souviendrai de cette affirmation de Condorcet : « Mes électeurs m'ont choisi pour défendre non leurs idées mais les miennes. »

Autre souvenir, plus dramatique celui-là, la commission d'enquête sur le fiasco judiciaire d'Outreau et l'audition très spectaculaire du juge Burgaud… Une demi-heure après la proclamation de l'acquittement général, j'annonçai l'installation d'une commission d'enquête parlementaire. Je voulais qu'elle soit publique afin d'étudier tous les dysfonctionnements de notre justice, d'examiner au grand jour toutes les responsabilités de la chaîne pénale. Le débat allait être suffisamment important pour qu'il n'ait pas lieu uniquement dans les médias.

À cette annonce, certains de mes amis s'étouffèrent au motif que cette initiative allait sûrement gêner le ministre de la Justice et le gouvernement. Je demandai à Jean-Marc Ayrault de me suggérer le nom d'un député sérieux pour présider cette commission. Je ne voulais pas d'un excité. Il me proposa André Vallini, député de l'Isère. Je le connaissais un peu, je savais qu'il était républicain avant d'être socialiste. Il a été parfait.

Le député UMP Philippe Houillon, par ailleurs président de la commission des lois, en a été le rapporteur et a fait preuve dans sa tâche difficile d'une réelle compétence. Outreau a été la démonstration que, comme on le fait aux États-Unis ou ailleurs, on peut désormais avoir des commissions d'enquête qui travaillent sous les yeux de la presse et en direct sur des événements sensibles et récents. Je suis fier d'en avoir été l'initiateur.

Je me souviens aussi de certains députés aux personnalités particulières et avec lesquels je me suis bien entendu, notamment à gauche.

Ainsi de Jean-Marc Ayrault, le président du groupe socialiste. Il a souvent été un allié pour sortir de situations très compliquées. Il m'a aidé pour la mise en place de commissions d'enquête très sensibles comme celles sur la laïcité ou l'affaire d'Outreau. C'est un républicain, qui n'a cessé de respecter ses engagements dans un contexte politique qui ne fut pas toujours facile.

J'ai découvert en Jean Le Garrec, député socialiste du Nord, ancien ministre, un authentique républicain, défenseur comme moi du Parlement. Il m'a compris, aidé, parfois conseillé. Il a été vice-président de l'Assemblée et j'ai toujours pu compter sur sa loyauté.

Avec le premier secrétaire du Parti socialiste, François Hollande, mes relations ont d'abord été difficiles. Quatre ou cinq mois après mon élection, il fit une déclaration dans les médias très violente contre ma manière de diriger les débats et le Palais-Bourbon, qu'il jugeait sectaire, alors que je m'employais à faire le contraire. J'en fus d'autant plus furieux que Hollande ne brillait pas par son assiduité lors des débats. Je lui fis savoir par Jean-Marc Ayrault que j'étais très mécontent et que je me faisais une autre idée de son honnêteté. Quelques jours après, à la sortie d'une séance de questions d'actualité, François Hollande viendra me trouver pour s'excuser.

Au Parti socialiste, le cas le plus étrange pour moi restera celui de Ségolène Royal. Quelque temps après mon élection au perchoir, je la croise près de l'hémicycle, elle me serre la main. Stupéfaction de ma part. Pendant quatorze ans, dans les couloirs de l'Assemblée, nous nous étions croisés, mais elle ne m'avait jamais regardé, jamais accordé la moindre considération. Ce jour-là, je ne sais pas par quel miraculeux hasard, peut-être une conjonction des astres politiques rarissime, et sans doute parce que j'avais accédé au perchoir, elle parvint à me dire : « Bonjour, monsieur le président. » Cette reconnaissance inespérée n'a pas duré. Quelques jours plus tard, elle déjeunait à la buvette. Elle salua Pierre-Louis Fagniez, le député qui m'accompagnait, et m'ignora superbement. Elle ne m'avait pas vu, pas remarqué ! Pour le reste, lors de ces cinq années de ma présidence, elle n'aura pas compté dans cette maison et bien peu participé aux débats.

Avec Alain Bocquet, le président du groupe communiste, le contact a été aisé, mais il y aura eu pour moi, au cours de ces cinq ans, deux Bocquet. Un premier Bocquet qui longtemps m'a donné le sentiment de s'impliquer dans le fonctionnement de son groupe et avec lequel on pouvait discuter. Puis un second qui, vers la fin, me donna l'impression qu'il ne dirigeait plus rien et laissait faire.

Un autre personnage difficile à gérer pendant ma présidence fut Maxime Gremetz, le député communiste de la Somme. Un homme bien particulier, sensible aux médias, totalement incontrôlable, très comédien mais pas antipathique. À plusieurs reprises, il mit à feu et à sang les débats de l'Assemblée. Bocquet était incapable de le raisonner. À chaque fois, je devais le convoquer : « Écoute, Maxime, tu fais ton cinéma jusqu'à telle heure, mais après on arrête, tu nous laisses travailler et avancer… » Au final, je dois dire qu'il a toujours respecté sa parole.

Pas facile non plus de canaliser Jean-Pierre Brard. Cet ancien communiste, inclassable et unique en son genre, député de Seine-Saint-Denis et maire de Montreuil, était provocateur par tempérament et républicain par sentiment, mais nous nous sommes respectés et donc entendus quand cela était nécessaire pour le bon déroulement de nos débats.

J'ai eu de bons rapports dans l'ensemble avec les élus socialistes ou communistes, les députés de l'opposition en général, mais je n'ai passé aucun accord avec la gauche. Il n'y a eu ni négociations secrètes ni compromis cachés. Mais chaque fois que je me heurtais à une difficulté, un débat bloqué, je rencontrais les présidents des groupes parlementaires et nous cherchions ensemble les moyens d'en sortir dans l'intérêt de l'Assemblée. Pendant ces cinq années, j'ai entretenu avec ceux de l'opposition des relations continues. Cela m'a permis de débloquer des discussions qui s'enlisaient dans une paralysie désastreuse pour notre image. J'ai ainsi pu éviter au gouvernement d'avoir recours au vote bloqué prévu par l'article 49-3 de notre Constitution pour faire adopter en 2003 la réforme des retraites ou de l'assurance maladie.

Si certains par leurs facéties ou répliques incessantes n'étaient pas aisés à gérer, ils n'en étaient pas moins à l'image de la représentation nationale.

Lors des questions au gouvernement du mardi et du mercredi, Patrick Roy et Lucien Degauchy ne cessaient de se faire remarquer, au point que c'était devenu un jeu entre nous. Le premier, député socialiste du Nord, avec sa veste rouge et ses interpellations tonitruantes, cherchait à attirer vers lui les caméras de télévision. Le second, député UMP de l'Oise, avec sa veste jaune, se déplaçait constamment dans l'hémicycle pour figurer aux côtés de son collègue qui posait une question, et lui aussi être « vu à la télé ».

Je me souviens de Jean Auclair, dit Jeannot, député de la Creuse, toujours faussement indigné quand je lui faisais une remarque ; de Christian Bataille, député socialiste du Nord, spécialiste des interpellations incisives ; d'André Chassaigne, député communiste du Puy-de-Dôme, toujours révolté ; d'André Santini, député des Hauts-de-Seine, amateur de cigares et de bons mots. Un jour où nous regardions Raymond Barre, alors député du Rhône, se tourner les pouces, Santini nous expliqua qu'il faisait son jogging. Au moment de la première cohabitation, il demanda à ses voisins quelle était la différence entre Saint Louis et Pierre Arpaillange, le ministre de la Justice de Mitterrand. Ses collègues ne sachant quoi répondre, Santini leur précisa : « Saint Louis rendait la justice sous un chêne, et Arpaillange comme un gland », ce qui déclencha une hilarité générale dans les travées de l'hémicycle.

Henri Emmanuelli, avec qui je m'entendais bien par ailleurs, était difficile à ramener au calme à force d'interpellations incessantes, de vraies-fausses colères.

Comment ne pas mentionner aussi Arlette Grosskost, députée du Haut-Rhin, assidue dans l'hémicycle ; Philippe Briand, chiraquien fidèle, élu député d'Indre-et-Loire en 1993, qui nous faisait rire par ses imitations de nos grands chefs et m'a constamment soutenu. Et Thierry Lazaro, député UMP du Nord, qui m'a si régulièrement joué sa partition de la rupture et de la démission du groupe... Le 8 mars 2005, Journée de la femme, j'ai été heureux de céder le perchoir à Paulette Guinchard-Kunstler, députée socialiste du Doubs, pour la séance des questions d'actualité.

L'opinion publique est souvent trop sévère à l'égard du personnel politique. La plupart des députés, de droite comme de gauche, accomplissent avec dignité et sérieux le mandat qu'ils ont reçu. C'est une fonction délicate à remplir tant les exigences de nos concitoyens sont parfois difficiles à concilier.

J'ai connu l'Assemblée nationale comme député de la majorité, puis de l'opposition. J'ai dû l'affronter comme ministre de l'Intérieur à une période particulièrement dure marquée par les attentats islamistes, corses, basques... J'ai dirigé le principal groupe d'opposition après la dissolution. J'aurai servi l'Assemblée pendant cinq ans comme président. De ces différentes périodes, par nature, je ne retiens dans ma mémoire que les épisodes exaltants.

J'ai appris à connaître et apprécier l'action des fonctionnaires de l'Assemblée, remarquables de dévouement et de compétence pour la plupart d'entre eux. Ils étaient alors 1 351, tous désireux de servir loyalement les représentants du peuple et de la République. Je leur suis reconnaissant de m'avoir permis d'être moi-même et fidèle à la conception de la République que j'ai héritée de ma famille. Si on me crédite aujourd'hui d'avoir été un bon président, c'est à eux d'abord que je le dois.

Je garde de la réunion du 22 janvier 2003 à Versailles, où députés allemands et français étaient assis les uns à côté des autres, un souvenir indélébile. Je pensais à l'histoire de nos deux peuples qui s'étaient tant affrontés et dont les députés siégaient ensemble ce jour-là, en présence du chancelier allemand et du président français pour célébrer le traité scellant leur réconciliation.

C'est ce visage de la République fraternelle que j'aime.

Au moment de quitter l'Assemblée nationale, l'élection présidentielle pointe à l'horizon politique, certains s'interrogent déjà sur le bilan du quinquennat qu'ils jugent médiocre. Pour l'évaluer, il convient de répondre à cette interrogation : Jacques Chirac s'attendait-il aux résultats du 21 avril 2002 ? Je n'ai jamais vraiment réussi à le savoir. D'abord pensait-il être réélu ? Oui, même s'il imaginait que le combat contre Lionel Jospin ne serait pas facile. Chirac pressentait que le caractère rigide, agressif de son Premier ministre le desservirait. Il était persuadé que celui-ci commettrait au cours de la campagne des erreurs tactiques. Mais personne ne pouvait imaginer une telle configuration des résultats au soir du premier tour.

Depuis plusieurs semaines, avant le premier tour, les sondages, pas seulement ceux du ministère de l'Intérieur, montraient que les scores de Chirac et de Jospin seraient voisins. Pour ma part, je craignais même que Jospin ne devance le président sortant. Il régnait un tel climat anti-Chirac, une telle atmosphère de lynchage politique, une telle hargne vis-à-vis de lui que je n'étais pas très optimiste pour sa réélection. Quant au score de Le Pen, les députés, dans les mois qui ont précédé le 21 avril, me faisaient remonter leur inquiétude. De là à imaginer qu'il batte Jospin et se qualifie pour le second tour...

Pour Chirac, comme pour nous tous, le résultat du 21 avril a été une très mauvaise surprise. Il avait tout prévu sauf d'affronter au second tour celui qu'il abhorrait tant. Certes, derrière ce résultat préoccupant, il y avait aussi une bonne nouvelle : la victoire finale était assurée. Il eût été difficile pour les socialistes d'appeler à voter Le Pen. Ils ne pouvaient faire autrement que d'inciter au sursaut républicain autour de Jacques Chirac, dont l'attitude vis-à-vis du Front national était constante et ancienne. Chacun savait qu'il n'avait jamais transigé ni accepté le moindre rapprochement avec le parti de Le Pen. Alors que Mitterrand et les socialistes s'étaient servis du FN, Chirac n'avait jamais toléré lors des différentes élections, à l'exception de celle de Dreux, que les candidats se réclamant du RPR passent le moindre accord, même local, avec l'extrême droite. Pour le second tour de 2002, il a donc récolté les fruits de sa position dénuée de toute ambiguïté. Il n'en reste pas moins que le résultat du 21 avril ont été pour lui un choc. Ses repères politiques étaient pulvérisés.

Jacques Chirac a-t-il tiré pour autant les leçons de ce premier tour ? Autrement dit a-t-il tenu compte de l'exaspération d'un grand nombre de nos concitoyens qui les a incités à voter en faveur de l'extrême droite et même de l'extrême gauche, les scores enregistrés par celle-ci étant aussi, lors de ce premier tour, anormalement élevés ?

La réponse n'est pas aisée. Ces événements électoraux pouvaient donner lieu à des interprétations différentes. Les Français espéraient-ils moins d'État ou un État capable d'imposer l'intérêt général ? Étaient-ils partisans d'une décentralisation leur permettant d'assurer le pouvoir ? Voulaient-ils un éparpillement des responsabilités ? Les Français espéraient-ils au contraire l'émergence d'un pouvoir plus déterminé à mettre un terme à l'insécurité, à l'injustice, à l'immigration ? Ou celle d'une autorité moins interventionniste, notamment en laissant faire les lois du marché avec ses conséquences sur l'emploi ?

Reste que ce résultat, comme le taux d'abstention anormalement élevé pour une telle consultation – près de 30 % –, traduisaient un malaise, une lassitude à l'égard du monde politique, mais aussi un manque de volonté, de réaction, d'ambition de nos concitoyens face aux défis d'un monde et d'une société dont ils ne comprenaient déjà plus le fonctionnement. L'expression aussi d'un repli corporatiste et individuel présumé plus rassurant, doublé du refus de remettre en cause des situations acquises pour s'adapter à un monde en évolution rapide.

En choisissant Jean-Pierre Raffarin comme Premier ministre, Jacques Chirac a voulu rassurer les Français, apaiser le jeu politique, renouveler la majorité, comme je l'ai dit. Mais il aurait fallu essayer, au lendemain de ce séisme, d'ouvrir au maximum la majorité. Pas uniquement en direction des libéraux, mais aussi de l'UDF, du centre gauche, de certains socialistes. Même si cela n'était pas réalisable, il aurait fallu montrer qu'au moins on avait essayé de le faire. On fit l'inverse, en privilégiant la logique du parti unique et en s'appuyant totalement sur l'UMP. Un gouvernement d'union nationale aurait dû être tenté. On sait désormais qu'une telle expérience n'a rien d'utopique et qu'elle peut même se révéler salutaire.

Néanmoins le bilan du second mandat de Jacques Chirac reste plus positif qu'on ne l'a dit. En France, les adeptes de la réforme sont nombreux. Ils prononcent de remarquables discours sur le thème du changement, de la rupture, de la nouveauté ; mais quand ils accèdent aux responsabilités, ils deviennent immobiles et conservateurs. Il faut des périodes exceptionnelles et, forcément, de courte durée pour pouvoir véritablement et en profondeur modifier l'ordre établi.

Ce fut le cas en 1959, au début de la Ve République, avec le général de Gaulle ; en 1981 avec l'alternance socialiste et François Mitterrand. Ce ne fut pas suffisamment le cas en 1995 et durant le premier mandat de Jacques Chirac. En 2002, après le choc du 21 avril, la nécessité de réformer notre système social était évidente, comme l'était l'attente de nos compatriotes en ce domaine. Toutefois, comme souvent en France, si on aspire aux réformes on est hostile aux changements. Il faut alors beaucoup d'habileté pour les faire admettre.

Il y a d'abord eu, en 2003, la réforme des retraites. Cela faisait plus de vingt ans que, de colloque en rapport, de livre blanc en mission d'études, tout le monde, à droite comme à gauche, avait établi un diagnostic partagé. Compte tenu de la démographie, du temps de travail, notre système de retraite était en péril. Mais, à droite comme à gauche, régnait l'immobilisme, nos responsables politiques trouvaient toujours une excellente raison pour différer les mesures à prendre.

Jacques Chirac, au lendemain de l'élection présidentielle, a donc demandé au gouvernement de ne plus attendre. Nombreux encore étaient ceux qui préconisaient de ne surtout pas se hâter et conseillaient la prudence ; je les entends encore prédire une apocalypse politique. La réforme a été lancée, elle ne fut pas facile à imposer, les débats furent longs, les manifestations nombreuses, les critiques multiples. Il suffit de relire les débats qui ont duré cent cinquante-sept heures à l'Assemblée nationale pour s'en convaincre. Mais la réforme des retraites a été réalisée ; du moins a-t-elle été entamée. Celle de l'Assurance maladie également. De manière qui ne fut pas aisée, elle non plus.

Dans plusieurs domaines – la politique de la ville, le plan cancer, la lutte contre les discriminations, la sécurité routière… – les résultats ont été substantiels et souvent décisifs.

En politique étrangère, si la position de la France a été claire et forte, nous le devons à Jacques Chirac. Sa détermination lors de la crise irakienne fut nette et sans faille, comme on le sait.

Dans les rangs de la majorité, nombreux pourtant ont été ceux qui l'ont critiqué lorsqu'il s'est opposé aux Américains et a refusé d'associer nos forces armées à cette folle aventure. Je me souviens très bien de ces députés qui venaient me voir dans mon bureau pour me dire : « Ton Chirac, il est hors du coup. Il brise notre relation avec les États-Unis. Sa politique est désuète, son antiaméricanisme primaire est stérile. L'intervention américaine va durer une semaine et la victoire annoncée des troupes américaines, italiennes, espagnoles, anglaises… sera tellement évidente qu'elle va ruiner l'influence française dans cette région du monde. » Parmi ces sceptiques, on trouvait même des très proches du président qui se reconnaîtront. J'espère qu'ils ont depuis lors fait leur autocritique. Mais je n'en suis pas certain.

La loi de programmation militaire 2003-2008 a permis à nos armées de retrouver un potentiel opérationnel, compromis par la politique de restriction qui leur avait été imposée de 1997 à 2002 par les socialistes, et de se doter de matériels adaptés aux réalités d'aujourd'hui. Les arbitrages rendus par Jacques Chirac, qui avait déjà décidé la professionnalisation des armées en 1997, ont été déterminants. C'est lui qui a défendu la modernisation de notre armée, lors d'un Conseil de défense mémorable, en juillet 2004, contre l'avis de son propre ministre de l'Économie et des Finances, Nicolas Sarkozy.

L'échec de Jacques Chirac fut d'abord le référendum du 29 mai 2005 sur la Constitution européenne. Même si c'est injuste, il est évident qu'il fut la première victime de la victoire du non. Et il a profondément ressenti cette défaite, je peux en témoigner.

Mais après tout, ce rejet de la Constitution européenne était-il si grave que cela ? Je répondrai oui naturellement et non assurément. Oui parce qu'il marqua la défiance de beaucoup envers l'Europe. Je n'étais pas un fervent partisan de ce texte, mais il n'y a pas d'avenir pour une France repliée sur elle-même. L'Europe est une nécessité. Il n'empêche qu'elle a continué malgré ce non à se construire. Et si j'étais provocateur, je dirais même qu'il aura été un mal pour un bien. Si cela a pu faire comprendre aux fonctionnaires européens que toutes les législations qu'ils élaborent sont, pour les élus locaux et les Français en général, trop souvent insupportables et incompréhensibles, illisibles politiquement, cet avertissement n'était pas inutile. Mais a-t-il été vraiment entendu ?

Ce qui est sûr, c'est que Jacques Chirac en a été meurtri, peiné, déstabilisé. Il a eu du mal à comprendre pourquoi les Français avaient choisi de ne pas répondre à la question sur la Constitution européenne mais à d'autres questions que celle qui leur était posée. Cela m'a rappelé le référendum de 1969 où il s'était passé la même chose et où de Gaulle, mon père, nombre de dirigeants de l'époque n'avaient pas pressenti, ou trop tard, ce qui se tramait.

Au cours de ces cinq années, Jacques Chirac a pu donner le sentiment de ne pas suffisamment s'impliquer sur la scène intérieure, la politique étrangère l'intéressant davantage. Après la nomination de Jean-Pierre Raffarin à Matignon, il est vrai que, pour trouver un peu d'espace politique, il s'est donné complètement à sa mission internationale. Mais il serait faux d'affirmer qu'il s'est désintéressé pour autant de notre politique intérieure. Il laissait agir le gouvernement d'autant plus volontiers qu'il faisait confiance à un Premier ministre d'une très grande loyauté envers lui. Ce qui ne l'empêchait pas de se tenir complètement informé du travail des ministres.

Tout au long de ma présidence de l'Assemblée nationale, j'ai trouvé un Chirac attentif à nos débats et à mes préoccupations. Régulièrement, il m'interrogeait sur l'état d'esprit des députés. Je lui ai dit à plusieurs reprises que les lois préparées par ses ministres étaient souvent incompréhensibles et trop longues.

Lors d'un de nos entretiens, je lui ai montré que le volume des lois avait quadruplé en quarante ans et augmenté de 50 % lors des dix dernières années, leur recueil passant de trois cent quatre-vingts pages en 1964 à plus de mille six cents pages aujourd'hui. Il n'a pas été insensible à ces remarques et je sais, par les confidences de certains ministres, qu'il leur a recommandé fermement de légiférer moins et surtout de mieux légiférer.

Quand je lui suggérais de recevoir certains députés qui avaient du « vague à l'âme », il leur donnait rapidement audience.

Quand il décida d'« adosser » à la Constitution une déclaration sur la défense de l'environnement, il me demanda de lui adresser une liste de députés qu'il devait recevoir pour assurer le vote. Les réticences étaient alors nombreuses, notamment au sein du groupe majoritaire. Il se chargea de convaincre Pascal Clément, à l'époque président de la commission des lois, de nous aider. Chirac s'y employa efficacement et son intervention facilita grandement notre travail de persuasion.

Quand je lui exprimai mon souhait de donner un éclat original à la célébration du quarantième anniversaire du traité franco-allemand et de réunir députés allemands et français à Versailles, il adhéra immédiatement à cette idée, alors que d'autres m'expliquaient qu'elle serait difficile à réaliser et à faire accepter. Pour Chirac, c'était une bonne idée, et il a plaidé sans hésiter en sa faveur auprès du chancelier Schröder.

Quand je lui ai indiqué ma volonté de faire en sorte que la place de l'opposition soit mieux reconnue et institutionnalisée à l'Assemblée, que je ne traiterais pas la gauche comme elle nous avait méprisés quand nous étions dans l'opposition, il m'y encouragea. Il avait du mérite : nombre de députés de la majorité lui expliquaient, comme je l'ai dit, que ma façon de diriger l'Assemblée était incompréhensible, que j'étais trop favorable à la gauche, bref, qu'il convenait que je me montre plus docile et moins impartial. « Ne les écoute pas, fais comme tu l'entends, tu as raison », me répétait-il. Cela me faisait du bien face aux critiques qui venaient de mon camp politique.

Si nous avons eu parfois l'impression d'un Chirac absent de la scène intérieure et plus épanoui sur la scène extérieure, c'est qu'il jouissait d'une autorité très grande sur la seconde, alors qu'il pouvait avoir le sentiment parfois d'être incompris sur la première. Il est vrai aussi qu'il connaissait moins bien le personnel parlementaire. Cent soixante-quinze députés avaient accédé pour la première fois en 2002 à l'Assemblée nationale, dont cent quarante-huit se réclamant de l'UMP. Beaucoup de ces nouveaux visages lui étaient inconnus.

À la veille de la fin de son quinquennat, on ne peut pas dire que l'UMP lui ait apporté un soutien actif. L'UMP n'était pas le parti de Jacques Chirac. Il était même devenu une machine politique contre lui. En ce sens, on peut penser que le président était isolé, son action et celle du gouvernement n'étant pas relayées par une formation politique, dont l'ambition était d'abord de favoriser l'élection de Nicolas Sarkozy.

Mais quelque part, cela était écrit. Dès 2002, il y avait pour moi un problème. L'UMP avait été surtout imaginée par certains responsables politiques et par

Jérôme Monod pour préparer la succession de Chirac et mettre sur orbite présidentielle Alain Juppé.

Certes, l'UMP avait été voulue par le président comme un instrument qui l'aiderait en 2002 à se faire réélire. Mais il y avait derrière cette initiative beaucoup d'arrière-pensées de la part de ses promoteurs, pour certains déjà à l'origine de la réforme du quinquennat. J'ajoute que la création de l'UMP pour ses instigateurs répondait aussi à une conviction : celle que le temps politique du gaullisme était terminé. Aussi ont-ils imaginé pouvoir rassembler des hommes et des femmes qui ne partageaient pas les mêmes convictions et s'étaient opposés dans le passé. Pour eux, le ciment des partis politiques n'était plus idéologique mais tactique. Les partis politiques devaient devenir de simples machines pour accompagner la marche vers le pouvoir de ses leaders avant de défendre une idéologie ou une doctrine.

L'UMP m'est apparue très vite comme la revanche de ceux qui, depuis le départ du général de Gaulle, attendaient avec une impatience pas toujours dissimulée la fin du gaullisme. Dans la lignée des Giscard d'Estaing, Lecanuet, Poher... ils tenaient avec l'UMP une structure politique qui pourrait servir à anéantir son héritage. Ils y sont en partie arrivés avec la complicité de tant d'héritiers présumés.

Jacques Chirac est assurément un homme secret et complexe, comme toutes les personnalités qui accèdent à ce niveau de responsabilité. On l'a présenté comme obsédé par le pouvoir, sans gêne, sans conviction, sans culture. Quelle erreur ! C'est avant tout un intuitif.

Le Chirac que je connais est sincèrement ouvert à toutes les idées et curieux des autres. C'est rare dans le monde politique de trouver quelqu'un qui sait écouter. C'est encore plus exceptionnel de trouver quelqu'un qui n'a pas de vérité absolue. La plupart des hommes politiques parlent, savent tout, répondent sur tout, n'écoutent plus les autres. Pas Chirac. Lui est toujours à la recherche de la vérité, en s'appuyant sur celle des autres. Il s'interroge en permanence sur la justesse de ses choix. Il n'a pas de certitudes avérées. Ce n'est pas un idéologue. Il a simplement des convictions au carrefour des idées de droite et de gauche. Il est profondément patriote : la France, le drapeau tricolore, l'hymne national, cela compte pour lui.

Mais il est patriote sans être nationaliste. Il croit aussi au rôle de l'État. L'État, pour lui, ne peut pas se désintéresser de l'économie, il a un rôle social, un devoir de correction du marché. Chirac est également convaincu que la France a une voix singulière qu'elle doit faire entendre en Afrique, en Méditerranée, au Moyen-Orient, dans le monde et en Europe. Une voix qui doit défendre des valeurs humaines et fraternelles.

Souvent on l'a brocardé en le présentant volontiers comme féru de films américains, engloutissant des hamburgers et ne se délectant que d'une nourriture roborative. Tout cela est caricatural, même s'il a contribué à entretenir cette légende. La fondation du musée des Arts premiers, devenu le musée du Quai-Branly, ne laisse plus aucun doute en tout cas sur sa vraie culture.

Jacques Chirac, à la différence de François Mitterrand, n'est pas un jouisseur du pouvoir. Pour Mitterrand, être à l'Élysée était le bonheur absolu. Je me souviens l'avoir vu à l'Assemblée lors d'une réception officielle. Je lui avais dit trois mots. Sur son visage, dans ses yeux, on pouvait lire une espèce d'extase totale. Voir tous les courtisans socialistes s'empresser autour de lui, essayer de se rapprocher le plus possible de sa personne lui procurait une satisfaction sans borne. Je n'ai jamais trouvé cela chez Chirac. Il aime le combat pour accéder au pouvoir ; mais une fois qu'il a gagné, il ne se dégage pas de lui un tel sentiment de jouissance. Il a une âme de conquérant plus que de souverain.

Pour atteindre ce but, on l'a souvent présenté comme un vrai tueur. Un dessin de Wolinski le représentait trônant au milieu de tous ses trophées de chasse qui avaient les traits de Balladur, Chaban, Giscard, Léotard… Certes Chirac pouvait se montrer implacable. Mais il faut aussi rappeler que ses présumées victimes ont contribué à leur propre élimination par leur prétention, leur légèreté, leur inconséquence.

Je ne connais pas de métier ou de discipline où il ne faille pas conquérir sa place. La lutte pour le pouvoir est toujours dure. C'est la même loi dans le monde médiatique ou dans celui de l'entreprise.

Le fait est que Chirac n'a guère été conciliant avec ses adversaires politiques. Mais j'ai souvent estimé qu'il faisait trop facilement confiance à certaines personnes. Il suffit de regarder la liste des membres des gouvernements Juppé, Raffarin ou Villepin pour constater de façon éclatante que Chirac n'est pas rancunier même lorsqu'on a trahi sa confiance. J'ai pu observer par la suite à quelle vitesse certains de ses anciens collaborateurs, devenus ministres ou députés grâce à lui, se sont détournés politiquement et humainement de lui. Je lui en ai fait plusieurs fois la remarque sans qu'il s'en émeuve. C'était trop tard pour changer l'homme qu'il est.

On m'a demandé fréquemment ce qu'il resterait du « chiraquisme », à supposer que ce terme signifie quelque chose. D'abord, la réconciliation entre cette fameuse « certaine idée de la France », telle que la définissaient les gaullistes, et l'Europe. Notre famille politique n'était jamais parvenue à montrer que la défense de la France était compatible avec la construction de l'Europe. Or, Chirac l'a démontré : tout en restant le défenseur du patriotisme français, il s'est battu pour le projet européen, comme on l'a constaté lors du traité de Maastricht, du référendum sur la Constitution, même si le non l'a emporté. Grâce à lui, l'idée européenne a cessé d'être incompatible avec la pérennité de la nation française.

Il a été l'initiateur, après de Gaulle, d'une vraie volonté d'ancrer la France en Méditerranée. La France, pour être une grande puissance, doit faire des choix. Elle a fait celui de la Méditerranée. Ainsi Chirac a-t-il plaidé pour l'entrée de la Turquie dans l'Union européenne.

Il laissera également une trace positive de la France en Afrique. Mais sur ce point, je pense que ses idées ont vieilli et que l'Afrique a changé, contrairement à ce qu'il a pu percevoir.

Chirac restera aussi comme un avocat farouche et intransigeant de l'indépendance nationale et du refus de tout alignement. Il apparaît enfin comme un authentique protecteur de l'environnement. Pour lui, si la France veut rester une grande puissance, elle doit prendre la tête du combat pour la défense de la planète.

Peu importe que ce combat froisse les Américains et indispose certains de nos partenaires. Le Corrézien qu'il est a profondément ancrée en lui l'idée que l'on reçoit en héritage une terre et qu'on doit la laisser en bon ordre. Avec lui, l'engagement politique peut se faire en dehors des clivages traditionnels.

Sans se prétendre l'héritier du gaullisme et du général de Gaulle – de Gaulle n'a pas d'héritier politique –, Jacques Chirac a su présenter en les accommodant à ses propres sensibilités certains grands principes qui sous-tendaient l'action du général : la France indépendante, l'État respecté, la société solidaire.

Mais il l'a fait sans le génie ni la magie du verbe que possédait naturellement le général. L'un des problèmes de Chirac, preuve de son manque de confiance en lui, comme du doute perpétuel qui l'assaille, c'est qu'il n'a jamais été au meilleur de lui-même à la télévision ou à la radio. Il n'osait pas improviser. Il s'en tenait strictement au texte écrit qu'on lui avait préparé, en faisant attention à chaque mot. De Gaulle savait improviser. Chirac non. De Gaulle utilisait un vocabulaire extrêmement riche et diversifié, pas Chirac. De Gaulle était un remarquable communicant, au contraire de Chirac qui n'a jamais été habile ni à son aise en ce domaine.

Cela dit, lorsqu'il s'agissait d'exprimer ou de défendre une certaine idée de la République, il a toujours trouvé les mots qui convenaient. J'aimais à l'entendre parler de la République. L'idée de la France qu'il n'a cessé de promouvoir tout au long de ses deux mandats s'appuyait sur une certaine vision de la République et une conception exigeante du pacte républicain qu'il s'est inlassablement employé à conforter.

Le pacte républicain doit garantir à chacun de trouver sa place dans notre société et de s'intégrer à la communauté nationale, quels que soient son sexe, son origine, ses convictions politiques, religieuses ou philosophiques. Autrement dit, de disposer des droits fondamentaux, mais aussi de conditions de vie acceptables et d'un accès à l'emploi. C'est le sens de l'effort considérable qui a été fait sous les mandats de Jacques Chirac dans le domaine de la cohésion sociale, du logement, de l'intégration des handicapés, érigée en priorité du quinquennat, de la parité, de la lutte contre toutes les discriminations. J'ajoute que Chirac a toujours su réaffirmer avec force que la laïcité était le ciment indispensable de ce pacte républicain.

J'ai admiré sa capacité courageuse à nous inciter à regarder notre histoire en face. À son initiative, la France a rendu un hommage solennel aux Justes. Il a ainsi achevé un indispensable travail de mémoire engagé dès le 16 juillet 1995 lorsqu'il a été le premier à reconnaître les « fautes commises par l'État » lors de l'anniversaire de la rafle du Vélodrome d'Hiver le 16 juillet 1942.

Comment oublier les mots qu'il employa lors de ce discours historique ? Il évoqua la « dette imprescriptible de la France à l'égard de ces victimes » et il sut rappeler qu'il existe, « dans la vie d'une nation, des moments qui blessent la mémoire et l'idée que l'on se fait de son pays ». Si on y ajoute l'hommage au capitaine Dreyfus, celui aux anciens combattants africains ou maghrébins, sans oublier la commémoration de l'abolition de l'esclavage, Jacques Chirac aura permis à chaque Français de dialoguer plus sereinement avec le passé de notre pays, qu'il soit fait d'ombre ou de lumière. Il nous aura fait comprendre qu'il n'y a de réelle mémoire apaisée que vivante et acceptée par l'ensemble de la communauté nationale.

Mais à d'autres moments, il lui est aussi arrivé de décevoir mes attentes, et même l'idée que je me faisais de lui et de sa fonction.

Après une série de critiques politiques caricaturales de la part de Nicolas Sarkozy, alors ministre de l'Économie et des Finances, vis-à-vis du chef de l'État, Jacques Chirac a déclaré publiquement, le 14 juillet 2004 : « Je décide et il exécute. » J'ai été satisfait de cette formule. Chirac remettait les choses au point et son ministre à sa place. Il refusait que l'autorité du président de la République puisse être bafouée de cette façon. Je me souviens avoir assisté à la retransmission à l'Élysée de son entretien télévisé. Avant qu'il ne se mêle à la foule de ses invités, je lui avais simplement et furtivement dit que j'étais heureux de ce recadrage. Mais un an plus tard, je n'avais plus aucune raison de l'être.

Le 14 juillet 2005, le ministre de l'Intérieur se permit une violente attaque – une de plus ! – contre le chef de l'État. Je me souviens très bien des termes employés par Sarkozy : « Je n'ai pas vocation à démonter tranquillement les serrures à Versailles pendant que la France gronde car oui, depuis vingt ans, à force d'immobilisme, à force d'user de la langue de bois, à force d'éluder la réalité des faits et d'esquiver les défis, la France gronde. » Outre le fait d'avoir comparé Chirac à Louis XVI, sa faute fut aussi de convoquer les journalistes au moment précis où le président accordait sa traditionnelle interview télévisée. Cette charge politique contre lui, ce manque de respect de sa fonction, je les jugeai inadmissibles.

Le lendemain, j'appelai Chirac pour le lui dire : « Est-ce que vous avez entendu ce qu'il a déclaré ? Vous ne pouvez pas laisser passer cela. Il faut qu'il y ait une réaction très dure. Il faut que vous le viriez. Quand un ministre se permet de tels propos à l'égard du président de la République, s'il n'y a pas une réaction, c'est qu'il n'y a plus d'autorité de l'État. Du temps de De Gaulle, Pompidou, Giscard ou Mitterrand, aucun des ministres n'aurait osé faire cela. Aucun de vos prédécesseurs ne l'aurait toléré. » La réponse de Chirac fut évasive : « J'ai demandé au secrétaire général de l'Élysée de l'appeler. » En fait, Chirac n'a rien fait. J'en étais déçu, furieux.

Je l'ai prévenu que, devant m'exprimer sur Europe 1, je ne pourrais cacher ce que je pensais de l'attitude de son ministre. Je lui lus les trois phrases que j'avais minutieusement préparées. En fait, si je me souviens bien, je me bornais à poser des questions, notamment celle-ci : « Est-il acceptable, au regard du bon fonctionnement de nos institutions, de la cohérence de l'action gouvernementale, de l'autorité de l'État, qu'un ministre se permette de critiquer le président de la République qui l'a nommé ministre ? »

Lors d'un déplacement à Washington en septembre 2006, le ministre de l'Intérieur s'autorisa à critiquer publiquement, cette fois, la politique étrangère de la France, notamment en Irak. Là encore, j'ai trouvé la réaction présidentielle insuffisante. Il me paraissait inadmissible qu'un membre du gouvernement puisse se conduire d'une telle façon. Ce manque de dignité aurait dû entraîner son limogeage immédiat de sa fonction de ministre. Je l'ai dit une nouvelle fois à Chirac.

Sur Europe 1, le 18 septembre, il rappela que les relations entre la France et les États-Unis ne pouvaient être des rapports de soumission. Cette mise en garde a été interprétée, me semble-t-il à juste titre, comme une réplique à Sarkozy, mais trop mesurée pour impressionner son destinataire.

Ma déception fut aussi vive le jour où il lui remit la Légion d'honneur dans son bureau à l'Élysée. Quand je l'ai appris, je l'ai mis en garde sur ce qui allait suivre : « Ce qu'il veut, c'est vous contraindre à lui remettre sa décoration et être pris en photo avec vous. – Mais il n'y aura pas de photo », m'a assuré Chirac. Comme je m'y attendais, il y eut bien un cliché qui fut naturellement diffusé.

En revanche, une de ses réactions m'a fait plaisir. À plusieurs reprises, je m'étais permis de lui dire que par son attitude, ses propos et même certaines propositions, le président de l'UMP et ministre de l'Intérieur accréditait l'idée que les institutions de la Ve République ne fonctionnaient pas convenablement et remettait en cause l'architecture constitutionnelle voulue par le général de Gaulle et ses compagnons, laquelle avait permis finalement à l'État, sans perdre trop d'autorité, de traverser les crises politiques et les alternances. Au cours de certains entretiens avec Jacques Chirac, je lui avais suggéré de prendre position en tant que garant du bon fonctionnement de nos institutions. J'attendais depuis longtemps une parole forte. À force de tout accepter pour éviter un conflit, on finit par perdre tout pouvoir.

Le 9 novembre 2006, à Colombey-les-Deux-Églises, à l'occasion de la pose de la première pierre du mémorial Charles de Gaulle, Jacques Chirac a eu quelques phrases en réponse aux avocats d'une supposée rupture, qui aspiraient en réalité à briser nos institutions : « À ceux qui aujourd'hui, par ignorance ou par calcul, voudraient ébranler cet édifice, je dis : "Mesurez toute l'irresponsabilité qu'il y aurait à brader ce qu'il y a de plus solide dans nos institutions. Jamais la Constitution de la Ve République ne fut un obstacle à la modernisation de la France." » Je fus satisfait de cette mise au point, même tardive.

C'est alors la fin de sa présidence et même de sa vie politique qui s'annonce. Comment Jacques Chirac a-t-il vécu la perspective d'une telle échéance qui ramène, par la force des choses, à une relation avec soi ? Je l'ignore. C'est une question bien délicate. Il est resté très mystérieux sur le sujet quand je l'ai interrogé lors de notre dernière rencontre à l'Élysée.

Sept ans plus tard, le 23 mai 2014, dans son bureau de la rue de Lille, seul avec lui, je lui poserai cette question : « Que retiendront de vous les prochaines générations ? Que voulez-vous qu'on n'oublie pas ? » Il m'a regardé, souri, il a fait la moue, haussé les épaules, pris ma main, mais ne m'a pas répondu.

Pendant ces années où je n'ai cessé de l'observer, j'ai tenté de comprendre et de percer le mystère de sa solitude. Elle m'a toujours intrigué et interpellé.

Il ne s'agit pas de la solitude de l'homme d'État qui doit arbitrer, décider, commander et assumer ses décisions, et en permanence affronter dérision, critique, dénigrement, opposition et contestation.

Il ne s'agit pas non plus de la solitude que l'on peut éprouver face à un destin exceptionnel. Réaliste, Jacques Chirac ne semble avoir jamais été préoccupé par une interrogation sur sa place dans l'histoire de la France.

Il s'agit chez lui d'une solitude personnelle, intime, face à la vie. Certes, Jacques Chirac a été entouré d'amis et de militants fidèles, mais il m'est toujours apparu seul. Oui, étrangement seul au milieu de ses proches, malgré sa chaleur humaine, la sympathie qui se dégage naturellement de sa personnalité.

Je n'ai pas de réponse aux raisons de cette solitude.

Peut-être explique-t-elle pourquoi il se réfugie si souvent dans un questionnement sur l'origine de l'homme et la connaissance des arts premiers.

Août 2017

REMERCIEMENTS

À Jean-Luc Barré pour ses conseils et sa bien-veillance.

À Christine Branchu pour sa disponibilité parfaite et pour avoir fait appel à ses souvenirs.

À Valérie Bochenek pour avoir pris le temps de lire le manuscrit.

Table

I
Vu de l'Intérieur
(1995-1997)

II
Vu du RPR
Scènes de la vie parlementaire
(1996-2002)

III
Vu du perchoir
(2002-2007)

Les Idées constitutionnelles du général de Gaulle
Librairie générale de droit et de jurisprudence, 1974, 2015

La Constitution de la Ve République
PUF, 1975

Le Pouvoir politique
Seghers, 1976

Le Gaullisme
(avec Michel Debré)
Plon, 1978

LA JUSTICE AU XIXe SIÈCLE
1. Les Magistrats
Perrin, 1981
2. Les Républiques des avocats
Perrin, 1984

Le Curieux
roman
Éditions N°1, 1986

En mon for intérieur
Lattès, 1987

Pièges
roman
Robert Laffont, 1998

Le gaullisme n'est pas une nostalgie
Robert Laffont, 1999

La Laïcité à l'école : un principe républicain à réaffirmer
Rapport de la mission d'information de l'Assemblée nationale
Odile Jacob, 2004

Qu'est-ce que l'Assemblée nationale ?
L'Archipel, 2007

Les Oubliés de la République
Fayard, 2008

Quand les brochets font courir les carpes
roman
Fayard, 2008
et « Le Livre de poche Policier », n° 31414, 2009

Dynasties républicaines
Fayard, 2009

Meurtre à l'Assemblée
roman
Fayard, 2009
et « Le Livre de poche Policier », n° 32248, 2011

Regard de femme
roman
Fayard, 2010

En tête à tête avec Charles de Gaulle
(illustrations de Philippe Lorin)
Gründ, 2010

Racontez-moi le Conseil constitutionnel
Name Éditions, 2010

Jeux de haine
roman
Fayard, 2011

En tête à tête avec les présidents de la République
(illustrations de Philippe Lorin)
Gründ, 2011 et 2012

Ces femmes qui ont réveillé la France
(avec Valérie Bochenek)
Fayard, 2013
et « Points », n° P3216, 2014

Le Monde selon Chirac
Convictions, réflexions, traits d'humour et portraits
Tallandier, 2015

Je tape la manche
Une vie dans la rue
(avec Jean-Marie Roughol)
Calmann-Lévy, 2015

Ce que je ne pouvais pas dire
Robert Laffont, 2016
et « Points », n° P4518, 2017

Dictionnaire amoureux de la République
Plon, 2017

3 minutes pour comprendre l'histoire, les fondements,
les principes de la République française
(avec Laurent Kupferman)
Courrier du livre, 2017

Le Monde selon Chirac
Convictions, réflexions, traits d'humour et portraits
Tallandier, 2017

Nos illustres inconnus
Ces oubliés qui ont fait la France
Albin Michel, 2018

RÉALISATION : IGS-CP À L'ISLE-D'ESPAGNAC
IMPRESSION : CPI FRANCE
DÉPÔT LÉGAL : OCTOBRE 2018. N° 139051 (3029622)
IMPRIMÉ EN FRANCE